ROBERT MORGAN

GEEST VAN VERLANGEN

Vertaald door
Dorienke de Vries

 *Brandaan*

ISBN 978 94 6005 006 0
NUR 302

Vertaling: Dorienke de Vries
Omslagontwerp: Wil Immink

www.uitgeverijbrandaan.nl

Voor mijn zoon Ben

Een

De allereerste pinkstersamenkomst waar pa me mee naartoe nam, werd gehouden in een groene kapel in de buurt van Cedar Springs. De voorganger was een vurig klein mannetje dat McKinney heette en afkomstig was uit Tigerville in South Carolina. Ik was net zeventien en wilde wel eens zien hoe het daar toeging.

'Is het zo'n samenkomst waar de vrouwen over de grond liggen te rollebollen?' vroeg Florrie, mijn zus.

'Soms wel,' zei pa, 'als de Geest ze daartoe drijft.'

'Met wie rollebollen ze dan?' Dat was mijn broer Locke, die altijd overal een lolletje van maakte.

'Je mag niet spotten met de manier waarop andere mensen God prijzen,' zei pa. In de Burgeroorlog had hij gevangengezeten in Elmira, in de staat New York, en hij was een trouw bezoeker geweest van de pinkstersamenkomsten daar. Hij was nog maar een jongen, toen, en bij de gebedssamenkomsten in dat vreselijke kamp, die werden gehouden aan de oever van de dichtgevroren rivier, zongen en dansten de mensen om warm te blijven. Toen ik nog een klein meisje was, vertelde hij me er alles over. Een van de gevangenen trad op als voorganger en als hij alleen maar naar de mensen keek, begonnen ze al in tongen te spreken. Hij kon zichzelf ook een eind boven de grond laten zweven, zodat hij zijn gehoor van grote hoogte kon toespreken. 'Zo vergaten we de kou en de honger,' zei pa. De naam van die voorganger was McKinney en hij was de vader van degene die nu de bijeenkomsten in Cedar Springs organiseerde.

'McKinney zei dat hij het kamp zou overleven, ook al moest hij leven van ijspegels en kakkerlakken, en het lijkt erop dat hij dat gedaan heeft ook', zei pa.

Dominee Jolly van de baptistengemeente had de samenkomsten in de groene kapel scherp veroordeeld. Hij noemde het duivelswerk om binnen te dringen in een gemeenschap en de mensen daar zo op te hitsen dat ze ten slotte alleen nog maar wartaal uitsloegen. Hij zei dat predikers als McKinney niks anders deden dan verwarring en onenigheid stichten, om vervolgens anderen met de brokken te laten zitten. Volgens dominee Jolly was de doop met vuur je reinste flauwekul. De enige doop die telde, was die met water; het symbool voor het bloed. Wie de samenkomsten in het bos bezocht, zette daarmee zijn lidmaatschap van de kerk op het spel.

Hoe meer kritiek de mensen op de pinkstersamenkomsten hadden, hoe nieuwsgieriger ik werd. Mijn moeder was gewoon baptist toen ze nog leefde, en ik herinnerde me dat ik haar met pa had horen ruziën toen hij naar een opwekkingssamenkomst in South Carolina was geweest. Ik was nog klein en begreep nauwelijks waarover het ging, maar ik merkte wel dat ze boos was omdat pa zulke bijeenkomsten bezocht.

'De Geest spreekt verschillende mensen op verschillende manieren aan,' zei pa.

'Ben Peace,' zei ma tegen hem, 'als je maar weet dat mijn kinderen bij zulke schandelijke vertoningen vandaan blijven.'

Wekenlang hadden ze over de samenkomsten gekibbeld, tot de opwekking voorbij was. Het jaar daarna stierf ze aan de koorts.

Mijn broer Joe liep indertijd net om Lily en zij gingen met pa en mij in de wagen mee naar Cedar Springs. Het was tijdens de hondsdagen, want de opwekkingssamenkomsten werden toentertijd nog voor de maïsoogst gehouden. Om op tijd te komen, moesten we vertrekken terwijl het nog licht was.

'Ginny komt zo weer mooi onder de afwas uit,' zei Florrie toen we vertrokken. Ze kon ontzettend venijnig uit de hoek komen.

'En wie doet er de afwas wanneer jij met David op stap bent?' vroeg ik.

'Ik maak mezelf tenminste niet te schande door gillend over de grond te rollen,' zei Florrie en ze smeet de lepels in de afwasteil.

'O nee?' zei ik en ik glipte de deur uit voor ze kon reageren. Ze had tegen mij lopen opscheppen dat ze met David had geslapen en ik liet geen gelegenheid voorbijgaan om haar daarmee te pesten.

Toen de wagen wegreed, zaten de sprinkhanen als miljoenen tikkende wekkers al te klikken tussen het onkruid in de berm. In de eikenbomen zongen de cicades - net babyrammelaars die zo snel heen en weer geschud werden dat het geluid ineenvloeide. Tegen de tijd dat we bij de rivier waren, was in het gras het gesjirp van de krekels losgebarsten. De grote, zwarte krekels, die ook veenmollen worden genoemd, maakten zo'n kabaal dat het heuvelachtige weidelandschap en de struiken langs de weg ervan leken te trillen. Het geluid dat ze voortbrachten leek net op dat van beiteltjes die tegen de rotsen tikten. 'Nog zes weken, dan vriest het', zei pa, zoals altijd wanneer hij een veenmol hoorde.

De groene kapel stond midden op een grote open plek met hier en daar een boom, waaraan nu een groot aantal paarden vastgebonden stond. Her en der stonden wagens. Het optrekje was door de MacBanes gebouwd van stammetjes, met dennentakken er dwars tegenaan gespijkerd. Binnen rook het naar dennenhars en zaagsel en naar de houtkrullen die op de vloer waren gestrooid. Sommige mensen hadden hun eigen stoel meegenomen, maar de meeste zaten op bankjes van ruwe planken.

Wij zaten ongeveer in het midden. Vooraan waren aan beide kanten lantaarns opgehangen, en aan een lange paal in het midden hing er ook nog een. Het was nu helemaal donker en in de bomen gingen de sabelsprinkhanen tekeer. Het gaf me een herrie, alsof er buiten een korenmolen stond te draaien. 'Waar is de voorganger nu?' fluisterde ik tegen pa.

'Hij komt zo,' zei pa.

Voor in de ruimte stonden een altaar en een preekstoel van onbewerkt dennenhout. Een van de MacBanes, volgens mij was het Hilliard, klom op de verhoging en zei: 'We zullen nu een lied aanheffen.' De MacBanes waren de beste zangers van heel de vallei en Hilliard werd beschouwd als de beste, althans, op zijn oom Ben na. Zijn stem was zo zuiver dat je het gevoel kreeg dat dit de enige ware stem was; alle andere waren maar nep.

'De Geest spreekt vooral door middel van muziek,' zei Hilliard en hij begon regel voor regel het lied 'Revive us again' op te zeggen.

'Amen, b-b-b-broeder!' riep iemand. Het was Joe.

Hilliard begon langzaam. Eerst zei hij een regel voor, vervolgens zong hij hem, dan zei hij de volgende voor en zong die ook. 'Zing allemaal maar mee,' zei hij. 'De Geest is met ons, hier in het bos. Ik voel het, jullie ook?'

'A-a-a-amen,' stotterde Joe.

Onder het zingen begon me iets op te vallen. Alles om mij heen veranderde op de een of andere manier. Het licht van de lantaarn was nog steeds hetzelfde, de mensen om mij heen waren nog hetzelfde en ook de geur van dennenhars was nog hetzelfde. En toch was alles veranderd. Het was lieflijker. Ik meende ook te merken dat de muziek ieder moment afzonderlijk een intense zaligheid verleende. Ik voelde me sterker verbonden met de mensen om me heen. Ze waren nog steeds wie ze waren, maar ik zag ze in een ander en mooier licht. Ik had nog steeds dezelfde witte blouse aan, maar het licht van de lantaarn legde een parelmoeren of opalen glans over de witte stof.

Toen het lied uit was, hoorden we rennende voetstappen. Als een windvlaag door de bladeren en de boomtakken kwamen ze dichterbij. Het klonk alsof daar iemand rende voor zijn leven. En net toen ik me afvroeg wie dat kon zijn, stormde vanuit het donker een man naar binnen die met één sprong op het podium was.

'De duivel zat me op de hielen, maar ik heb hem afgeschud,' riep hij. Iedereen begon te lachen. Dit was dus voorganger McKinney. Met een zakdoek veegde hij zijn voorhoofd droog en toen beklom hij de preekstoel. 'Je moet hard lopen om de duivel te snel af te zijn,' zei hij. Toen keek hij even zwijgend rond. Ik stond verstard en kon mijn ogen niet van hem af houden.

'Dank U, Jezus,' zei Lily naast mij.

'Weten jullie wat hier gebeurt?' vroeg de voorganger. 'Weten jullie hoe het komt dat het hier zo heerlijk ruikt?' Weer zweeg hij even en zijn blik gleed van de ene naar de andere kant. 'Het is de samensmelting van tijd en eeuwigheid,' zei hij toen. 'Het is de gemeenschap van vlees en geest, het is deze wereld die zich tegen de volgende vlijt.'

Zijn woorden bezorgden me een schok. Hij zei precies wat ik al vaak had gevoeld en wat ik voorheen wel eens had gedacht zonder het ooit helemaal te kunnen vatten.

'We kunnen de vodden van het vlees niet afleggen,' zei de voorganger. 'Maar we kunnen ze wel dragen in de Geest en in de nabijheid van de Geest. We hoeven niet vuil en ellendig te zijn. We hoeven geen medelijden met onszelf te hebben. We hoeven niet lauw te zijn. Het is mogelijk om te leven in het licht en in de nabijheid van het licht. Want de Geest is hier en nu in ons midden.'

Ik had het gevoel of alle lasten van me afvielen - alle sleur, al het harde werken, al mijn ruzies met Florrie en mijn verdriet om mama's dood, al mijn teleurstelling om mijn grote handen en voeten en om het wegblijven van de jongens. Mijn getob over de zin van het leven en over de dingen die ik in boeken las, leek plotseling vreselijk onbenullig.

Ik keek naar de voorganger en hij keek me recht in de ogen. Het voelde alsof ik iets wilde zeggen, maar het niet over mijn lippen kon krijgen. Er lagen woorden op het puntje van mijn tong, maar ik kon niet meer praten.

'Jullie kunnen de doop met vuur ontvangen,' schreeuwde McKinney. 'De doop met water is niet genoeg. Het vuur hoort erbij. En pas als je met vuur gedoopt bent, ben je in een eeuwigdurende staat van genade. Dat hoor je niet bij die zogenaamde bijbelgetrouwe baptisten! Die zullen je vertellen dat één duik in een sloot of een modderpoel je een plekje in de hemel garandeert. Ze praten alsof een onderdompeling in een vieze beek gelijkstaat aan een toegangsbewijs voor het paradijs.'

Hij zweeg even en veegde opnieuw zijn voorhoofd af met een grote, witte zakdoek. Toen keerde hij zich naar de andere helft van de gemeente. 'Neem maar van mij aan dat het in de hel krioelt van de bijbelgetrouwe baptisten,' zei hij, 'en reken maar dat hun huid in die eeuwige kwelling snel is opgedroogd. Nee, vuur moet je met vuur bestrijden. Vergelijk het met het harden van een spijker om hem sterker te maken, of met het bakken van een aardewerken pot in een vurige oven om hem te verduurzamen. Zo heb je de tweede doop nodig om te kunnen volharden.'

'A-a-amen!' schreeuwde Joe. Hij sprong overeind en zette zijn handen aan weerszijden van zijn mond, alsof hij een grote afstand moest beschreeuwen, maar wat eruit kwam klonk meer als een soort gekwetter en gezoem. Ik dacht dat hij stond te stotteren, maar daarvoor sprak hij veel te snel. Het was juist het tegenovergestelde van stotteren. Hij was minstens een halve minuut aan het woord en ik had geen idee wat hij gezegd had.

'God zegene je, broeder,' zei de voorganger. 'De Heer heeft jou tot een uitverkoren vat voor zijn woord gemaakt. God zegene jullie allemaal, mijn lievelingen in Christus.'

Naast mij begon Lily te beven. Ze schudde heen en weer alsof ze zojuist in een ijskoude rivier had gelegen en nu kletsnat in de wind stond. Haar gezicht stond star, maar haar lichaam schokte. Ze stuiterde van top tot teen. Zonder dat het opzet leek, liep ze de rij uit. Ik week een beetje achteruit om haar erlangs te laten. Terwijl ze door het gangpad naar voren liep, wrong ze zich nog steeds in allerlei bochten.

'God zegene je,' zei de voorganger. 'De Geest komt ook over jou.'

Huiverend en rillend over haar hele lijf liep Lily naar voorganger McKinney toe, zonder hem ook maar een moment uit het oog te verliezen. Haar hoofd hield ze kaarsrecht, terwijl haar hele lichaam vertrok in spasmen en toevallen.

'God zegene je, lieverd,' zei de voorganger. En met dat hij dat zei, zakte ze in het zaagsel alsof ze in zwijm viel. Ik ging op mijn tenen staan om het goed te kunnen zien. Ze viel op de grond, lag nog een paar seconden te stuiptrekken en begon toen heen en weer te rollen. Ze rolde van haar ene zij op de andere, alsof ze zich uit alle macht van een stel boeien probeerde te bevrijden. Met haar hakken zette ze zich schrap in het zaagsel, alsof ze zich afzette tegen een oeverrand of een wal.

'De Geest is hier in ons midden,' zei de voorganger. 'Hij is niet te vinden in de een of andere ingeslapen baptistenkerk en ook niet in Greenville. Hij is niet te vinden in een prachtig gebouw, niet in

Washington, niet in New York City. Nee, Hij is hier, in deze groene kapel, op deze avond, en Hij is hier om ons leven te veranderen. Hij is hier om ons te dopen voor de eeuwigheid.'

Lily had nu al haar ijdelheid en truttigheid, al haar trots en eigendunk laten varen. Meestal liep ze vreselijk te tobben over haar uiterlijk en ze had het ook wel een beetje hoog in de bol. Geen enkele vrouw in de hele vallei maakte zich zo druk om haar kleren als zij. Nu lag ze hier op de grond te rollen en met haar armen te maaien alsof ze aan het zwemmen was in een soort geestelijke rivier, bevrijd van al haar dagelijkse beslommeringen en egoïstische verlangens.

Dit is een heel nieuwe manier van leven, dacht ik. Het is een nieuwe dimensie. Tegelijk leek het ook iets heel ouds, iets wat ik sinds mijn meisjesjaren was kwijtgeraakt. Ik herinnerde me weer dat ik me als klein meisje ook zo kon laten gaan. Dit is een nieuw begin voor jou, zei ik tegen mezelf. Vanaf nu zal alles anders zijn.

Pa had zijn zakdoek tevoorschijn gehaald en stond ermee te zwaaien. De tranen stroomden langs zijn wangen, maar hij gaf geen kik. Hij had de zakdoek in zijn rechterhand en wapperde ermee hoog boven zijn hoofd, alsof hij iemands aandacht wilde trekken of een stel vliegen probeerde te verjagen.

'Laat de duivel maar merken dat hij hier vanavond beter weg kan blijven,' zei voorganger McKinney. 'Laten we hem maar duidelijk maken dat hij net zo goed regelrecht terug kan gaan naar de hel. Hij heeft hier niks te zoeken.'

Ik zocht de ogen van McKinney en hij keek me recht aan. Mijn nek verkrampte, ik kon mijn ogen niet meer afwenden en ze ook niet dichtdoen. Ik was me er niet van bewust dat ik iets zei, al voelde ik mijn tong bewegen. Het leek alsof ik boven mezelf uitsteeg, ook al stond ik doodstil.

Iedereen draaide zich om en keek naar mij. De voorganger zei: 'God zegene je, zuster, de Heer maakt je deze avond tot een werktuig van zijn woord. De zoete honing uit de rots vloeit door je heen en je mond is vervuld van sterrenlicht.'

Er gleed een enorme last van me af en voor het eerst in jaren voelde ik me volmaakt op mijn gemak. Strijd en streven spoelden weg. Zorgen en verlangens vielen weg. Van het ene op het andere moment was ik volmaakt in evenwicht en volmaakt gelukkig. Ik hoefde er niet langer over in te zitten dat mijn handen en voeten niet mooi waren en dat mijn onderlip naar voren stak als ik zat na te denken. Het gaf niet langer dat ik nog nooit echt verkering had gehad, ook al was ik al bijna zeventien, of dat Florrie al met David naar bed was geweest terwijl ik nog nooit een noemenswaardige kus had gehad.

Ook al mijn kleine ergernissen deden er in het vervolg niet meer toe. De ochtendkou zou me niet meer raken wanneer ik in alle vroegte naar de stal ging om te melken en de koe me weer schopte met haar smerige poot. Ik hoefde me niet meer terneer te laten slaan door de sombere buien waarin ik me nog minder waard voelde dan een worm. Ik hoefde me evenmin nog schuldig te voelen over het feit dat ik me niet dagelijks optutte zoals Florrie en Lily. Vanaf nu zou ik als vanzelf de christelijke liefde in praktijk brengen en geven aan mensen in nood zover als dat in mijn vermogen lag.

Ik stapte het gangpad in en liep op mijn tenen naar de voorganger. Ik liep niet te schudden zoals Lily, maar nam korte, vlugge stapjes, met mijn ogen onafgebroken op voorganger McKinney gevestigd. Lily zat in een hoekje haar ogen te deppen, maar ik keek niet naar haar.

'Deze zuster is in de Geest,' zei de voorganger. Hij stak zijn hand uit en legde die op mijn hoofd, waarop ik begon te huiveren. Ik had het gevoel dat ik smolt. Alle kracht vloeide uit mijn botten weg en als een drilpudding zakte ik in het zaagsel. Ik wilde wel in de grond wegzinken ten teken van mijn nederigheid. Ik wilde wel naar het middelpunt van de aarde tuimelen, zo diep, zo ver.

Zodra ik de grond raakte, voelde ik mezelf omtollen. De enige manier om mijn nederigheid te tonen was door als een merrie heen en weer te rollen. Ik moest tot het uiterste gaan om mijn ijdelheid af te schudden. Ik rolde en tolde alsof ik door een stroomversnelling werd meegesleurd. Al wentelend voelde ik hoe ik de grond in getrokken werd, tot in de allerdiepste nederigheid. Alleen door te blijven draaien zou ik de kern kunnen bereiken.

Ik kwam tegen de rand van de kapel aan en toen ik terug begon te rollen, voelde ik het vuur om me heen. Ik baadde in koesterende vlammen. Het vuur schroeide alle trots, alle vuile koppigheid en alle pijn van de ijdelheid uit me weg. Ik was minder waard dan alle andere mensen daar en alleen door mezelf nog verder te verlagen zou ik gereinigd kunnen worden. Het vuur verschroeide en verkoelde me tegelijkertijd. Tot in de verste hoekjes van mijn geest reikten de vlammen, en miljoenen mijlen ver joegen ze langs de hemel als een onafzienbare reeks van zonsondergangen. Het vuur bereikte zelfs de rand van het heelal en schampte langs de sterren.

'Vuur moet met vuur bestreden worden!' schreeuwde de voorganger ondertussen.

Ik wentelde om en om en zag dat alles begon te tollen. De dagen tolden en de aarde tolde en zelfs de zon begon te draaien. Alles cirkelde en kronkelde om alles heen. En door al dat gedraai werd ik gereinigd van alle bezoedeling.

Dit is de zalige meetkunde van het licht, dacht ik. Dit is de algebra van geest en tijd. Dit is het moment waarop het vlees zo doorzichtig wordt als een lens en het stof begint te stralen als kerstkaarsen. Kadavers glanzen en nieuwe aardappelen glimmen als pasgeboren baby's. Het duister is bezaaid met vuurvliegjes. De ijzigste rots staat in brand; de ijspegels ook. De hemel is een blauw vuur, de vlam van de tijd slaat door alles heen.

Toen het rollen ophield, was ik zo uitgeput dat ik aan de rand van de kapel in de schaduw bleef liggen. Aan mijn bezwete gezicht en nek kleefden zaagsel en houtkrullen en mijn haar klitte op mijn voorhoofd. Ook aan mijn kuiten plakte het zaagsel, maar het kon me allemaal niet schelen. Ik voelde me volkomen leeg en tegelijk volkomen vervuld.

'Het is een voorrecht om hier vanavond te mogen zijn,' zei voorganger McKinney. 'Nu predik ik al zo veel jaren en nog nooit heb ik zo'n uitstorting van de Geest meegemaakt. God schenkt ons vandaag een zeldzaam rijke zegen.'

Overal klonk nu gejuich en een man, volgens mij was het een van de MacBanes, huppelde met zulke kromme sprongen om het altaar heen dat het leek of hij al jaren kreupel was en eigenlijk niet kon lopen, maar gewoon wel móest. 'Dank U, Jezus!' schreeuwde hij. 'Dank U, Jezus!'

'Wat een voorsmaak van heerlijkheid!' zei de voorganger. 'Welk een enorme teil vol honing wordt hier over ons uitgegoten.'

Ik hoorde iemand anders in tongen spreken, maar kon niet uitmaken wie het was. Niemand van de mensen die ik kende, had zo'n vérdragende stem. De stroom van klanken leek op de gorgelende luchtbelletjes die je uit een pijp vol zeepsop blaast. En toen nog meer, en nog meer.

'God zegene je, zuster,' zei de voorganger tegen me en toen pas merkte ik dat ik degene was die had gesproken. Ik had mijn eigen stem niet eens herkend. Even abrupt als hij begonnen was, hield de klankenstroom ook weer op. De laatste lettergreep viel van mijn lippen als een grote sluitkraal.

'Kom naar voren, allemaal,' zei de voorganger. 'Kom naar voren, allemaal en kniel voor het altaar neer.'

Ik probeerde op mijn knieën te gaan zitten.

'De Geest en de bruid zeggen: "Kom"; en wie wil, neme het water des levens om niet,' citeerde de voorganger uit het boek Openbaring.

Ik viel terug op mijn achterwerk; ik kón niet meer.

'Help die zuster eens overeind,' zei de voorganger. Een van de mannen van Jenkins stak me een hand toe en hielp me een knielende houding aan te nemen.

'Op de knieën allemaal,' zei McKinney. 'Dat is de enige manier om de eeuwigheid tegemoet te treden, gewoon op je knieën in het zand en het zaagsel.' Alle mensen lieten zich op hun knieën vallen, dicht tegen elkaar aangedrukt. Ik zat tussen Tildy Tankersley en de jongen van Jenkins. De hele menigte zat schouder aan schouder op elkaar gepakt.

'Sla nu allemaal de armen om elkaar heen,' zei de voorganger. Ik legde mijn linkerarm om Tildy's nek en mijn rechterarm om de schouder van de jongen van Jenkins. We zaten nu zo dicht bij elkaar dat het voelde alsof iedereen zijn armen om iedereen heen geslagen had.

'Hieraan zullen allen weten dat jullie mijn discipelen zijn, als jullie elkaar liefhebben,' zei de voorganger. Zelf knielde hij ook en hij legde zijn handen in de nekken van de twee mensen vlak voor hem. Volgens mij waren het Joe en Lily.

'Heer, wij liggen hier in het stof, in nederigheid voor uw aangezicht,' zei hij. 'We hebben niets om ons op te beroemen en al onze kracht komt van U. Zonder U zijn we niet meer waard dan een stel vodden. Eens waren we verloren, maar U hebt ons gevonden. Eens waren we bezoedeld, maar U hebt ons door het vuur gereinigd en gered. Dank U, Jezus.'

'Dank U, Jezus,' zeiden we allemaal.

'Trek de anderen nog dichter naar je toe,' zei de voorganger.

We kropen nog dichter tegen elkaar aan. Het was fantastisch!

'Zelfs de hel is tegen de liefde niet opgewassen,' zei voorganger McKinney.

Ik merkte wel dat iemand een hand op mijn borst legde en erin kneep, maar in de dicht opeengeperste mensenmassa kon ik niet zien wie het was. Het kon me niet veel schelen ook. We zaten zo dicht bij elkaar dat iedereen wel iemand aanraakte. Als één lichaam wiegden we heen en weer, terwijl de voorganger begon te bidden.

'Dit is het doel waarvoor de mens is geschapen,' zei hij. 'En wij zijn hier vanavond naartoe geleid om te delen in de vreugde van Christus en Hem te kennen in liefde.'

Ik weet niet meer op welk moment ik de brandlucht voor het eerst rook. De geur van de brandende kolenolie in de lampen hing er al vanaf het begin en de dennennaalden gaven een schroeilucht af door de hitte die van de lantaarns sloeg. Maar opeens had ik de stank van rook in mijn neus. Eerst dacht ik nog dat het gewoon een lantaarn was, of de rook uit de pijp van een van de mannen, maar daarvoor was hij te stoffig en te benauwd. Iedereen begon op hetzelfde moment om zich heen te kijken. Op dat moment ontdekten we het rooksliertje dat tussen de dennentakken door naar binnen kringelde en hoorden we het geknetter.

We schrokken zo dat het even duurde voor we in actie kwamen. De mensen lieten elkaar los en begonnen te wringen en te worstelen om overeind te komen. Sommigen boden anderen de helpende hand en anderen dromden naar de deur. 'Brand!' krijste Tildy.

Duwend en trekkend en totaal verdwaasd stortten we ons in de richting van de uitgang. Buiten was het pikkedonker, maar de gloed van het vuur danste op de bomen.

'Waar is de bron?' vroeg Joe.

'Een heel eind verder de heuvel op,' antwoordde Emmett Mac-Bane.

'Het dichtstbijzijnde water is de dode rivierarm,' zei zijn broer Tilden.

'Heeft iemand een emmer?' vroeg pa.

'Dit is nou de doop met vuur!' schreeuwde iemand in het bos en er werd gelachen.

'Waar is de emmer met drinkwater gebleven?' vroeg Emmett, waarop we ontdekten dat iemand de emmer en de schep had weggenomen van de boomstronk voor de kapel. Het was trouwens toch al te laat. Het dennengroen van de wanden en het dak had vlam gevat als aanmaakhout. We stonden nog niet buiten of het vuur drong al dwars door de wanden heen. We konden niets anders doen dan toekijken hoe de groene kapel in vlammen opging. In een mum van tijd had het vuur het houten geraamte bereikt en de wanden verteerd. We zagen de bankjes in brand staan, en ook de preekstoel en het altaar. We konden alleen nog maar naar adem happen toen het dak het stammetje voor stammetje begaf.

'We bouwen hem weer op,' zei Emmett.

'We maken hem twee keer zo groot,' zei Tilden.

'Het werk van de Heer kan niet worden tegengehouden!' schreeuwde McKinney tegen het duister. Het vuur verlichtte de bomen tot ver in het bos, maar verblind als ik was door de vlammen zag ik verder niets.

Van de terugrit langs de rivier herinner ik me niet veel meer. Na de verhitte samenkomst en de razernij van het vuur was de koele nachtlucht eerst heel aangenaam, maar al gauw zat ik in het donker te rillen, verlangend naar een jas. Joe ontstak de lantaarn, maar tegen de nachtelijke kilte hielp dat niet veel. Krakend en ratelend reden we bij sterrenlicht over de hobbelige weg. Ik borstelde stukjes zaagsel en houtkrullen van mijn jurk en uit mijn haren.

'Jij bent echt met de Geest gedoopt, Ginny,' zei Lily tegen me. 'Dat zag je zo. Ik kon zien dat je helemaal in de Geest was.'

Ik wilde hier buiten, in het donker, echter niet over de samenkomst praten. Het leek gewoon ongepast.

Het moet na middernacht geweest zijn, toen we eindelijk thuis waren. We hadden Lily afgezet bij haar eigen huis, naast de doorwaadbare plaats. Florrie en Locke waren al naar bed en zelfs in de woonkamer brandde geen licht meer. In de omringende bomen gingen de sabelsprinkhanen zo vreselijk tekeer dat je bijna niet kon geloven dat hier ergens een huis stond.

Terwijl Joe het paard uitspande en naar de stal bracht, zocht pa wat aanmaakhoutjes en afgekloven maïskolven bij elkaar om een vuur aan te leggen. Omdat het zo helder was, was het een koude nacht. Ik stond te rillen en had plotseling flinke trek. 'Maak maar vuur in het fornuis,' zei ik. 'Dan zal ik wat beschuit maken en koffiezetten.'

'Ik heb een razende trek in maïsbrood met boter,' zei pa.

'Dan bak ik wat maïsbrood,' zei ik. Ik roerde meel en karnemelk en zout en soda, en tegen de tijd dat Joe binnenkwam was het beslag klaar. Het vuur loeide in het fornuis en de keuken begon langzamerhand op te warmen. Ik schonk het beslag in een pan en zette die in de oven. Het water voor de koffie raakte al aan de kook.

'Hij is de beste die ik heb meegemaakt sinds Elmira,' zei pa. 'Hij is even goed als vroeger zijn vader.'

'Hij is even goed als Lilburn,' zei Joe, 'en ik heb altijd gezegd dat L-L-Lilburn het best en het hardst kon preken van heel Dark Corner.'

Ik vroeg me af wat ze zouden zeggen over mijn aandeel in de dienst. Hier thuis had ik zelfs nog minder zin om erover te praten - niet omdat het iets was om me voor te schamen, maar juist omdat het te heilig was voor woorden.

Ik zette een homp boter op tafel en we aten warm maïsbrood met boter en koude melassestroop en dronken koffie met room erin. De boter op het hete brood smaakte nog beter dan roomijs. En de sterke koffie paste uitstekend bij de romigzoete smaak van de stroop.

'De MacB-B-Banes bouwen zo weer een nieuwe kapel,' zei Joe.

'Ze kunnen beter een rotskerk bouwen,' meende pa. 'Alleen is dat dan een kerk als alle andere.'

'We kunnen toch ook samenkomen bij iemand aan huis,' zei ik.

'Als je in iemands woonkamer zit, is het heel a-a-anders,' zei Joe. 'Je moet een s-s-speciale, gewijde p-p-plaats hebben.'

Ik begreep wat hij bedoelde, want nu we hier zo tussen onze alledaagse dingen bij elkaar zaten, wilde ik niet eens meer praten over de dienst en over wat mij was overkomen. Niet dat ik me ervoor schaamde. Maar een dienst hier in de zitkamer zou niet hetzelfde zijn. Het zou niet meevallen om jezelf in een dergelijke samenkomst zo te laten gaan. Misschien schaamde ik me toch wel een heel klein beetje. Ik plukte nog maar eens een stukje zaagsel van mijn jurk.

'Weten jullie wel hoe laat het is?' vroeg iemand. 'Het is twee uur in de nacht!' Op de drempel stond Florrie, in haar nachtjapon en met een frons op haar gezicht.

'Wil je ook een plak maïsbrood met melasse?' vroeg ik.

'Nee, ik kwam alleen maar even kijken wie hier de boel zo op stelten zette,' zei Florrie.

Twee

Iedereen was het erover eens dat ik de ergste zenuwpees was van alle kinderen Peace, maar ook degene die het hardst werkte. Soms werk ik alleen maar omdat ik niet tegen nietsdoen kan. Ik weet dan nooit hoe ik kijken moet of waar ik mijn handen moet stoppen. Andere keren ben ik zo geboeid door een bepaalde klus dat ik gewoon aan niets anders meer kan denken. Het is dan alsof ik mezelf helemaal vergeet en alleen nog aandacht heb voor het werk dat mijn handen verrichten. In zulke periodes ben ik op mijn best; ik denk niet meer na over mezelf, alleen nog maar over wat er gedaan moet worden. Waarschijnlijk ben ik dan juist het meest mezelf, omdat ik er niet meer bij stilsta.

De mensen zeggen dat ik mijn 'Italiaanse uiterlijk' heb geërfd van de families Peace en Richards. Het klopt dat ik pa's donkere ogen heb en ook zijn zwarte haar. Maar mijn lichte huid en mijn lengte komen bij mama vandaan. Mensen praten nu eenmaal altijd zo, alsof ze precies weten waarom iemand het uiterlijk heeft dat hij heeft. Zelf denk ik dat we daar niet zo veel van kunnen zeggen. Sommige kinderen lijken zelfs helemaal niet op hun ouders. En ik zie al helemaal niet in hoe bepaalde trekken generaties lang terug kunnen gaan, naar Italiaans of indiaans bloed, naar South Carolina en Pennsylvania, en nog verder terug, naar New Jersey en Wales. Volgens mij zijn we gewoon zoals God ons gemaakt heeft en weten we verder niet echt hoe onze voorouders waren of wat ze deden.

Men vond ook altijd dat ik een heel eigen manier van doen had en daar ben ik het wel mee eens. Ik heb nooit willen zijn zoals andere mensen. Sommige mensen meenden dat dit het gevolg was van mama's vroege dood, waardoor ik voor mijn opvoeding helemaal op mijn zus Florrie was aangewezen. Er was niemand anders die me kon leren hoe een meisje zich dient te gedragen. Anderen zeiden dat het kwam omdat ik van jongs af aan met Florrie overhoop had gelegen en dus nooit goede manieren had geleerd. Weer anderen zeiden dat ik pas de kluts was kwijtgeraakt nadat pa me was gaan meenemen naar de samenkomsten.

Toch sprong ik al als klein meisje bij als er iemand ziek was. Ik bezocht mensen die aan huis gebonden waren en bracht gebraden kip bij rouwende families. Hoe jong ik ook was, ik deed mee aan de pondencollecte als iemand door brand zijn huis was kwijtgeraakt; dan stond ik een pond koffie of suiker af, of een stuk ham of rundvlees. Ik was hooguit vijftien toen ik voor het eerst hielp met het wassen en afleggen van een lijk. De dode was de oude juffrouw MacDowell van Rock Creek, die dood was neergevallen bij het reuzel smelten. Ik hielp mee haar op de koelplank te tillen en haar schoon te boenen. Ik waste zelfs haar haren.

De mensen beweerden ook dat ik een nog ergere boekenwurm was dan mijn pa en ik denk eigenlijk dat ze ook daarin gelijk hadden. Zelfs als jong meisje had ik al een abonnement op *The Moody Monthly* en op *American Magazine*. Pa las het dagblad van Toledo en ook dat spelde ik van voor naar achter. Dan hadden we nog dat tijdschrift uit Ohio, *The Telescope*, waarvan ik nooit ook maar één bladzijde oversloeg. Ik las graag 's ochtends voor het licht werd. Als het hele huis nog in diepe rust was, stond ik op, zette koffie en ging in de keuken zitten lezen. Het was mijn lievelingsuurtje. In de zomer was het nog lekker koel en te vroeg om de koeien te gaan melken. In de winter rakelde ik het vuur in het fornuis flink op en zat dan met een kop koffie te lezen tot het licht werd en mijn broers Joe en Locke uit bed kwamen. Florrie werd altijd pas wakker als het absoluut noodzakelijk was.

De mensen hadden Florrie altijd graag om zich heen, want ze was een grapjas met wie je erg kon lachen. Maar om je de waarheid te zeggen: een beetje simpel was ze ook, en daarbij een enorme kletskous en een jongensgek. Ik zeg het niet graag, maar ik vond eigenlijk een heleboel vrouwen en meisjes maar oppervlakkige wezens. Hun hoofd was volkomen leeg, op een stel roddels na. En Florrie heeft bovendien ook altijd een wellustig trekje gehad. Ze trouwde al jong en plaagde me vaak dat ik een oude vrijster zou worden. Ik heb nooit geprobeerd met haar over mannen te praten, maar zoals ik al zei, moest ik meer dan eens aanhoren dat ze al voor hun trouwen met David naar bed was geweest. Ik vroeg me onwillekeurig af waar ze dat dan hadden gedaan, want zowel ons huis als dat van de familie Latham was altijd vol mensen. Ik denk dat ik gewoon een beetje jaloers op haar was.

Vanaf mijn veertiende ging ik regelmatig picknicken met lui van school en ook liep er uit de kerk wel eens een jongen met me mee. Zo ging dat in die tijd: als een jongen belangstelling voor je had, bracht hij je na de samenkomst naar huis. Toch heb ik voor Tom maar één serieuze aanbidder gehad. Hij was hier een semester lang onderwijzer en heette Simcox. Hij kwam uit Asheville en zoals dat voor onderwijzers in die tijd gebruikelijk was, kreeg hij onderdak bij mensen uit het dorp. Toen wij aan de beurt waren om hem in huis te nemen, raakten wij tweeën al gauw aan de praat. Nadat ik de afwas had gedaan, zaten we tot diep in de nacht te bomen. Hij had meer boeken gelezen dan alle andere mensen die ik kende en hij wist werkelijk alles over Egypte.

Op een keer, toen iedereen allang naar bed was, bleven we zitten praten tot het vuur bijna uit was. Er begonnen gaten in het gesprek te vallen en het werd koud in de keuken.

Uiteindelijk stond hij op, alsof hij naar bed wilde gaan. Ik stond ook op en hij keek me aan. Toen trok hij me naar zich toe en kuste me, geen echte kus, meer een aaitje over mijn lippen. Ik wist niet wat ik ervan moest denken, maar het voelde goed. Ik wilde dat hij ermee doorging, maar hij deinsde achteruit alsof hij iets verkeerds had gedaan. En omdat hij niet oplette, stapte hij midden in de karn. Ik had de melk bij het vuur gezet om hem te laten stremmen. Hij probeerde nog zijn evenwicht te bewaren, maar struikelde daarbij over de rand van de karn en rolde ondersteboven. De karn kieperde om en alle verzuurde melk liep in de haard en over hem heen. Er spatte zelfs iets op de vuurplaat, en dat begon te sissen en te stinken zoals alleen verbrande zure melk dat kan.

Pa en Locke kwamen om een hoekje kijken om te zien wat er aan de hand was.

'De karn viel om,' zei ik tegen pa. Ik moest lachen, maar deed het niet. Pa en Locke gingen terug naar bed.

Ik keek naar meneer Simcox met een gezicht alsof ik op het punt stond in de lach te schieten, maar bij hem kon er geen lachje af. Zijn gezicht was vuurrood en bezweet. Ik denk nog steeds dat het iets tussen ons had kunnen worden, als hij maar had gelachen toen hij opstond en de zure melk probeerde af te vegen. Ik mocht hem heel graag, maar hij nam het veel te serieus en daarna kwamen we nooit meer nader tot elkaar. O, we liepen in de schemering nog wel eens samen naar de bron en terug. En we zaten nog steeds bij het vuur te kletsen over van alles en nog wat, maar de vonk sloeg nooit meer over. Hij schaamde zich te erg. Sommige mannen kunnen het je nu eenmaal niet vergeven als je hen een keer voor schut hebt zien staan. Locke heeft me er maandenlang vreselijk mee gepest. Dan zei hij bijvoorbeeld: 'Hoe laat kan mevrouw Simcox het eten op tafel hebben?' en 'Komt de hooggeleerde heer Simcox nog mee-eten?' Toen het semester voorbij was, ging meneer Simcox terug naar Asheville en ik heb hem daarna nooit meer gezien.

Ik dacht zelf dat ik te lang was om voor jongens aantrekkelijk te kunnen zijn. Ik stak mijn lange zwarte haar op, naar de mode van die tijd, en droeg mijn witte blouses, dus daar kon het niet aan liggen. Nu denk ik dat ik gewoon te veel las.

Pa is altijd een gemakkelijke prooi voor marskramers geweest. Die kwamen indertijd aan huis met grote pakken op hun rug of in tweewielige rijtuigjes. De meesten van hen waren nieuwkomers in Amerika en spraken met een sterk accent. Pa was altijd in voor een praatje en nodigde hen vaak uit voor het avondeten, soms zelfs voor de nacht, en dan kocht hij bijna altijd iets. Hij zei dat ik te wantrouwig tegenover vreemdelingen stond, vooral als die iets te koop aanboden.

Een van hen was Ahmed, uit Palestina, die pas een jaar of twee geleden in Greenville was gearriveerd. Op zijn eerste tocht door de bergen droeg hij alles mee in een groot pak op zijn rug: een paar lappen stof, naalden, garen, vingerhoeden en vaasjes van koper en tin. Hij sprak nauwelijks verstaanbaar Engels, maar beschikte over een onuitputtelijk geduld en een onverwoestbaar goed humeur. De eerste keer dat Ahmed bij ons kwam, zat ik op de veranda bonen te breken.

Buiten adem en bezweet kwam hij de tuin in lopen, gespte zijn pak af en stalde zijn waren uit. De ene na de andere lap zijde hield hij tegen het licht en dan zei hij: 'Isse mooi, mevrouw, ja?' Hij bleef die woorden maar herhalen en toonde me sjaals en stroken kant, terwijl ik gewoon doorging met bonen breken. Ten slotte graaide hij helemaal van onder uit de zak een Afghaanse deken tevoorschijn, met oranje, gouden en groen borduursel. 'En nu voor de vrouw van de smaak,' zei hij.

Hij vroeg er tien dollar voor. Ik bood vijf.

'Mevrouw, ik heb vrouw en veel kindje in de oude land, moeten komen naar deze land,' zei hij. Hij spreidde de deken uit over een stoel. 'Voor zulk werk het is een zonde minder vragen dan negen dollar.' Ik bood hem opnieuw vijf en brak bonen.

'Is onmogelijk,' zei hij. 'U wilt ik dood van honger, en al mijn kleine kindje?' Hij vouwde de deken weer op en legde die op zijn pak.

Toen pa tegen etenstijd van het land kwam, zaten Ahmed en ik nog steeds op de veranda te onderhandelen. Hij had de prijs laten zakken naar zeven dollar, maar ik bleef weigeren. Ik denk dat het bonen breken mij standvastig maakte, want ik wilde de Afghaan heel graag hebben.

Pa stelde zich voor en nodigde Ahmed uit voor het eten. Terwijl ik brood bakte en piepers kookte en maïskolven roosterde, voor bij de bonen, zaten zij tweeën op de veranda te babbelen. De marskramer haalde zijn portefeuille uit zijn zak en liet pa een foto zien van zijn vrouw en kinderen, en van zijn broers en zussen. Zodra hij genoeg geld verdiend had, zei hij, zou hij in Greenville een eigen winkel openen en daar 'alleen het beste van het beste verkopen'. In feite verkocht hij nu al 'alleen het beste van het beste'.

Nadat pa was voorgegaan in gebed, begon meneer Ahmed niet meteen te eten, maar pakte een klein boekje waaruit hij even las. Pa vroeg hem of het een bijbel was.

'Ja, ja, de woorden van de profeet.'

'Gelooft jullie godsdienst ook in Jezus?' vroeg ik. Ik wist wel dat je dat soort dingen eigenlijk niet hoorde te vragen, maar ik wilde het gewoon graag weten.

'Ja, ja, hij was ook een grote profeet.'

'Dus jullie geloven ook in de Heer?'

'Ja, ja, in de hoogste Heer, in Allah.' En met die woorden viel hij aan op het maïsbrood en de jonge bonen en de piepers. De karnemelk raakte hij niet aan; in plaats daarvan vroeg hij om water. Maar van de geroosterde maïs smulde hij. Na het eten spreidde hij de Afghaanse deken opnieuw uit, deze keer over de cederhouten ladekast in de woonkamer. 'Voor u, aardige dame, maar zes en halve dollar,' zei hij.

Ik schudde mijn hoofd.

'Maar is tien waard. Hoe kan ik leven?' vroeg hij.

'Ginny is een stijfkop,' zei pa. 'Hier, ik geef je zes en een halve dollar.'

'Als je het maar laat,' zei ik. 'Meer dan vijf is hij niet waard.'

Maar pa haalde het geld uit de leren portemonnee die hij in zijn linnenkast bewaarde en betaalde Ahmed met zes zilveren dollars en een halvedollarmunt. 'Ginny is een beste meid, maar een echte stijfkop,' zei hij tegen de marskramer.

Ik moet Tom Powell voor het eerst hebben gezien in de kerk. De meeste stellen beweren dat ze bij de eerste kennismaking meteen verliefd waren. Ik denk dat ze het zich zo herinneren, omdat ze vinden dat het eigenlijk zo had moeten gaan. Maar als ik eerlijk ben, was ik bij die eerste ontmoeting alleen maar nieuwsgierig.

Wat me meteen aan hem opviel, was zijn grote, blonde snor. Het was tijdens de gemeentepicknick, en in het zonlicht blonk die snor als kristal. Wat een krachtig gebouwde man, dacht ik, en door die snor lijkt hij nog groter dan hij al is. Hij was niet eens veel groter dan ik, maar hij was fors, alsof hij gewend was aan houthakken en balken klieven, wat ook zo bleek te zijn.

We hadden watermeloenen in de beek gelegd om ze te koelen. Nadat we in de smoorhete kerk urenlang geestelijke liederen hadden gezongen, gingen we eten en daarna sneden pa en Joe en de andere diakenen de meloenen in schijven. Het was eind augustus en de watermeloenen waren al zo rijp dat ze krakend openspleten zodra je het mes erin zette. Ik bood Tom een stuk aan, terwijl ik me ondertussen afvroeg hoe hij het onder die grote hangsnor door naar binnen zou werken. Dus gaf ik hem een dunne schijf en keek nieuwsgierig toe.

'Dank je wel,' zei hij en nam het druipende stuk meloen van me aan. Het was in de jaren negentig en dus droeg hij een platte strooien hoed en zo'n pak met smalle revers en een overhemd met een kraag die hoog genoeg was om een man te smoren. Hij had zelfs een wandelstok over zijn linkerarm gehangen.

Ik had het druk met het uitdelen van schijven meloen aan oud en jong, maar ik wilde toch ook die onbekende jongeman niet uit het oog verliezen omdat ik wilde zien of zijn snor soms nat zou worden. Ik gaf de zangleider een stuk zonder pitten, dat ik speciaal voor hem had uitgezocht, en sneed nog een tweede schijf voor dominee Jolly.

Toen ik me weer omdraaide, zag ik Tom nergens meer. Hij was in de schaduw van een van de hoge eikenbomen gaan zitten. Daar had hij zijn zakmes gepakt en nu sneed hij de meloen kalmpjes in stukjes, die hij een voor een in zijn mond stak. Hij morste geen drup, niet op zijn pak en ook niet op zijn snor. Dat was mijn eerste kennismaking met zijn voorzichtigheid. Hij liet zich door niets en niemand opjutten. En hij had ook nog eens het beste plekje gevonden, lekker in de schaduw, terwijl de meeste mensen zwetend in de volle zon zaten te kletsen en de kinderen elkaar bespuugden met de zwarte pitten.

'Hoi,' zei ik.

'Hoi,' zei hij. 'Tom Powell.'

'Waar woon je?' vroeg ik.

'Ik werk op de boerderij van Lewis,' zei hij. Je zag zo dat hij niet gewend was mooie kleren te dragen. Zijn gezicht was zonverbrand en zijn handen waren ruw. Met zijn boordje en manchetten leek hij even slecht op zijn gemak als een man aan de schandpaal. Ik had met hem te doen. Ik had nog nooit op zo'n manier met een man te doen gehad.

'Ik heb je nog niet eerder hier in de kerk gezien,' zei ik.

'Ik ga altijd in Crossroads,' zei hij. Onder zijn zondagse kleren straalde hij een kracht uit zoals een paard dat kan. Zijn schouders waren zo breed dat het leek of hij met gemak een hoek van een huis zou kunnen optillen.

'Je moet eens bij ons langskomen,' zei ik. Ik geloofde mijn eigen oren niet.

Hij keek naar zijn broek, waarop een meloensapvlek zat. Hoe voorzichtig hij ook had gedaan, hij had toch nog gemorst. 'Hè, wat zonde,' zei ik.

'Ach, da's niks,' zei hij.

'Loop anders even mee naar de bron, dan kun je het uitspoelen,' zei ik. 'Dan moet je wel vlug zijn, voor het opdroogt.'

'Waar is de bron?' vroeg Tom.

'Een klein eindje verderop langs deze weg,' zei ik.

Dus gingen we op weg naar de bron, in die dagen dé plek waar verliefde paartjes na kerktijd naartoe gingen. Het was vermoedelijk nog geen kilometer lopen, maar de weg liep hier en daar tussen de bomen door en kende een aantal zijweggetjes naar het dennenbos op de weideheuvel. De smoes luidde steevast dat ze even naar de bron gingen om iets te drinken. Oudere mensen keken de jongeren altijd glimlachend na en de kinderen giechelden en verstopten zich soms in de bosjes, vanwaar ze de kussende stelletjes onder de weymouthdennen met steentjes bekogelden. Tijdens die wandelingen naar de bron was de kiem van menig huwelijk gelegd.

In de augustushitte kuierden Tom en ik op ons gemak de weg af. In de schaduw was het iets koeler, maar het wemelde er van de steekvliegen en de muggen. Ik had een grote witte hoed op met bloemen erop, zo'n flodderding dat de vrouwen indertijd veel droegen. Omdat het me niet damesachtig leek naar de vliegen en de muggen te meppen, probeerde ik ze weg te vegen, maar in de schaduw boven de bron zoemde de lucht van de insecten. Er stak een briesje op. Na zo'n warme augustusdag wil dat nog wel eens aanwakkeren tot een storm, maar we waren zo druk aan het praten, of beter: ik was zo druk aan het praten, dat ik de wolken boven de bergen in het zuiden niet had opgemerkt. Toen ik mijn hand weer naar mijn gezicht bracht om de zoveelste mug weg te vegen, sloeg ik per ongeluk tegen de rand van mijn hoed. De bries kreeg de hoed te pakken en blies hem de lucht in, hoog over de weg, tussen de bomen aan de overkant. Tom probeerde de hoed nog te pakken, maar greep ernaast.

De wind joeg het hoofddeksel dwars tussen de bomen door naar het beekje dat aan de bron ontsprong. Het leek net een grote, roze-witte vogel die daar door het bos fladderde, stuiterend over de takken en de jonge boompjes.

'Nee hè,' zei ik en Tom vloog erachteraan als een jachthond achter een konijn. Hij holde tussen de struiken en de coniferen door en probeerde de hoed te pakken met de punt van zijn wandelstok.

'Laat maar gaan!' gilde ik hem achterna. 'Kom terug!'

Maar hij was nu eenmaal achter mijn hoed aangegaan en nu zou hij die te pakken krijgen ook. Hij verdween tussen de coniferen, in de richting van de weide. Ik voelde me vreselijk opgelaten over al dat gedoe ter wille van zo'n malle hoed. Ik zocht een weg om de heuvel heen, naar het hek, waarbij ik probeerde te voorkomen dat mijn zondagse rok bleef haken aan stekelbosjes of hulststruiken. Op die manier was het een heel eind tot aan de rand van de wei.

Pa was als een van de eersten overgegaan op prikkeldraad. Volgens hem was het gemakkelijker in het gebruik dan gespleten houten paaltjes en het ging ook nog eens langer mee. Het weiland waarin hij de stier hield, was helemaal met prikkeldraad afgezet.

Tegen de tijd dat ik bij het hek kwam, was Tom al in de wei. Mijn hoed danste met rukkerige sprongetjes over het gras en Tom bleef maar proberen het geval aan zijn wandelstok te prikken. Telkens als hij beet leek te hebben, joeg de wind de hoed weer een stuk verder.

'Geeft niet!' gilde ik.

Net op dat moment kwam de stier om de heuvel heen gelopen. Hij begon meteen te rennen, recht op Tom af. Die zag de stier, nam een sprong en zette het op een lopen naar het hek.

'Harder, harder, harder!' gilde ik. Ik stond bij het hek en drukte de bovenste draad alvast omlaag, zodat hij er gemakkelijk overheen kon springen.

De stier hield een fractie van een seconde in, en viel toen aan alsof hij door een kanon werd afgeschoten. Tom was misschien nog zo'n dertig meter bij het hek vandaan, en het leek wel of hij zich uitrekte om eerder bij de afscheiding te zijn, terwijl zijn voeten achter hem aan over het gras roffelden. Ik heb nog nooit een man zich zo ver zien uitrekken, en dat met een hoed in de ene en een wandelstok in de andere hand. Ik drukte de draad nog verder omlaag en hij gooide zich zo'n beetje zijwaarts over het hek heen, nog steeds met de hoed en de wandelstok in de hand. Hij had het gehaald, op zijn linkerbroekspijp na die aan een punt bleef haken. Er trok een scheur in de stof van wel dertig centimeter lang. De stier rende helemaal door tot aan het hek en stak zijn snuivende kop erdoorheen.

'Ga weg, Bill-Joe,' zei ik. 'Kras op.'

Aan mijn hoed kleefden grassprietjes en allerlei viezigheidjes. Tom overhandigde me het ding alsof hij vreesde dat ik het niet langer wilde hebben.

'Je had er niet zo veel moeite voor moeten doen,' zei ik.

Hij zag vuurrood van het rennen en van de warmte. En ik denk dat hij zich ook niet zo goed raad wist met de situatie. Zijn eigen strohoed was hij bij het beekje al kwijtgeraakt en zijn blonde haren zaten helemaal in de war. De scheur in zijn broek was zo lang dat ik zijn witte vel erdoorheen zag schemeren.

'Het spijt me,' zei ik. 'Dat ouwe ding was al die moeite niet waard.' Ik had de hoed besteld in Chicago, via een catalogus, en hij kostte precies $2,98. En nu was hij vuil en kon waarschijnlijk nooit meer gedragen worden.

'Ik kan beter op zoek gaan naar mijn eigen hoed,' zei hij. Terwijl hij tussen de struiken bij de beek liep te speuren, wierp ik een blik op de lucht. Er gleed een wolk langs de zon en plotseling werd het donker, alsof iemand het licht uitgedaan had. Recht boven ons knapte iets en toen klonk er een donderslag hoog in de lucht. Boven de bergen flitste het en in de verte rommelde de donder.

'Het gaat regenen!' gilde ik. Tom had inmiddels zijn hoed uit de beek gevist en stond hem af te vegen. Ineens begon het een stuk harder te waaien, alsof de wind uit de schaduwen tevoorschijn sprong. Er schoot een enorme bliksemschicht langs de hemel, een donderslag echode tegen de bergflanken en toen hoorde ik het gebrul. Het geluid kwam me maar al te bekend voor, want ik was immers opgegroeid aan de overkant van de rivier, met uitzicht op de bergen. En inderdaad, de bovenste heuvelrand was al wit van de regen. Vanuit de verte gezien lijkt regen precies op een mistgordijn dat loodrecht omlaag hangt. De bliksem flitste opnieuw en het was alsof er in de lucht pal boven ons een laken aan flarden ging. De regen marcheerde de berghelling af, het rivierdal in. 'We raken doorweekt,' zei ik.

'Hoe ver is het nog naar je huis?' vroeg Tom.

'Het is aan de andere kant van deze heuvel,' zei ik en wees.

Op een holletje liepen we langs het hek, in de richting van de weg naar de bron. De donder rommelde onophoudelijk en de herrie deed denken aan die van vallende rotsblokken op een dak. Ik pakte Tom bij de arm en trok hem mee. Hij leek een beetje de kluts kwijt na alles wat er gebeurd was, en ook door de donder en het gebrul van de naderende regen.

Vlak voor ons doemde een hoge boom op. Het was de boom naast het aardbeienbed, die wij Joe's tulpenboom noemden, omdat Joe er een handje van had zich te drukken bij het schoffelen van de aardbeienbedden en dan altijd onder deze boom in de schaduw ging zitten. Het was een van die bomen die tot in de hemel lijken te groeien en die eruitzien alsof ze er al sinds het begin van de schepping staan. Naar deze boom trok ik Tom mee.

De regen stak de rivier over en kwam als één grijze muur over de akkers en de varenvelden aanzetten, met de loop van de beek mee. We waren nog geen tien passen van de populier af, toen de bui ons inhaalde. Druppels zo groot als dubbeltjes en kwartjes teisterden mijn nek en schouders. We stormden door de rode blubber en gingen dicht bij de stam van de boom staan, buiten adem en al helemaal kletsnat. Het water was dwars door mijn blouse heen gedrongen. Op de bladeren boven ons hamerden dikke druppels.

'Hoe kan het eigenlijk dat regen zo koud is, terwijl hij bij de bliksem vandaan komt?' vroeg ik.

'Misschien koelt het water af tijdens het vallen,' zei Tom.

Nog meer druppels drongen door mijn blouse heen en ik huiverde. Toms hand had ik losgelaten zodra we onder de boom beland waren. We drukten ons tegen de asgrijze stam aan.

'De regen zal in elk geval het stof van de maïs spoelen,' merkte ik op.

'We zullen een week langer moeten wachten met maïsstrippen,' zei Tom.

Aan de voet van de populier begon een krekel te sjirpen. Het was de eerste krekel die ik dit seizoen hoorde, een grote, zwarte, zoetgevooisde veenmol. 'Nog zes weken, dan vriest het,' zei ik. Ik keek Tom aan en hij boog zich naar me toe en kuste me. Zijn hand legde hij onder mijn kin en zijn snor kietelde mijn neus en mondhoeken. Maar zijn lippen waren stevig. Juist op dat moment viel er een grote druppel op mijn voorhoofd, en rolde langs mijn neus omlaag. We lieten elkaar los en barstten in lachen uit.

Weer een flits, alsof iemand een spijker in de hemel sloeg. De lucht leek te prikken en te knetteren. De bliksem sloeg in in een dennenboom op de heuvel. Door de klap van de donder stonden we op onze benen te trillen. De dennenboom vatte voor onze ogen vlam en sprong in stukken. Hele takken en reusachtige splinters vlogen door de lucht. Een rokend stuk hout viel pal voor onze voeten in de modder.

De regen werd nu regelrecht onze schuilplaats in geblazen en verderop op de heuvel werd opnieuw een boom door de bliksem getroffen. 'We kunnen hier beter weggaan,' zei ik, 'voordat deze boom ook geraakt wordt.'

''t Is hier niet veilig,' beaamde Tom. In de lucht hing de scherpe geur van schroeiende hars en verhitte boomsappen. Er zat ook een vleugje bij van bleekwater, of van reukzout, dat de ogen deed tranen.

De bliksem bleef maar inslaan, alsof hij ons probeerde te omsingelen. Door de donder voelden we ons vanbinnen net een grote trom. 'Kom mee,' zei ik en ik pakte Toms hand. We zetten het op een lopen en de regenvlagen sloegen ons in het gezicht alsof er een emmer werd leeggesmeten.

Lopen in een stortbui geeft je vreemd genoeg een gevoel van geborgenheid. Je trekt je diep in jezelf terug, op een plek waar je veilig bent voor de wind en de regen. Zelfs als de regen je gezicht teistert, is het nog steeds alsof je binnen zit te kijken naar een stortbui die buiten valt.

De weg naar huis liep rond de heuvel, naar de schuur, maar de route dwars door de wei was veel korter. Toen we het weiland met de stier voorbij waren, klommen we over het spekgladde houten hek en renden langs het hok waar we altijd melasse kookten.

Hoger op de heuvel sloeg de bliksem op verschillende plaatsen in. Het leek wel of de bomen vuur spuwden naar de schichten in de lucht. 'God beware ons,' zei ik tegen Tom en trok hem mee langs het glibberige pad.

Net toen we de melasseoven voorbij waren, hoorde ik opnieuw gebrul, zij het dat dit anders klonk. Het was het geluid dat je hoort als het roet in de schoorsteen in de fik vliegt; of als er een trein door een tunnel dendert.

'Wacht!' zei Tom en trok me achteruit. Ik weet niet hoe hij zo snel zag wat er gebeurde. De ruk was zo hevig dat ik bijna uitgleed op het modderige pad. Toen zag ik de emmer, die pa bij de oven had laten staan, door de lucht vliegen alsof hij aan een touw werd weggeslingerd. En meteen daarna vloog de waterton, waarin we de lepel voor het afschuimen altijd afspoelden, met een grote boog weg. Het dak van het stookhok werd opgetild en zeilde ervandoor.

Het ging door me heen dat het einde van de wereld was aangebroken; maar in plaats van de mensen op aarde werden de dingen van deze wereld in de Opname meegevoerd.

'Het is een windhoos,' zei Tom. 'Een kleintje. Rennen!'

'Niks daarvan,' zei ik. Ik plantte mijn voeten stevig in de modder en keek recht naar het monster. Als dit mijn ondergang zou worden, kon ik het net zo goed moedig tegemoettreden.

Tom bleef bij me. Ik denk dat hij ook wel begreep dat rennen niet zo veel zin had. Hij stak zijn wandelstok omhoog alsof het een zwaard was. De windhoos kwam steeds dichterbij. Het was net of ik in een oven vol brandend water keek. De wind raasde van woede. Mijn hoed vloog af en werd meegezogen. De zakdoek werd uit mijn mouw getrokken en verdween in de zwarte kolk. Mijn blouse kwam onder de zwarte modderpikken te zitten, net als mijn gezicht. Mijn haar was nat en mijn rok doorweekt. Mijn blouse raakte los uit de tailleband en mijn zondagse schoenen waren nat en modderig.

De windhoos stak de beek over en we hoorden hoe het water werd opgezogen, zelfs boven het gebrul van de wind en de regen uit, alsof de hemel aan een reuzenrietje slurpte. Al het water dat als regen omlaag kwam, werd opnieuw de lucht ingezogen.

'Haasten heeft geen zin meer,' zei ik. We liepen door de wei, plonzend door de grote plassen. Toms pak zat onder de modder en zijn nieuwe kraag was helemaal slap. Ik nam zijn arm en zo leken we net een echtpaar dat door de straten van Greenville slenterde. 'Heerlijk weer voor een wandelingetje,' zei ik.

Toen we bij het huis kwamen, stond pa buiten op de veranda, net buiten het bereik van de drup. 'Zijn jullie door een vloedgolf meegesleurd of zo?' vroeg hij.

'De stier heeft ons achternagezeten,' zei ik, 'en de duivel zelf ook.' Tom en ik schoten in de lach. Toen we onszelf daar op de veranda eens goed bekeken, konden we ook weinig anders meer doen.

Drie

In de tijd dat Tom om mij liep, kwam mijn broer Locke met verlof uit het leger en zijn eerste avond thuis bleven we allemaal laat op. Als hij eenmaal op gang was, praatte Locke maar door. Hij had dienst gedaan als verpleger op een hospitaalschip in Havanna, en zowel in Washington als op de Filippijnen gewoond. Voor mij had hij een speelgoedriksja uit Tokio meegenomen.

'Ging je bij het leger ook naar de kerk?' vroeg ik, terwijl ik voor de hele familie stond te koken.

'Meestal is er geen tijd om naar de kerk te gaan,' zei Locke. Ook toen hij nog thuis woonde, had hij nooit veel belangstelling voor de kerkdiensten aan de dag gelegd. Ik zat hem gewoon een beetje te jennen, om te kijken wat hij zou zeggen.

'Ik las af en toe in de bijbel,' vertelde hij, 'en ook in een boek dat ik van een vriend heb gekregen. Het heet *Wetenschap en Gezondheid.*'

'Maar dat is van de Christian Science!' zei pa.

'Het is anders heel interessant,' zei Locke. 'Er staan veel zinnige dingen in.'

'Ik heb gehoord dat het p-p-p-puur heidense praat is,' zei Joe.

Ik schonk David en pa een tweede kop koffie in en nam zelf ook nog een beetje.

'Het is geen heidense praat,' zei Locke.

'Maar wat dan wel?' vroeg pa.

'Het gaat erover dat het denken het belangrijkste is van alles,' zei

Locke. 'Aandoeningen van het lichaam wortelen vooral in de geest.'

'Wat een onzin,' zei Florrie. 'Er heeft altijd al een steekje aan je los gezeten, Locke.'

'Heb je het soms zelf bestudeerd?' vroeg Locke haar.

'Nee, en dat is niet nodig ook. Als ik last heb van verstopping, zit dat toch echt in mijn darmen en niet in mijn geest.'

'Hoe kun je nu kritiek hebben op iets wat je niet eens gelezen hebt?' zei Locke.

'Ik dacht dat je dokter wilde worden,' zei Lily, 'en dat je je verdiepte in de geneeskunde.' Ze propte haar zakdoek in haar mouw.

'Dat doe ik ook,' zei Locke, 'op alle mogelijke manieren.'

Een paar seconden was het stil rond de tafel. Het was vroeg in de zomer en buiten was het nog licht. In de bomen bij de schuur begon een nachtzwaluw te roepen.

'Je hebt wel een hoop van de wereld gezien,' zei David toen.

'Hoe zien de Rocky Mountains eruit?' wilde Lily weten. 'Ik heb altijd al eens de Rocky Mountains willen zien.'

'Ze zijn hartstikke mooi,' zei Locke, 'en hartstikke rotsachtig ook.' Iedereen schoot in de lach. 'Maar toen ik er met de trein doorheen reed, had ik niet zo veel aandacht voor het mooie uitzicht. Ik had te veel honger.'

'K-k-k-kreeg je dan geen eten in het l-l-l-leger?' vroeg Joe.

'Ze hadden me geld gegeven voor de reis, maar dat had ik in Washington al allemaal uitgegeven aan medische boeken. Het treinkaartje naar San Francisco had ik van mijn laatste dollar gekocht.'

'Waar leefde je dan van?' vroeg Florrie.

'Ik had nog drieënveertig cent over en daarvan had ik op het station wat crackers en kaas gekocht. Ik was van plan er de hele reis naar de Stille Oceaan mee te doen. Ik dacht het wel te kunnen redden tot ik bij het schip was, als ik maar stilletjes naar buiten bleef zitten kijken en ondertussen veel water dronk. Maar de reis van kust tot kust duurt bijna een week. Ik zette mezelf op een rantsoen van vijf crackers en een plak kaas per maaltijd. Wanneer de andere mensen naar de restauratiewagen gingen, bleef ik in mijn bank zitten, at crackers en ging vlug naar het kraantje om een slok water te nemen.'

'Je kreeg vast verstopping,' zei Florrie.

'Ik kreeg inderdaad verstopping en mijn buik stond bol van het gas,' zei Locke. 'Maar dat was het ergste nog niet. Tegen de tijd dat we St. Louis voorbij waren, in de buurt van Kansas City, waren mijn crackers helemaal op en de kaas ook. Ik moest het hele Westen nog door zonder iets te eten.'

'Heb je gebeden?' zei Lily. 'Dat je iets anders te eten kreeg?' Ze bevoelde het kanten kraagje van haar citroengele jurk.

'Ik bad dat de reis snel voorbij zou zijn en dat ik het schip zou halen. De hele reis door Utah en Nevada verkeerde ik in een soort roes. Je hebt nog nooit zo'n verlaten plek gezien. Soms keek ik naar de sterren boven de ijzige bergtoppen. We kwamen ook over een spoorbrug van wel een halve mijl hoog en toen ik omlaag keek, zag ik in de diepte een riviertje glinsteren.

Ik moet in slaap gesukkeld zijn, want plotseling werd ik wakker van een soort gezoem en geraas. Buiten was het volkomen donker. Mijn gevoel zei me dat het midden op de dag moest zijn, maar door het raampje zag je alleen maar zwart. Het geraas klonk als een sterke wind.

Plotseling schoot de trein het daglicht in en boven de bergtoppen zag ik de zon. We waren door een van die sneeuwschachten gekomen die door Chinese arbeiders zijn gebouwd om te voorkomen dat de trein vastloopt in de sneeuw. Het zijn een soort tunnels, gemaakt van planken.

We reden de vallei in en passeerden de ene boomgaard na de andere. Het was nazomer en overal waren mensen perziken aan het plukken. Zo ver je maar kijken kon, zag je boomgaarden. In een klein stadje stonden we een minuutje stil en daar stapte een vrouw in die tegenover mij ging zitten. Ze zette een zak naast zich neer en haalde er zo'n rijpe, gouden perzik uit. Het was de grootste perzik die ik ooit had gezien.

Ze spreidde een zakdoek over haar knieën, haalde een mesje uit haar handtas en begon de perzik te schillen. De schil kwam eraf als een lange krul, en het sap liep al langs het mes, zo rijp was die perzik. Ze at de perzik schijfje voor schijfje op en ik keek toe. Toen ze de perzik op had, pakte ze een volgende uit de tas en begon die te schillen.

Nog geen uur later kwamen we in Sacramento aan en de vrouw

stond op. Ze stopte de zakdoek en de schillen in de zak en liet die op de bank staan. Ik wachtte op haar terugkomst en probeerde te raden hoeveel perziken er nog in de zak zouden zitten. De trein begon weer te rijden en nog steeds was de vrouw niet terug. Ik wachtte tot we bijna de stad uit waren, keek even links en rechts het gangpad af en greep de zak. Onder de schillen en de natte zakdoek vond ik nog vijf perziken, groot en rijp en stevig. Ik zette de zak op mijn schoot en at er een op alsof het een appel was. Het sap stroomde langs mijn kin, maar dat kon me niks schelen. Toen ik hem op had, at ik er nog een. Tegen de tijd dat we Oakland naderden, had ik ze allemaal op.'

'En je verstopping was voorbij, neem ik aan,' zei Florrie.

'Reken maar,' zei Locke. 'Reken maar van yes.'

'Wil er iemand wat popcorn?' vroeg ik.

'Heb ik ooit verteld van die keer dat ik Joe had beetgenomen?' vroeg Locke.

'Ongeveer d-d-d-duizend k-k-k-keer,' zei Joe.

'Tom kent het verhaal nog niet,' zei ik. Tom zat aan een hoekje van de tafel en had al die tijd geen woord gezegd.

'Het is in een wip verteld,' zei Locke. 'Weet je nog dat er een greppel was in het lage deel van de akker, voordat pa daar een pijp legde? Op een keer kwamen Joe en ik terug van het vissen. Het was al donker.'

'Ik heb dit al eens eerder gehoord,' zei Lily. 'Het is een akelig verhaal.'

'Nou, David kent het nog niet en Tom ook niet,' zei Locke. Hij nam een slokje koffie. 'Ik had een streng met vissen in de ene hand en mijn hengel in de andere. En toen ik bij de greppel kwam, maakte ik een klein sprongetje, alsof ik eroverheen sprong, en ik zei: "Pas op voor de greppel, Joe." En toen sprong ik er zo zachtjes mogelijk overheen. Achter mij nam Joe een sprong vanaf het punt waar ik hem had gewaarschuwd en zo kwam hij pardoes in het water terecht.'

'Ja, je was een echte leukerd,' zei Florrie. Ze keek naar Tom. 'Zo'n familie zijn we nou. Voor Locke moet je oppassen.'

'Ik heb w-w-w-wraak genomen,' zei Joe. 'Die keer dat we naar zirkoon gingen graven.'

'Ik moest van hem de gaten graven omdat ik het kleine broertje was,' zei Locke.

'De hele wei was een grote gatenkaas,' zei ik. 'En je vond helemaal niks.'

'Ik zocht ook helemaal niet naar zirkoon,' zei Locke. 'Ik speelde dat ik een ontdekkingsreiziger was, net als Columbus. Ik zocht de weg naar China.'

'Je zocht een manier om onder het maïs schoffelen uit te komen,' zei Florrie.

Ik haalde een schaal koekjes en stak de lamp boven de tafel aan. 'Wanneer kom je uit het leger?' vroeg ik. 'Wordt het geen tijd voor een geregeld bestaan?'

'Eerst moet ik een meisje tegen het lijf lopen dat me aanstaat,' zei Locke.

'Hoe zul je nou ooit een meisje vinden in het leger?' vroeg ik. 'En wat voor meisje zou nu verliefd willen worden op een vent met zulke belachelijke ideeën en zo weinig geloof?' Dat was meer dan ik had willen zeggen.

'Ik heb wel geloof,' zei Locke. 'Een heleboel zelfs.'

'Ginny wil natuurlijk dat je weer hier komt wonen, dan kun je mee naar de samenkomsten,' zei Florrie.

'Dat zei ik helemaal niet!' zei ik.

'Zo'n gek idee zou het anders niet zijn,' meende pa. Pa hield niet van plagerijen of ruzies over godsdienst. Hij had een afkeer van elke vorm van woordenstrijd.

'Ik heb op de Filippijnen iemand gezien die door een boze geest bezeten was,' zei Locke.

'Daar hoef je niet voor naar de Filippijnen,' zei Florrie. 'Ik ken er hier in de buurt ook wel een paar.'

'Nee, deze man was een echte bezetene, net zoals die in de Bijbel,' zei Locke. 'Ze hadden hem opgesloten als een krankzinnige. Een dokter die ook voor predikant had geleerd, nam me mee toen hij hem in de gevangenis net buiten Manila ging bezoeken. Het was de bedoeling dat we de gevangenen medische zorg zouden geven. Dat hoorde bij de aanpak van het leger, die bedoeld was om de rust in het land te herstellen. Er werden dokters en verpleegsters het land ingestuurd om de mensen te behandelen. Ik werd gevraagd om mee te gaan, omdat ik studie had gemaakt van tropische ziekten.

We werkten de hele gevangenis af, onderzochten de gevangenen en deelden pillen uit. Er zaten daar moordenaars en krijgsgevangenen, terroristen en politieke gevangenen. Het barst op de Filippijnen van de terroristen. We bekeken kogelwonden en onderzochten mensen met tb en malaria en oerwoudkoortsen waar jullie nog nooit van hebben gehoord. Er waren mensen bij met zweren die waren veroorzaakt door schimmels en ringwormen, en mensen met koudvuur. Iedereen leek blij met onze komst, tot we bij een cel kwamen met een man erin die meteen een keel opzette: "Blijf van me af, blijf van me af!" Hij had al zijn kleren uitgetrokken en klom langs de tralies, als de eerste de beste aap.'

'Misschien s-s-s-stamde hij van Darwin af,' zei Joe, die altijd liep te tobben over Darwin en de evolutietheorie.

'De bezetene spuugde naar ons en bleef maar brullen: "Blijf van me af, blijf van me af!" Hij vloekte hemel en aarde bij elkaar. Je hebt nog nooit zulke lelijke woorden gehoord. En het gekste was nog dat hij volgens de mensen daar niet eens Engels sprak. Toch verstond ik ieder woord dat hij uitkraamde.'

'Wat deed de dokter toen?' vroeg Tom. Hij was rechtop gaan zitten en had zijn ellebogen op tafel gezet.

'Hij eiste dat de bewaker ons in de cel zou laten,' zei Locke. 'En toen liep hij regelrecht op de man af en stak een hand naar hem uit. "Wees stil!" zei hij. En daarbij keek hij de bezetene in de ogen. De stakker kon zijn blik niet van hem afwenden, hoewel de rillingen over zijn lijf liepen en hij steeds met zijn ogen moest knipperen. "Kom eruit!" zei de dokter als een sergeant die een bevel geeft. "Kom eruit en laat deze man verder met rust. Verlaat hem en kom nooit meer terug." En de gezichtsuitdrukking van de gevangene veranderde op slag. Hij leek ineens een totaal ander mens. Hij deed zijn ogen open, glimlachte naar de dokter en maakte geen angstige indruk meer. Hij gaf eerst de dokter een hand en daarna mij ook. En weet je wat nog het gekste was?'

'Hij ging bij het leger,' zei Florrie.

'Hij sprak geen woord Engels meer en begreep ook niets van wat wij zeiden. Zodra de boze geest hem had verlaten, konden wij hem niet meer verstaan. De bewaker moest zijn woorden voor de dokter vertalen. Maar hij straalde van geluk toen we hem daar achterlieten. Later hoorde ik dat hij drie dagen lang had geslapen, zo had die bezetenheid hem uitgeput.'

'Van welke kerk was die dokter?' vroeg pa.

'Dat heb ik hem niet gevraagd,' zei Locke.

'De Heer kan iedereen genezen,' zei ik.

'Was daar wel een varken in de buurt waar de demon in kon trekken?' vroeg Florrie.

De nachtzwaluw begon luidruchtig te worden. Zijn treurige, schorre gekrijs klonk nu een stuk dichter bij het huis.

'Ze zeggen dat dat de stem van de doden is,' zei Locke.

'Tegen wie praten ze dan?' vroeg Lily.

'Misschien wel tegen ons,' zei Locke. 'Misschien willen ze ons iets vertellen.'

'Wat een kletskoek,' zei Florrie.

'Nachtzwaluwen zijn dol op kerkhoven,' zei Tom. 'Dat is me tenminste opgevallen.'

'Alleen maar omdat het d-d-d-daar zo rustig is,' zei Joe.

'Geesten kun je overal hebben,' zei Locke. 'Als er al spoken bestaan, zijn die niet aan één plaats gebonden.'

'Ik d-d-d-dacht dat je d-d-d-dokter wilde worden?' zei Joe.

'Dat wil ik ook,' zei Locke, 'maar misschien wel geen gewone dokter.'

'Je zou net zo'n dokter kunnen worden als je oom,' zei pa. Hij had het altijd uitstekend kunnen vinden met dokter Johns, die tevens zijn zwager was.

'Dan hoef je alleen maar nog meer te leren drinken,' zei Florrie.

'Zijn opvatting van medicatie is eenvoudig,' zei Locke. 'Elke sterke drank die maar voorhanden is.' We lachten allemaal, zelfs pa.

'Hij plukt kruiden en geneeskrachtige bladeren, net als ma vroeger deed,' zei ik.

'En dan laat hij ze trekken in sterke drank,' zei Florrie.

'Dat is nu eenmaal het recept voor een tinctuur,' zei pa.

'Het recept voor een kater, zul je bedoelen,' zei Florrie.

'Waar komt jouw familie eigenlijk vandaan?' vroeg Locke nu aan Tom.

'Ergens van over de grens,' zei die en werd rood. Ik kon zien dat hij het niet prettig vond om ondervraagd te worden.

'Zijn familie is al voor de oorlog uit South Carolina vertrokken,' zei ik dus.

'Iedereen is voor de oorlog uit South Carolina vertrokken,' zei Locke.

'We woonden vlak bij de boerderij van Lewis,' zei Tom. Iedereen keek nu naar hem.

'Onze oma Richards was ook een Lewis,' zei Locke.

'Maar ze trouwde met een Richards,' zei Florrie.

'Hoe is de familie Richards in North Carolina terechtgekomen?' vroeg Tom. Het leek wel alsof hij Locke weer aan het praten wilde krijgen, zodat niemand hem meer vragen zou stellen.

'O, die is hier al heel lang,' zei pa, 'langer dan de families Peace en Johns.'

'Ze komen uit het zuiden, uit Rutherford County,' zei Florrie. 'Maar dat is al heel lang geleden en wie zal zeggen wat er in die tijd allemaal gebeurd is?'

'Daarvoor kwamen ze uit Pennsylvania en in een nog grijzer verleden uit Wales,' zei Locke.

'Ik dacht dat ze eerst naar Saluda waren gegaan,' zei Florrie.

'Nee, nee, ze zijn vanuit Mountain Creek in Rutherford County naar Saluda vertrokken,' zei pa.

'Men zegt dat zij de eerste kolonisten waren bij Green River,' zei Locke.

'B-b-b-behalve dan de indianen,' zei Joe.

'Onze over-over-overgrootmoeder heette Petal Jarvis,' zei Locke. 'Ze dacht dat haar man Realus haar meenam naar Tennessee, maar hij reed net zo lang met haar om de berg heen tot ze haar gevoel voor richting kwijt was. Toen gingen ze bij Saluda wonen, maar tegen haar zei hij dat ze in Holston waren.'

'Echt iets voor een man,' zei Lily en gaf Joe een stomp tegen zijn schouder.

'Op een keer moest ze een hele nacht opblijven om te voorkomen dat er een panter door de schoorsteen naar binnen kroop,' vertelde Locke. 'Haar man was op stap en had haar alleen thuis laten zitten. Ze verstookte die nacht het complete meubilair.'

'En in diezelfde nacht kreeg ze haar eerste kind,' zei ik.

'Helemaal in haar eentje?' vroeg Tom.

'Ja, haar man had haar toch alleen gelaten,' zei Locke.

'Toms vader is omgekomen in de oorlog,' zei ik. Ik wilde Tom niet het gevoel geven dat we over onze familie zaten op te scheppen.

'In welke veldslag was dat?' vroeg Locke.

'Hij is in een krijgsgevangenenkamp gestorven, in Illinois,' zei Tom.

'Dat kamp was even erg als Elmira,' zei pa. 'In Elmira stierf een derde van de mannen binnen acht maanden.'

'Waar waren de doktoren dan?' vroeg Locke.

'Die waren er niet,' zei pa. 'Alle doktoren zaten op het slagveld. En de dokter die ons was toegewezen, verkocht de medicijnen en de verbandmiddelen in plaats van ze aan de gevangenen te geven.'

Ik goot pofmaïs in de pan op het fornuis en deed het deksel erop. De eerste plop klonk als het schot uit een klein pistool en meteen daarna kwam de volgende al. Even was het stil in de kamer, en toen kwam er opnieuw een ploppend geluid uit de pan, en direct daarna twee tegelijk.

'Popcorn w-w-w-wacht tot de Geest er beweging in brengt,' zei Joe.

'Hoe ben jij eigenlijk verpleegkundige geworden?' vroeg Tom aan Locke.

'Het was het enige wat hij kon,' zei Florrie.

'Dat klopt,' zei Locke. 'Ik was te lui om op de boerderij te blijven en pa en Joe bij het werk te helpen. En ik was te arm om te gaan studeren en te dom om politicus of advocaat te worden. Dus toen je als rekruut een bonus kreeg als je naar Cuba ging, heb ik daarvoor getekend.'

'Locke hielp al mee met de verpleging van mama toen ze stervende was, ook al was hij nog maar acht of negen,' zei ik.

'Ik ontdekte dat ik talent had voor het legen van po's,' zei Locke.

'Ik begrijp niet hoe je het uithoudt om altijd maar tussen de zieke mensen en in de smeerboel te zitten,' zei Lily.

'Ik denk dat je er een zorgzame aard voor moet hebben,' zei Florrie.

'Of juist zo hard dat je nergens last van hebt,' zei Locke. 'Hoe kun je ooit mensen helpen als je voortdurend van streek bent over het feit dat ze ziek zijn? Je moet je hoofd koel houden, zelfs als zij het hunne verliezen omdat ze pijn hebben en doodgaan. Dat heb ik ontdekt toen ik aangemonsterd had op dat hospitaalschip in Havanna. Ik was negentien en kende alleen een paar huismiddeltjes, en ik kwam op een schip terecht dat één groot sterfhuis was. Het was er zo heet en benauwd dat de hele haven ernaar stonk. Het schip zat tjokvol met wel honderden stervende mannen.'

'Waren die allemaal bij San Juan Hill gewond geraakt?' vroeg ik.

'Gewonden waren er nauwelijks. De meeste jongens leden aan gele koorts en malaria, met her en der nog een paar andere gevallen van tropische ziekten ertussen. En dan had je ook nog cholera en dysenterie. Ik zeg tegen mezelf, "Locke", zeg ik, "dit red je nooit".'

'Maar je redde het toch,' zei Florrie. 'Je hebt zelfs een medaille gekregen.'

'Dat kwam pas later,' zei Locke. Hij leunde achterover in zijn stoel en kauwde op zijn popcorn. De nachtzwaluw had zich verplaatst naar de conifeer bij de veranda en maakte meer kabaal dan ooit.

'Ik krijg de griezels van dat beest,' zei Lily.

Tom keek naar zijn sterke handen, klemde ze in elkaar en liet weer los. 'Wat deed je toen?' vroeg hij aan Locke.

'Ik keek naar die donkere ziekenboeg van het schip en wenste dat ik weer terug was, hier bij de rivier. Ik voelde me totaal hopeloos en nutteloos te midden van al die zieke jongens, die helemaal de kluts kwijt waren en op sterven na dood. Het was één grote janboel. Een patiënt die op het punt stond de laatste adem uit te blazen, kreeg een flesje reukzout onder zijn neus geduwd. En een ander lag als een krankzinnige te schreeuwen: "De duivel vreet mijn haar op. Help me toch, de duivel vreet mijn haar op!" En de man achter mij begon plotseling over te geven. Hij kotste over zijn lakens en over zijn klamboe en over de vloer. Je kon merken dat hij te ziek was om zich er druk over te maken. Ik vond in een hoek van de ziekenboeg een zwabber en een emmer, tapte water uit een kraan, goot er een beetje ontsmettingsmiddel bij en rende terug naar het bed van die brakende patiënt. Die was alweer aan het overgeven. Ik hield een po onder zijn kin en legde mijn linkerhand op zijn bezwete voorhoofd. Hij zag zo wit als een champignon.

Zodra het overgeven ophield en de man weer ging liggen, trok ik de vuile lakens van het bed en legde schone onder hem en over hem heen. Toen begon ik de vloer rondom het bed te dweilen. Ik was zo bezweet dat het wel leek of ik gezwommen had, zo heet was het daar. Maar het bed en de vloer waren tenminste weer fris en schoon. En zo hield ik mezelf op de been door keihard werken. Niks anders had me erdoorheen kunnen helpen. Ik moest bijspringen en schoonmaken waar ik maar kon. Voor ik op dat schip terechtkwam, had ik nog nooit zo hard gewerkt, en later ook niet meer. Ik overtrof mezelf, ik steeg boven mezelf uit. Het leek alsof ik een en al werk was geworden en zelf niet langer bestond.

Van de dokters en de andere verplegers leende ik zo veel mogelijk boeken. Op eigen houtje leerde ik alles over anatomie en pathologie en over de medicijnen in de apotheek, en ik praatte met iedereen die daartoe maar bereid was over chirurgie en interne geneeskunde. Daarom ben ik ook *Wetenschap en Gezondheid* gaan lezen, omdat ik alles wilde lezen wat nieuw voor me was. Ik dacht dat ik er iets van zou kunnen leren. Mijn werk en mijn leergierigheid hebben me veel kracht gegeven. Ik kon kritiek verdragen en mijn eigen onwetendheid toegeven. Zo kreeg ik genoeg zelfvertrouwen om nederig te kunnen zijn.'

Locke zweeg en even was het stil rond de tafel. Toen zei Florrie: 'Als Locke eenmaal van wal is gestoken, houdt hij pas weer op als je hem een klap op zijn kop geeft.'

'Ik heb in het leger leren praten,' zei Locke.

'Je bent altijd een ontzettende kletskous geweest,' zei Florrie.

'Ik wed dat je een heel goede verpleger geworden bent,' zei David.

'Je bent zo goed als het werk dat je aflevert,' zei Locke. 'Je bouwt geen krediet op of zo, en ook geen blijvende bekwaamheid. Een chirurg is ook zo goed als de snede die hij op dat moment zet.'

Ik kon zien dat hij Toms aandacht had gewekt. Tom had de hele tijd geluisterd, maar hij was pas echt wakker geworden toen Locke beschreef hoe je door je werk boven jezelf kunt uitstijgen. 'Ik denk dat zoiets voor elk soort werk opgaat,' zei hij nu tegen Locke.

'Misschien,' zei die. 'Maar voor de verpleging in ieder geval.'

'Het is een wonder dat je zelf niets hebt opgelopen,' zei pa, 'met al die zieke mensen om je heen.'

'Hard werken is de beste bescherming,' zei Locke. 'En ik ben zorgvuldig met handen wassen, en let altijd goed op dat ik tijdens het werk niet aan mijn neus of mijn mond zit. Maar natuurlijk zou ik nooit op een tuberculoseafdeling willen werken.'

'Wanneer ga je eigenlijk trouwen?' vroeg Florrie. Ze pikte het laatste stukje popcorn uit de schaal.

'Zodra ik iemand vind die me hebben wil,' zei Locke en hij nam nog een koekje.

Vier

De volgende zaterdagavond kwam Tom opnieuw op bezoek. Ik kwam er al gauw achter dat hij niet van grote mensen-menigtes hield, alsof hij bang was dat de groep hem iets zou afnemen. En later ontdekte ik ook dat hij niet graag tot diep in de nacht opbleef, alsof het donker slecht en gevaarlijk was en alleen de slaap een veilige beschutting bood.

Hij had geen herinneringen aan zijn pa. Die was in de oorlog vertrokken en nooit meer teruggekomen. Tom, zijn zusje Becky en zijn moeder moesten in de moeilijke jaren na de oorlog de boerde-rij gaande houden. Zijn moeder moest als een man ploegen met het paard, en haardhout hakken ook. Zodra Tom groot genoeg was om te helpen, slachtte hij varkens en haalde hij met de wagen de maïs binnen. Als elf- of twaalfjarige verhuurde hij zichzelf aan ko-lonel Lewis en ging bij hem op de boerderij werken.

Toen Tom die zaterdagavond aankwam, nodigde ik hem uit bij ons op de veranda te komen zitten. Pa zat daar 's avonds graag uit te rusten en te praten tot het donker was. Net als Locke deed pa niets liever dan praten, als je het bezoeken van samenkomsten even buiten beschouwing liet. Samen met Joe en Locke kon hij urenlang verhaaltjes verzinnen en moppen vertellen.

'Hallo,' zei Joe.

'Heu,' zei pa.

'Hoi,' zei Tom.

'Je vader heette ook Tom,' zei pa. 'Ik herinner me hem nog wel.'
'Hij heette Tom, ja,' zei Tom. Hij keek naar zijn schoenen en daarna naar de dennenbomen aan de overkant van de beek.

'Als ik me goed herinner zat hij bij de vierenzestigste infanterie,' zei pa. 'Die heeft ontzettend hard gevochten tijdens die slag in de buurt van Chancellorsville. Ik weet niet meer hoe die genoemd werd, maar het was niet dé slag bij Chancellorsville. Ze raakten in de tang en op het slagveld hing zo'n dichte rook dat je vriend en vijand niet meer uit elkaar kon houden.'

Tom gaf geen antwoord. Misschien wist hij niet in welke brigade zijn vader gediend had, of wilde hij er gewoon niet over praten. Zijn gezicht werd nog een tikje roder. Ik bedacht dat ik hem van de veranda af moest zien te krijgen, want ik wilde met hem alleen zijn en zelf met hem praten.

En dat niet alleen, ik wilde hem ook aanraken. Hij was de eerste man die dat soort gevoelens bij me opriep. Het had iets te maken met de manier waarop hij gebouwd was. Hij was zo sterk en gedrongen. Ik zag nu dat hij meer weg had van een pony dan van een paard, want hij was niet groot, maar hij had een uitstraling van kalme kracht, zolang hij maar niet hoefde te praten of iets uit te leggen. Hij wilde gewoon werken en iets omhanden hebben. Ik kon merken dat het moeilijk voor hem was om met vreemden te praten en over zichzelf te vertellen. Zijn sterke handen en brede schouders wekten vertrouwen. Ik had het gevoel dat ik door hem aan te raken zelf ook kalm zou worden en dat het dan in de toekomst allemaal wel goed zou komen. Hij had zijn pak laten verstellen. Ik vermoedde dat het zijn enige pak was.

'Laten we naar de Rots van de Zonsondergang gaan,' stelde ik voor. De zon was al ondergegaan, maar in het westen, boven Chimney Top en de heuvelrand bij de oorsprong van de rivier, hing nog een rode gloed.

'Als je maar uit de buurt van windhozen blijft, Ginny,' zei pa.
'We blijven gewoon helemaal uit de buurt,' zei ik lachend.

Het was een van die avonden aan het eind van de zomer waarop je de herfst al voelt in de bries. De lucht geeft je een tintelend gevoel, net als wanneer je het zilver aanraakt dat je vindt in een la. Het gras en het onkruid worden kil en vochtig zodra de zon weg is, en aan de maïsbladeren kun je ruiken dat ze klaar zijn om geplukt en gedroogd te worden en als veevoer te dienen. De lucht geurt naar stoffig en bedauwd oud blad. De westelijke hemel gloeit nog na en toch licht er al een ster op, als een blinkend gezichtje dat naar je kijkt.

'Wat is de Rots van de Zonsondergang?' vroeg Tom. We namen het pad achter de houtschuur langs.

'Het is een plek aan de westkant van de weideheuvel, waar ik als klein meisje altijd naar de zonsondergang zat te kijken.' Ik vertelde er niet bij dat ik daar na het melken nog wel eens heen ging, om te zien hoe de westelijke hemel zich in de volle breedte spreidde in goud en rood.

'Wie heeft die naam bedacht?' vroeg Tom.

'Ik, toen ik nog klein was,' zei ik.

De krekels in het gras maakten een geluid als van kleine, zilveren belletjes. Wanneer wij langsliepen, hielden ze even op, maar zodra we voorbij waren, hervatten ze hun gezang. De sabelsprinkhanen begonnen te lawaaien in de bomen op de heuvel en tussen de eiken bij de rivier vloog een vuurvliegje.

Ik deed net of ik uitgleed op het natte gras om Toms arm te kunnen pakken. Hij legde zijn hand op de mijne. Er ging een rilling door me heen. Hij omklemde mijn hand en mijn middel. Hij had zo'n vertrouwen in zichzelf, in alles wat met zijn lichaam te maken had. Ik kende niemand die zo zichzelf was als hij, dat wil zeggen, zodra hij bij pa en Joe uit de buurt was. Hij was in het geheel niet bangelijk en zorgelijk, zoals ik, en hij probeerde ook niet voortdurend geestig of slim uit de hoek te komen, zoals pa. Misschien vond hij zichzelf niet geestig en slim en probeerde hij het daarom niet eens.

Het karrenspoor loopt rond de heuvel en verlaat dan het dennenbos vlak bij een groot rotsblok. Hoewel het al kil begon te worden, was de rots nog warm van een hele dag zonneschijn. We klommen er op en het was net of we op een warme haardsteen gingen zitten. Een grote zwerm vliegen was op de warmte afgekomen en zoemde nu om ons heen.

'Hoeveel land hebben jullie eigenlijk?' vroeg Tom, uitkijkend over de vallei.

'Tot aan de bocht van de rivier is alles van pa,' zei ik wijzend.

'En de andere kant op?' vroeg Tom.

'Zijn land reikt tot aan de monding van Schoolhouse Branch,' zei ik. Ik begreep zijn belangstelling en zijn gedachtegang heel goed, maar het kon me niet schelen. Dat had misschien wel gemoeten, maar het deed me nu eenmaal niks. Tom had geen enkel stukje land van zichzelf en dat hij zich aangetrokken voelde tot deze prachtige grond was niet meer dan natuurlijk. Het was volkomen normaal dat hij evenzeer verliefd was op de grond als op mij.

'En het stuk vanaf de rivier helemaal tot aan de top van de heuvelrand daarginds hoort ook nog bij ons,' zei ik en ik wees naar de heuveltop waar pa zijn perzik- en appelboomgaard had aangelegd.

'Het is daarboven de perfecte plek voor perziken,' zei Tom. 'Ze botten er niet te vroeg uit, zodat ze niet kapotvriezen.'

'De grens loopt helemaal tot aan de kerk,' zei ik. 'Pa heeft het stuk land geschonken waar de kerk nu staat.'

Ik schoof wat dichter naar hem toe. 'Ik krijg van pa het huis en het grote stuk laagland,' zei ik.

Tom zei geen woord, maar ik voelde hem nadenken. Ik werd er opgewonden van, omdat hij zo opgewonden was. En omdat ik het begreep. Ik had nooit eerder het gevoel gehad dat ik een man zo goed begreep. Ik was ook een beetje bang voor hem, maar ik wist tenminste wat hij dacht. In het gezelschap van andere jongens was ik me er altijd van bewust dat mijn handen en voeten te groot waren en dat ik te lang was. En ook dat ik te veel las. Maar bij Tom voelde ik me aantrekkelijk, al kon ik niet verklaren waarom.

'Ik kom hier vaak om over de vallei uit te kijken en me dicht bij God te voelen,' zei ik. Tom reageerde niet. 'Soms zeg ik in gedachten bijbelteksten op. Dit is een fijne plaats om na te denken en te bidden. Na mama's dood zat ik hier vaak uren achtereen.'

'Wat was dat?' vroeg Tom ineens, terwijl zijn blik naar het noorden ging. Ik keek ook, maar zag niks anders dan de sterren, die boven Olivet Ridge verschenen. Nog even, en het zou donker zijn.

'We trappen straks op de terugweg nog op een slang,' zei ik.

'Niet als we langzaam lopen,' zei Tom. 'Je moet ze de tijd geven om weg te komen.'

'Slangen zijn blind rond deze tijd van het jaar,' zei ik.

'Niks hoor,' zei Tom.

'Dat heb ik anders wel gehoord. Tijdens de hondsdagen kruipen slangen blindelings.'

'Ik heb gisteren nog een rattenslang gezien en zijn ogen waren even goed als altijd.'

'Waarom zouden de mensen dan zoiets zeggen?'

'Ik denk dat ze het leuk vinden om zichzelf bang te maken.'

Op dat moment zag ik ook iets. Het was alsof er ver in het noorden een spijker in de lucht werd geslagen. Uit de punt schoten de vonken naar alle kanten. Meteen was er nog een, net een spijker die even in brand stond. En nog een, en nog een.

'Meteoren,' zei ik. 'In augustus heb je altijd van die meteorenregens.'

De vurige streep schoot langs de nachtelijke hemel, recht op ons af. Het licht werd steeds feller en spatte toen met een puf in vonken uiteen.

Ik probeerde me voor de geest te halen wat ik zoal over meteoren had gelezen. Wat was dat ook weer voor beroemde gebeurtenis die door een vallende ster was voorspeld? Ik leunde tegen Tom aan en rilde een beetje. In het westen was het nu helemaal donker. Het enige licht kwam van de sterren, en de sabelsprinkhanen maakten nog meer kabaal dan eerst.

'Hoe komt het dat ze zo snel vliegen?' vroeg Tom.

'Het zijn stukken rots die van heel ver uit het heelal komen,' zei ik. 'Zodra ze met de lucht in aanraking komen, verbranden ze.' En ik vertelde nog meer, alles wat ik had onthouden van de artikelen over meteoren in *The American Magazine*.

'Hoe kan de lucht nu een rotsblok in brand zetten?' vroeg Tom.

'Omdat ze zo'n vaart hebben.'

'Ik geloof er geen woord van,' zei Tom, maar uit de manier waarop hij het zei, maakte ik op dat hij zat te grijnzen.

'Het is echt waar,' zei ik en lachte.

Op dat moment ontstond in het noordwesten een enorme vuurflits, die zich uitstrekte over de hele lengte van Pinnacle Mountain en Chimney Top, en in het zuiden weer verdween zonder uit te doven.

'En als je nou door eentje wordt getroffen?' vroeg Tom. Zo in het donker praatte hij meer dan ik hem ooit had horen doen. Ik ontdekte voor het eerst dat hij het leuk vond om te praten in het donker. En ik herinnerde me meteen hoe ik als klein meisje, toen mama nog leefde, haar en pa in bed had horen praten tot diep in de nacht. Ik was dat helemaal vergeten, maar nu dacht ik er weer aan.

'Er zijn wel eens mensen getroffen,' zei ik. 'Het komt voor dat zulke rotsblokken uit het heelal dwars door het dak van een huis heen vallen. Een vrouw in Cincinnati kreeg ooit tijdens het strijken een stuk steen op haar hoofd.'

'Was ze dood?'

'Nee, volgens mij had ze alleen maar wat blauwe plekken.' Helemaal precies wist ik het ook niet meer, ik herinnerde me alleen nog dat het een meteoriet was die in het huis was ingeslagen.

Aan de hemel verscheen een vurige stip, bijna recht boven onze hoofden. Hij hing daar een beetje te gloeien, zoals een smeulend kooltje waar wat vonken afsprongen. Het was alsof iemand daar een lantaarn had opgehangen die steeds feller opvlamde.

'Het komt hierheen,' zei ik.

De stip werd groter en helderder alsof iemand erop zat te blazen. Het was niet in te schatten hoe ver weg hij was. Soms leek hij pal boven ons. Het licht zwol aan en de vlammen sloegen eruit. Ik greep Tom bij de arm en vroeg me af of we het niet op een lopen moesten zetten. Alleen, welke kant zouden we op moeten rennen?

'Het komt hierheen,' zei ik nog eens, maar Tom reageerde niet. Hij keek omhoog met een blik of hij gewoon een vogeltje voorbij zag vliegen.

Ik keek opnieuw omhoog. Het licht was nog groter en witter geworden. Het was witheet. Voor zover ik kon zien, waren wij het doelwit. 'Wat moeten we nu?' vroeg ik aan Tom en omklemde zijn arm nog steviger. Ik had gelezen dat een meteoriet de hele wereld zou kunnen vernietigen als hij maar groot genoeg was. Het zou zijn als een kogelinslag in een perzik. Er zou een enorm gat in de aarde worden geslagen, waardoor water en vuur naar buiten zouden spuiten.

De vuurbal hing nu nog maar een paar honderd meter boven ons. Hij had inmiddels de afmetingen van een wastobbe en was even fel als de opkomende zon. 'Dit is het einde,' zei ik. 'De Heer sta ons bij. Zou dit de Opname zijn?'

Met dat ik dat zei, sprong de bal in duizend stukken. Het vuurwerk van Onafhankelijkheidsdag was er niks bij, dit was wel een miljoen keer groter. Vonken en vuursplinters spoten en schoten naar alle kanten. Langs de nachtelijke hemel vlogen flarden van vuur, die overal om ons heen neerkwamen. De bossen zullen vlam vatten, dacht ik. Ik vermoed dat mijn mond wijd openhing van ontzag en verbazing.

De vurige scherven die om ons heen regenden, werden een voor een zwart; ze doofden uit of verdwenen achter de bergen. Door dat laatste besefte ik dat de meteoriet veel verder weg was dan het leek.

'Wauw!' zei ik en haalde diep adem. Ik moet minstens een minuut lang mijn adem hebben ingehouden. Het weiland en de bossen waren veel zwarter dan eerst. Ik kon zelfs Tom niet meer zien, maar zijn kalmte hing tastbaar in de koele avondlucht, als een geur die ik niet kon omschrijven. Het was meer dan de zeep waarmee hij zich na een dag hard werken had gewassen, en meer dan de geur van zijn pas gestreken overhemd, dat door de wandeling vanaf de boerderij van Lewis een beetje bezweet was geraakt. Hij leek totaal niet geschrokken of in de war.

'Was je niet bang?' vroeg ik.

Op dat moment schoot er een reusachtige lichtstraal uit het noorden, nog groter dan de meteoor die we zojuist hadden gezien. Laag over de Olivet Mountains gleed hij naar het westen, vonken spuitend als kleine vallende sterren. Eerst was het licht rood, daarna geel en ten slotte wit. Het licht golfde en bruiste. Mijn eerste gedachte was dat het de bomen in brand zou zetten, zo laag leek het.

'Wat is dat?' gilde ik. 'De wereld vergaat. Jezus komt terug!' Maar Tom keek naar de veeg licht alsof het een vuurvliegje was dat voor onze ogen danste. Het vuur werd groter en groter. Het zag ernaar uit dat het tussen de dennen terecht zou komen, of in de rivier.

'Dit is het einde der tijden,' zei ik.

Maar opnieuw verdwenen de vurige flarden achter de bomen en weer was de nacht donker. Ik was verblind en zag een paar seconden geen hand voor ogen. Toen begonnen de sterren weer te twinkelen. Ik kon de krekels in het gras en de sabelsprinkhanen op de heuvel weer horen. Tom zat daar en zei geen woord, en nu hoorde ik ook de waterval weer, verderop bij de molen van Johnson. Niemand had de hemel zien ontploffen; alleen ik. Tom zat net als anders naar de nachtelijke geluiden te luisteren. Ik trok hem dicht tegen me aan en legde zijn arm om me heen. En op dat ogenblik werd ik pas echt verliefd. Daarna was er gewoon niks meer tegen te doen.

Nu wordt wel beweerd dat vrouwen altijd verliefd worden op het gevaar en dat ze niet echt van een man kunnen houden als ze niet tegelijkertijd een beetje bang voor hem zijn. Ik weet zeker dat daar iets in zit. De mensen zeggen ook wel dat vrouwen graag een man hebben die in alles de leiding neemt, die zijn vrouw commandeert en soms zelfs bedreigt. Ik heb ooit een vrouw horen pochen dat haar man had gedreigd haar te zullen vermoorden als ze ook maar probeerde hem te verlaten. Ze vond dat fantastisch, omdat het bewees hoeveel hij van haar hield.

Toch vermoed ik dat ik uit ander hout gesneden ben. Ik werd juist verliefd op Tom toen hij zo kalm bleef, terwijl de hemel uiteenspatte en in vlammen op ons neerdaalde. Hij leverde er geen enkel commentaar op, maar zat ernaar te kijken alsof het een alledaags gebeuren was. Misschien was ik zelf zo zenuwachtig en in de war, dat ik zijn kalmte geheimzinnig en bedreigend vond. Je kunt dit op meer dan één manier onder woorden brengen en je kunt ook, door ergens maar lang genoeg over te praten, de indruk wekken dat je begrijpt hoe het zit. Ik kan echter alleen vertellen wat ik voelde. Voor zover ik zag, was hij niet bedreigend voor mij, of het moest zijn dat hij dwars door me heen leek te kijken. Hij zag dat ik veel dingen in een opwelling deed en dat ik allerlei angsten had die ik zelf nauwelijks begreep.

'Ik dacht dat ons laatste uur geslagen had,' zei ik. 'Ik dacht echt dat het einde der tijden was aangebroken en dat Jezus nu terug zou komen.'

'Er komt helemaal geen einde aan de tijd,' zei hij.

'Maar in de Bijbel staat dat de tijd zal ophouden bij de Opname,' zei ik.

'Volgens sommige mensen, ja,' zei hij.

'Geloof je dan niet wat er in de Bijbel staat?' vroeg ik. Ik wist toen nog niet dat Tom de kunst van het lezen amper machtig was. Door die moeilijke tijd net na de oorlog, was hij maar een paar maanden naar school geweest.

'Ik geloof niet alles wat de mensen zeggen over de Bijbel.'

'Maar je gelooft dus wel in de Bijbel?' vroeg ik. 'In de tekenen en wonderen en zo?'

'Ik geloof niet in de opvattingen die sommige mensen over de Bijbel hebben.'

Dat had me meteen al zorgen moeten baren, maar dat deed het niet. Ik was verliefd aan het worden en in een dergelijke toestand zie je de dingen zoals je ze wilt zien.

'Denk je dat het een soort teken was?' vroeg ik.

'Wat?'

'De meteoor. Wat denk jij dat die voorspelt?'

'Geen idee,' zei hij. 'Wat zou het kunnen zijn?'

Ik legde mijn hoofd tegen het zijne. Zijn haar rook naar zweet in de warmte van de zon en naar een soort rozenolie. 'Een teken voor ons, misschien?'

'Zou kunnen,' zei hij.

En daarmee was onze verloving een feit. Zijn huwelijksaanzoek bestond uit die twee woorden. Dat was het moment waarop we besloten bij elkaar te blijven. En voor mij had het ogenblik niet romantischer kunnen zijn, zelfs niet als hij op zijn knieën was gevallen, zijn hoed had afgenomen en een gedicht had opgezegd.

Ik voelde hoe zijn nek en zijn gezicht de zonnewarmte nog uitstraalden. Tom had een lichte huid die altijd een beetje gloeierig leek. Daardoor zag hij er levendiger uit dan anderen. Hij deed zijn werk in de volle zon en de plekken die niet door zijn hoed werden beschermd, waren altijd een beetje verbrand. Hij straalde warmte uit als een oven en zijn gezicht leek wel licht te geven.

'We kunnen beter teruggaan,' zei ik. 'Ik wed dat pa een pot verse koffie gezet heeft. We kunnen koffie drinken met beschuit en melassestroop erbij.'

Tom liet zich van de rots glijden en tilde mij eraf. Het was nu kil geworden en ik huiverde. Alles was nat van de dauw.

'Als hier nu eens een mocassinslang zit?' zei ik. Ik had het gevoel dat het hele pad wemelde van de mocassinslangen.

'Ik loop wel voorop,' zei Tom.

'Dan kun jij de slang opschrikken, zodat-ie mij bijt,' zei ik. Dat was een oud grapje.

'Ik heb steviger schoenen aan,' zei Tom.

Ik wilde het liefst opschieten, maar de gedachte aan slangen deed me langzamer lopen. Ik werd tegelijkertijd voortgedreven en tegengehouden. Tom liep heel langzaam en voor elke stap luisterde hij even. Rattenslangen maken geen geluid, je kunt ze alleen horen kruipen. De krekels hielden hun mond zodra we te dichtbij kwamen en barstten achter onze rug opnieuw los. Ik hield Toms arm stevig vast en hij speurde de grond af alsof hij er geld mee kon verdienen. Hij had zich tot taak gesteld niet op een slang te trappen, en hij zou die taak naar behoren verrichten ook. Voor hem was alles werk en ik vond alles wat hij deed even geweldig.

'Wat was dat?' vroeg Tom opeens en hij bleef staan.

Er ritselde iets in het gras. Ik hield mijn adem in en spitste de oren. Het klonk alsof er een muisje wegschoot, maar het was zo donker dat ik Tom niet eens kon zien, ook al bevond hij zich pal voor mij. 'Wat is er?' vroeg ik.

'Ho!' zei Tom; hij sprong achteruit en schopte naar het donker. Daarna begon hij in het gras te stampvoeten en ik hoorde iets in het rond flappen.

'Wat is er toch?' vroeg ik. Maar Tom bleef stampen alsof hij probeerde een vuurtje uit te maken. 'Achteruit,' zei hij.

'Waarom?'

Weer schopte hij naar iets. 'Ik kan het niet zien,' zei hij.

Toen liep hij weer door en ik volgde. Hij leek een beetje mank te lopen, maar zeker weten deed ik het niet. Ik hield niet langer zijn arm vast, maar liep op ongeveer een halve meter afstand achter hem aan. Zo te horen sleepte zijn voet door het gras.

In het huis brandde een lamp en pa had de deur opengelaten, zodat er een strook lamplicht over de veranda viel. Tom klom de trap op en ging in het licht staan. 'Geef me eens een stok,' zei hij.

Op de veranda lag een stapel hout voor het fornuis en daar bracht ik hem een stuk van. Hij mepte er keihard mee op de vloer, vlak naast zijn voet. Ik tuurde ingespannen in het vage licht en zag daar een slang liggen, een kleintje. De staart zwiepte zwakjes heen en weer.

Pa kwam naar de deur om te kijken wat er was.

'Breng me eens een lamp,' zei Tom.

'Waar komt die slang ineens vandaan?' vroeg ik.

Pa kwam terug met een lamp en hield die laag bij Toms been. Ik bukte om het beter te kunnen zien. Daar lag een kleine mocassin-slang, met een gebroken rug. 'Heeft hij je gebeten?' vroeg ik.

Ik had nog nooit zoiets raars gezien. De slang had zijn tanden in het leer van Toms schoen gezet en daar moeten ze vast zijn blijven zitten. Door Toms gespring en gestamp was de slangenkop in de veters verstrikt geraakt. Ik denk dat hij de slang toen al half doodgetrapt had. Daarna had hij hem de hele weg naar huis meegesleept omdat hij niet precies had gezien wat er gebeurd was.

Nu drukte hij de slang omlaag met het stuk hout, haalde de veters uit de knoop en maakte ze los. Op de plaats waar de giftanden in het leer waren gedrongen was de schoen helemaal nat van het gif. Het zag eruit alsof iemand stroop over de schoen had gegoten. Natuurlijk zaten er ook dauwdruppels aan de schoen en grassprietjes en klaverblaadjes.

Zodra de slang uit de strik bevrijd was, verbrijzelde Tom hem de kop met het stuk hout.

'Ik heb nog nooit zo'n kleine rattenslang gezien,' zei ik.

'Het is een jonkie,' zei Tom.

'Jonge slangen zijn even giftig als grote,' zei pa.

Er lagen twee grote druppels op het leer, daar waar de tanden erdoorheen waren gegaan - net tranen. 'Ik zou daar maar afblijven,' zei ik.

'Zolang je geen snee hebt, kan het geen kwaad,' zei Tom.

'Kom maar binnen,' zei pa. 'Ik heb net verse koffie gezet.'

We gingen naar binnen, waar het licht pijn deed aan mijn ogen. Ik knipperde alsof ik net wakker werd. De geur van verse koffie dreef door het huis. Niemand zette zulke lekkere koffie als pa. Ik denk dat hij dat geleerd had tijdens de Burgeroorlog, omdat de koffie toen zo schaars was dat je van elke boon het beste moest maken. Er gaat niets boven de geur van verse koffie. Het maakt dat je je rijk voelt en vol vertrouwen. Je denkt aan de aarde en aan de oogst en je kunt de hele wereld aan.

'Ik heb nog nooit zoiets gezien,' zei pa met een blik op Toms schoen. 'Je hebt geboft.'

'Zeg dat wel,' zei Tom.

Joe was allang weg, naar zijn huis aan de andere kant van de heuvel. Terwijl pa een heel verhaal begon over een ratelslang die hij als jongen eens had gezien en die in een hoge berm de mensen lag op te wachten om ze te bespringen, en die zelfs over de weg heen kon vliegen, maakte ik beschuit voor bij de koffie. Het deeg was al klaar en ik hoefde het dus alleen nog maar uit te rollen, er de beschuiten uit te steken en die te bakken. Het deeg had ik eerder die dag gemaakt omdat ik dacht dat Tom zou komen; of omdat ik hoopte dat hij zou komen.

De mannen bleven maar praten, of liever gezegd: pa bleef maar praten en Tom bleef maar luisteren. Ik zag meteen dat ze het goed met elkaar zouden kunnen vinden.

'In de oorlog was het heel gewoon,' zei pa, 'dat je 's ochtends wakker werd met een stel slangen op je deken. Ik denk dat ze daarheen kropen voor de warmte. Een slang heeft geen warmte van zichzelf. Als hij afgekoeld is, kan hij zich haast niet meer bewegen. Een koude slang is altijd slaperig en zal niet bijten. Je kunt hem zo oprapen en tegen je wang houden, en dan nog doet hij niks.'

'Een slang die te warm wordt, gaat dood,' zei Tom.

'Ik denk dat een oververhitte slang vanbinnen doodbloedt,' zei pa. 'Als een slang te heet wordt, smelten zijn aderen. Ik heb er wel eens een gezien die in een zandkuil gevangen zat, bij de rivier, en tegen de avond was hij dood als gevolg van de zon. Ik denk dat hij vanbinnen gewoon gaar gebraden was.'

'Neem wat beschuiten,' zei ik. Ik zette de schaal met warme beschuiten op tafel en pakte borden en messen en een kan sorghumsiroop. Ik schonk voor ons allemaal een kop koffie in en haalde van de achterveranda een klont boter, die ik op mijn mooiste schaaltje legde, het beschilderde ding dat meestal op de bovenste plank stond.

'Wat een mooi schaaltje is dat,' zei Tom.

'Dat heeft Locke me gestuurd uit de Filippijnen,' zei ik.

Ik ging zitten en we dronken sterke koffie met warme beschuiten erbij. Beschuit is 's ochtends al een lekkernij, maar 's avonds laat smaakt het eigenlijk nog beter. We gaven elkaar de boter door, en ook de kan met stroop.

'Moeilijk om precies gelijk uit te komen,' zei Tom na drie of vier beschuiten.

'Wat bedoel je?' vroeg ik.

'Dat de boter en de stroop en de beschuiten precies tegelijk op zijn,' zei hij, 'zodat er niets op je bord achterblijft.'

'Dan moet je maar gewoon door blijven eten,' zei pa en we lachten alle drie zoals mensen doen als ze goedgeluimd zijn en genieten van lekker eten in goed gezelschap. Ik denk dat je ook van sterke koffie en zoete beschuiten een beetje aangeschoten kunt raken.

'De beschuiten moeten allemaal op, hoor,' zei ik.

'Deze stroop heeft een beetje te lang doorgekookt,' zei Tom.

'Hoe weet jij dat nou?' zei ik. Ik lachte niet meer en keek naar pa.

'Omdat ik stroop kook voor de familie Lewis,' zei Tom. 'Deze melasse is heel goed, maar iets te dik.'

'Pa maakt goede melasse, hoor,' zei ik.

'Nee, Tom heeft gelijk,' zei pa. 'Ik heb deze iets te lang laten koken. De koeien ontsnapten, weet je nog wel, en ik moest ze weer de wei in zien te krijgen. Toen ik terugkwam, had deze portie te lang staan pruttelen.'

'Beter te lang gekookt dan te kort,' zei Tom.

Vijf

ls kind had ik van die momenten waarop ik de toekomst bijna
kon proeven. De gedachte aan de dag van morgen kon me zo
in verrukking brengen dat ik voor vandaag bijna geen aandacht meer had. Elke seconde was de drempel van de volgende en elke
plek waar ik mij bevond was het startpunt van een nieuwe, lange reis.

Het was een stemming waarin ik meer dan eens verkeerde, die
opwindende sensatie van tijd die maar bleef komen als een eindeloze zondvloed van zegen. Ik had een schat aan tijd. De volgende
minuut, het volgende uur, de volgende dag en het volgende jaar -
allemaal glansden ze van belofte.

Mijn toekomstbeleving leek nog het meest op die van nieuw-
jaarsmorgen. Natuurlijk, het kerstfeest was fantastisch, door de
kerstliederen en de kaarsen, het glanzende cadeaupapier, de taart en
de koekjes, de sinaasappels en de gulle stemming, het geheimenis
van de geboorte, de verlichte bomen en de gewijde stilte om middernacht. Maar pas na afloop van het feest - wanneer de boom was
afgetuigd en het cadeaupapier opgevouwen tot volgend jaar, wanneer de maretak en de hulst waren weggegooid en de geschenken
opgeborgen, wanneer het laatste stuk taart en al het snoepgoed
waren verorberd - pas dan kwam het grootste genot. Het was de terugkeer naar het gewone, alledaagse leven op nieuwjaarsdag dat me
het meeste deed. Zonder al die decoraties en versierselen voelde het
huis ineens zo open; de kale leegte had iets spiritueels. Op de och-

tend van nieuwjaarsdag was zelfs het licht anders dan anders.

Ik kon daar zo vol van raken dat ik zonder jas het weiland in liep, alleen maar om aan den lijve te ervaren hoe zoet de wind was en hoe nieuw de lucht. Dan was ik zo blij dat de feestdagen voorbij waren en de dingen weer hun gewone loop zouden krijgen, dat ik bijna boven het gras zweefde. De aarde was schoongewassen door regen of sneeuw en het leek wel of het baardgras en de dennen in de was waren gezet en daarna opgewreven.

Ik herinner me dat ik op zulke momenten liep te huiveren door de geheimzinnigheid van de ruimte om me heen. Het was gewoon een te mooie droom, dat er zo veel ruimte bestond om me in te bewegen, om in te ademen en in te leven. Dat waren de momenten waarop ik Gods nabijheid het sterkst ervoer - als de hemel zich zo hoog boven mij verhief en zich tegelijkertijd koesterend om mij heen vouwde. Ik volgde de rivierloop met de ogen, helemaal tot aan de bergen in de verte, en mijmerde over de warme geborgenheid die ik in mijzelf vond, ondanks de straffe bries.

Soms rende ik het hele weiland door, tot diep in de dennenbossen aan de andere kant van de heuvel, en verder nog, langs de rivier, waar het water laag en helder in de winterpoelen stond. Al rennend nam ik het pad boven de schuur langs, door de boomgaard en over de heuvelrug vanwaar je neerkeek op de bron. Daarna ging ik naar binnen om een poosje in mijn schemerige slaapkamer te gaan zitten en tot rust te komen. Het duurde altijd een paar minuten voor ik weer in staat was de dingen van dichtbij te bekijken.

Om rustig te worden dacht ik dan aan de toekomst. Ik bedacht dat ik helemaal niets hoefde te doen om die dichterbij te brengen. De toekomst kwam gewoon naar mij, alsof ze meedreef op de stroom van een eindeloze rivier.

Toen ik vijftien was, gebeurde er iets heel raars. Ik was lang en houterig, met toen al van die grote handen en voeten, en iedereen zei voortdurend: 'Ginny wordt nog wel eens een knap meisje' en 'Ginny wordt lang voor een vrouw'. Dat zeiden ze jaar na jaar na jaar, en langzamerhand begon ik te begrijpen wat ze eigenlijk bedoelden: dat ik nu lelijk was, maar over een paar jaar misschien niet meer - als het meezat.

Echter, de jaren gingen voorbij en ik zag er nog steeds hetzelfde uit. Ik wist wel dat er met een meisje bepaalde dingen dienden te gebeuren om een vrouw van haar te maken, maar wat precies, dat wist ik niet. Mama was gestorven toen ik negen was en ik had alleen pa en Florrie die me iets konden vertellen. Pa praatte niet graag over vrouwenzaken en Florrie had al een vriendje en negeerde me zo veel mogelijk.

Toch voelde ik wel dat er iets niet in de haak was, hoewel ik niet precies wist wat. En ik wist al helemaal niet wat eraan te doen was. Florrie vond het leuk om dingen te zeggen als: 'Ginny wordt nooit volwassen zolang ze met haar neus in de boeken blijft zitten.' Ik wist dat Florrie elke maand ongesteld was. Daarvoor bewaarde ze oude lappen, die doordrenkt raakten van bloed en die Florrie op de veranda uitwaste en te drogen hing. En ze vertelde wel eens hoe afschuwelijk ze zich dan voelde en hoeveel pijn ze had. Soms nam ze zelfs poeders of een drankje tegen de pijn. Ik nam aan dat het mij mettertijd ook zou overkomen en dat joeg me angst aan.

Niets kon Florrie zo nijdig maken als de gedachte dat er bloed door haar jurk was gelekt, want dan moest ze als een haas naar haar kamer om zich te verkleden. Soms gooide ze dan met iets of rammelde met de potten en de pannen, en praatte over 'de vloek'.

Lange tijd was ik dus bang voor wat er met me zou gebeuren, maar na verloop van tijd werd ik bang dat het juist níet zou gebeuren. Ik wachtte maand na maand en nog steeds was ik houterig en slungelig. Mijn borst bleef plat en mijn heupen bleven smal. Ik kon merken dat ook pa zich zorgen maakte, hoewel hij nooit iets zei. Hij had geen idee hoe hij met een meisje over haar lichaam moest praten.

'Hoe voel je je?' vroeg hij van tijd tot tijd.

'Goed,' zei ik dan. Maar hij vroeg het zo vaak dat ik op het laatst zei: 'Wil je soms dat ik ziek word of zo?' Toen werd hij een beetje rood, maar hij zei niks terug. Dat deed hij nooit als ik tegen hem snauwde, en dan voelde ik me nog schuldiger over mijn uitval.

Uiteindelijk heeft hij vermoedelijk Florrie gevraagd om eens met me te praten. Ze kwam mijn slaapkamer in en zei: 'Ginny, je moet me iets vertellen, omdat pa het wil weten.'

Ik keek haar aan, onmiddellijk woedend. Het leek net of ze me van een of andere misstap kwam beschuldigen. 'Wat is er nou weer?' vroeg ik.

'Er is juist niks,' zei ze. 'Heb je al eens gebloed?'

'Ik bloed als ik me gesneden heb,' zei ik.

'Nee, ik bedoel, gebloed uit je… je weet wel,' zei ze.

'Hoezo?' vroeg ik.

'Omdat het de hoogste tijd is. Omdat je er oud genoeg voor bent,' zei Florrie.

'En als het nou niet gebeurt?' vroeg ik.

'Dan kun je geen kinderen krijgen. Alleen een vrouw die ongesteld is, kan kinderen krijgen.'

Weer leek het alsof ze me beschuldigde van iets wat ik fout deed. Ik rende de kamer uit, naar buiten. Ik rende de hele weg tot aan de bron, verschool me tussen de coniferen en huilde.

Florrie zei er een paar dagen lang niets meer over, en pa natuurlijk ook niet. Maar na ongeveer een week kwam dokter Johns, de broer van mama, op visite en zei dat hij me even wilde spreken. Iedereen verdween, zodat ik alleen met hem achterbleef. Hij rook naar whisky, zoals altijd wanneer hij zijn ronde maakte. Whisky was het medicijn dat hij het vaakst voorschreef, en dan nam hij zelf ook altijd iets. Toch was hij mijn lievelingsoom. Hij vond het leuk om me te plagen. Hij zei altijd dat ik zelf nog eens een dokter zou worden, als ik zo veel boeken bleef lezen. Hij zei ook dat ik met mijn zwarte haren wel een indiaan leek, of een zigeunerin. Toen ik klein was, kreeg ik van hem altijd een hoestbonbon uit zijn dokterstas. Ik verbeeldde me dat die net zo rook als zijn adem die naar whisky geurde. Ik vroeg me zelfs af of je van hoestbonbons ook dronken kon worden.

'Ginny,' zei hij tegen me. Ik moest op de bank in de woonkamer gaan zitten en hij nam naast mij plaats. Hij was niet groter dan ik en afgezien van zijn grijze baard leek hij zelf wel een kleine jongen. Om zijn nek had hij een gouden horlogeketting die vonkte in het licht van het haardvuur. 'Ginny,' zei hij weer, 'voel je je wel eens sloom of somber of een beetje gek?'

'Alleen als ik moet werken,' zei ik.

Dokter Johns schoot in de lach en keek me toen recht in de ogen. 'Heb je wel eens pijn in je buik?' vroeg hij. 'Helemaal onderin?'

'Alleen als ik te veel appels heb gegeten,' zei ik.

'Je bent me te slim af,' zei hij.

'Geef me maar gewoon een van uw drankjes,' zei ik.

'Dat ga ik ook zeker doen,' zei hij. 'Je moet er drie keer per dag een eetlepel van nemen, voor elke maaltijd.'

Hij gaf me een flesje met zwart spul erin. Het leek een soort dunne siroop en je moest het schudden voordat je er iets van nam. Het had de kleur van cola, maar bruiste niet als je ermee schudde. Ik heb geen idee wat er allemaal in zat, maar het was een aftreksel van de kruiden waarvan dokter Johns de vrouwendrankjes maakte die hij tijdens zijn rondgang in de hele streek verkocht. Er zat zo veel whisky door het brouwsel dat het smaakte als een hartverster-kertje, maar de nasmaak was van anijs of zoethout. Bij elke lepel die ik innam, stelde ik me voor dat het een of andere toverdrank was die me zou veranderen in een onweerstaanbare schoonheid met volle borsten en weelderige heupen.

Het drankje maakte me warm vanbinnen en ik voelde me er beter door. Soms nam ik voor het eten twee eetlepels, om er zeker van te zijn dat ik genoeg binnenkreeg. Het gaf me een soezerig en zelfverzekerd gevoel, en dan wist ik zeker dat het probleem zou worden opgelost. Bevatte het mengsel niet elke geneeskrachtige plant en boomschors en bes die dokter Johns kende? Ik was ervan overtuigd dat het helpen zou.

Het enige wat ik echter van het drankje merkte, behalve dat ik er vrolijker van werd, was een licht laxerend effect. Ik nam het elke dag in, tot het flesje leeg was en nog was er niets gebeurd. Pa zei niets, maar hield me nauwlettend in de gaten. Als hij vroeg hoe het met me ging, zei ik alleen nog maar: 'Goed hoor; best zelfs.' Maar ik zag heel goed hoe bezorgd hij was.

Voor één keer leek de toekomst nu eens niet vanzelf naar me toe te komen. Ik was op de een of andere manier vast blijven zitten; het lukte me niet om verder te komen en een vrouw te worden. Voor mij geen huwelijk in het verschiet, geen kinderen. Ik had geen idee waaraan ik een dergelijk lot verdiend kon hebben. Desondanks voelde ik me schuldig, vooral wanneer Florrie zei dat ik niet nor-maal kon groeien omdat ik veel te veel boeken had gelezen. 'Een vrouw is niet gemaakt om zo veel te denken en haar hoofd te vullen met onzin,' zei ze dan.

'En waar vul jij je hoofd dan wel mee?' gaf ik terug.

'Met jaloezie schiet je niks op, hoor,' zei Florrie.

Op een vroege voorjaarsdag zei pa dat ik me klaar moest maken om met hem naar South Carolina te gaan.

'Waar gaan we heen?' vroeg ik.

'Naar een dokter,' zei pa.

'Wat voor dokter?'

'Een indiaanse dokter,' zei hij. 'Hij heet dokter Match en hij behandelt vrouwenkwalen.'

De schrik sloeg me om het hart, maar ik ging me toch klaarmaken. Om je de waarheid te zeggen: ik maakte me inmiddels zo veel zorgen dat ik bereid was overal heen te gaan, als het maar hielp. Ik zag mezelf al als een achttienjarige en daarna als een negentienjarige die nooit kinderen zou kunnen krijgen.

Het was nog zo vroeg in het voorjaar dat de bomen langs de rivier nog bijna helemaal kaal waren. Zodra we echter de grens bij Saluda Gap waren overgestoken en via de Winding Stairs afdaalden, zag ik dat de populieren hier al blaadjes hadden - net kleine, groene vlammetjes. Op grote hoogte stond de hulst al in volle bloei en in de lagergelegen gedeelten de kornoelje. Het was net of we afdaalden naar de lente, want tegen de tijd dat we in Chestnut Springs aankwamen, stonden de bomen volop in groen en geel blad en vormden de bossen een waas van ineenvloeiende, zachte kleuren.

Pa sloeg linksaf naar Dark Corner. We passeerden de Poinsett's Bridge die mijn betovergrootvader nog had helpen bouwen. Elk dal was hier een diepe afgrond en de bergen waren zo steil dat ze loodrecht uit de hemel leken neer te hangen. De bergpieken hoog boven ons waren blauw en de bossen rondom ons bijna groen. We reden langs een waterval en pa stuurde het paard een kleiner weggetje in, een karrenspoor maar, dat ons door de bossen en over een heuvel voerde.

De weg kwam uit in een klein dal, en ik ving de geur van rook op. Het was een heerlijk knus valleitje aan de voet van de berg, met een kreek die tussen pasgeploegde akkers stroomde, en her en der verspreide huizen en schuren. Het eerste wat me opviel, was een diep gat dat in een heuvelflank was uitgegraven, en waarin je kon afdalen langs een ladder. Er kwam net een man de ladder op met een zware emmer in zijn hand. Hij droeg een korte broek, of misschien zelfs alleen maar een doek die om zijn middel was geslagen, zoals dat bij de indianen gebruikelijk is. En zijn huid was donker.

Toen we de put voorbijreden, kon ik er even een blik in werpen. Onder de bovenste lagen van bruine en rode aarde en een laag met een gelige meelkleur, was een laag roomwitte klei te zien. Het leek wel alsof ze in boter aan het graven waren. Het spul was even wit als de klei die pa elk voorjaar uit de bergbeek groef en opat bij wijze van versterkend middel.

Vlak voor een schuur zette pa de wagen stil. Het paard bond hij vast aan een dennenboom. Uit een oven steeg een dikke rookwolk omhoog die eruitzag als een grote, lemen bijenkorf. In de schuur waren twee mannen, met alleen een lendendoek om, klei aan het boetseren op een draaischijf. Ik begreep dat dit een pottenbakkerij was, want overal rondom de schuur en voor de oven stonden potten van aardewerk. Wat me het meest verbaasde, waren de afmetingen ervan. Sommige potten waren groot genoeg voor twintig liter en sommige waren zelfs zo groot dat een jongen zich erin zou kunnen verstoppen. Ik had nog nooit zulke grote urnen of kruiken gezien. Er zouden twee mannen nodig zijn om ze op te tillen, net zoals er ook twee mannen nodig waren om ze te vormen op de draaischijf. Daar kwam bij dat in de kannen en de reuzenkruiken ook nog eens gezichten waren uitgesneden, met priemende neuzen en uitpuilende ogen zo groot als piepers.

Ook langs het pad naar het huis stonden allemaal potten, stuk voor stuk met gezichten erop, sommige met bolle ogen, andere met afschrikwekkende grijnzen en grimassen. In sommige potten stonden bloemen en in andere beschilderde stokken. Het erf was netjes geveegd en ik zag nergens kippen.

De man die de deur opendeed zag er in zijn zwarte pak en stijve boordje uit als een gewone dokter. Hij had zilvergrijs haar en een bril met een zilveren montuur. Maar zijn huid was donker en om zijn hals had hij een snoer kralen zo groot als kiezelstenen, in verschillende kleuren. Aan zijn vingers had hij een hele hoop ringen, stuk voor stuk ingelegd met rode en blauwe stenen.

'Bent u dokter Match?' vroeg pa.

'Inderdaad,' zei de man. 'Kom toch binnen.'

'We komen voor Ginny,' zei pa. 'Ze heeft een probleem, ziet u...'

'Ik begrijp het,' viel de dokter hem in de rede en zijn donkere ogen keken me aan alsof hij een puzzel aan het bestuderen was.

'Ik wacht wel in de wagen,' zei pa.

Toen pa weg was, nam de dokter me mee naar binnen en zette me aan een tafel.

'Ik wil graag dat je eerst even met madame Sparrow praat,' zei hij. Hij liep weg en ik keek een poosje rond. De kamer was bijna kaal, op een paar bosjes veren en houtgravures aan de muur na. In de hoeken stonden grote potten en op de tafel waren prachtige figuren geschilderd.

Een dikke vrouw in een kastanjebruine jurk kwam achter een gordijn vandaan. Haar grijze haar droeg ze in een vlecht die opgerold om haar hoofd lag. Haar oorhangers waren van dezelfde stenen gemaakt als de halsketting van de dokter. 'Wil je je handen even uitsteken?' vroeg ze.

Ze pakte de toppen van mijn beide middelvingers en keek aandachtig naar mijn handpalmen. Daarna keek ze naar mijn gezicht alsof dat zich heel in de verte bevond. 'Heb je plannen voor de toekomst?' vroeg ze.

'Ja,' zei ik.

'Maar je bent er nog niet klaar voor?'

'Nee, dat geloof ik niet,' zei ik.

Weer keek ze naar mijn handpalmen. 'Je hebt iemand verloren die je dierbaar was,' zei ze.

'Dat klopt.'

'Maar in de toekomst zul je opnieuw een grote liefde hebben,' zei ze.

'Echt waar?'

'Je zult grote vreugde beleven, maar ook verdriet, en daarna opnieuw geluk,' zei ze.

'Wat voor verdriet?' vroeg ik.

'Dat kan ik niet zeggen.' Ze keek naar mijn voorhoofd en toen weer naar mijn handen, met extra aandacht voor mijn handpalmen en polsen. 'Je moet niet bang zijn om te veranderen; ook de seizoenen veranderen,' zei ze. 'Alleen door te veranderen zul je het geluk vinden.'

'Wat voor verandering is dat dan?' vroeg ik.

'Dat zul je merken als het zover is,' zei ze. Ze glimlachte niet, maar keek me vorsend aan, zoals een mijnonderzoeker keurend een emmer met grind bekijkt.

'Ruik hier eens aan,' zei ze, terwijl ze een zakdoek uit haar mouw trok. Ze hield die bij mijn neus en ik snuffelde eraan. Ik weet niet wat er op dat stukje stof zat; misschien waren het druppeltjes of poeder van het een of ander. Ik moest er in elk geval zo verschrikkelijk van niezen, dat ik sterretjes zag. Ik niesde zo hard dat ik het gevoel kreeg dat ik mijn ruggengraat verstuikte. De tranen sprongen me in de ogen en de kamer werd wazig en begon om me heen te draaien.

De vrouw, madame Sparrow zoals hij haar had genoemd, stond op en ging weg. Met mijn mouw veegde ik mijn ogen af, maar de tranen bleven stromen. Ik weet niet waarom ik zo huilde, het water leek als vanzelf uit mijn ogen te gutsen. Door de tranen zag ik alles scheef en in schemering gehuld.

Plotseling was de dokter weer terug. Hij ging tegenover mij aan tafel zitten. In zijn ene hand had hij een leren buidel en in zijn andere een bosje veren. Hij zwaaide die bos in mijn richting alsof hij het kruisteken over mij maakte, maar ik denk niet dat het dat was.

'Waar denk je aan?' vroeg hij.

Ik had geen idee waar hij heen wilde. 'Aan een heleboel dingen,' zei ik.

'Denk je ook aan de toekomst?' vroeg hij. 'Maak je je zorgen over de toekomst?'

'Ja, dat wel,' zei ik.

'Je hoeft je geen zorgen te maken over de toekomst,' zei hij. 'Datgene waar je bang voor bent, zal niet gebeuren.'

'Waar moet ik dan aan denken?' vroeg ik. Ik haalde mijn neus op en wreef in mijn ogen. Mijn ogen waren helemaal warm.

'Denk maar aan het verleden,' zei dokter Match. 'Denk aan alles wat geweest is, en denk ook aan duiven. Stel je maar voor dat je een duif bent.'

'Een duif?'

'Stel je voor dat je een duif bent die in een hoge boom zit of hoog boven de vallei vliegt. Bedenk hoe het zou zijn om honderden kilometers te kunnen vliegen, dicht bij de zon en hoog boven de rivier.' Met de buidel en de veren tikte hij tegen mijn voorhoofd en mijn beide schouders. Daarna keek hij me diep in de ogen, tot helemaal achterin. Het leek wel of hij in mijn hoofd probeerde te kijken.

'Vertel niemand dat je aan een duif denkt,' zei hij toen. 'Als je het aan iemand vertelt, werkt het niet meer. Dan verliest het zijn genezende kracht.'

'Ja, dokter,' zei ik.

'En je moet ook je geheime naam weten,' zei hij. 'De naam die niemand anders mag weten dan jij alleen.' Hij boog zich naar voren en fluisterde me de naam in het oor. En tot op de dag van vandaag heb ik die naam aan niemand verklapt. Ik weet niet of het iets uitmaakt of niet, maar de naam die hij me heeft gegeven, heb ik aan geen levende ziel verteld, hoewel ik hem in mijzelf heb gefluisterd gedurende de zwaarste ogenblikken die ik sindsdien heb gekend.

'En voortaan moet je dit innemen,' zei hij. Hij haalde een klein kruikje uit zijn zak. Het leek precies op de grote kruiken in de kamer en in de pottenbakkerswerkplaats, maar het was niet groter dan een appel. Aan de zijkant had het een gezicht met uitpuilende ogen en bovenop een houten stop. Het was een volmaakt exemplaar en paste precies in mijn hand.

'Hier moet je voor elke maaltijd een lepel van innemen,' zei de dokter.

'Is het een versterkend middel?' vroeg ik.

'Je moet geen vragen stellen,' zei hij. 'Doe nou maar wat ik zeg.'

'Goed,' zei ik. Mijn ogen traanden niet meer en mijn hoofd voelde ook niet meer zo verhit. Ik kon hem weer helder zien.

'Denk eraan,' zei hij, 'als je je weer zorgen begint te maken, moet je aan de duif denken. En dan zeg je in je hart je geheime naam, telkens en telkens weer.'

Toen ik naar buiten stapte, raakte ik bijna verblind door de zon. Pa stond op de veranda te wachten en stak de dokter een zilveren dollar toe. Daarna tikte hij aan zijn hoed en groette. Dokter Match zei niets terug. Hij bleef op de veranda staan en keek ons na toen we naar de wagen liepen.

Ik had het gevoel dat tijdens ons korte verblijf in de vallei het voorjaar nog verder doorgezet had. Op de terugweg viel het me op hoe groot en zacht de bladeren van de essenbomen en de platanen langs de kreek al waren. Sommige bomen waren groener dan op de heenweg en zelfs de tere, jonge blaadjes hadden zich een stuk verder ontvouwd.

Misschien word ik door mijn eigen herinneringen voor de gek gehouden, maar voor mij zette de grote verandering al in op die reis van Dark Corner terug naar huis. De bergen zagen er anders uit en het zonlicht flonkerde op de steile hellingen. Het paard liep sneller, in ieder geval op de vlakke gedeelten van de route, en pa's hart leek een stuk lichter.

Toch, misschien herinner ik het me alleen maar zo. Soms denk ik wel eens dat alleen de herinneringen die we telkens weer ophalen ons uiteindelijk bijblijven. We onthouden iets dat we ons al eerder hebben herinnerd en al die telkens weer opgehaalde gebeurtenissen vormen zo een keten van onze levendigste en sterkste herinneringen. En in de loop der jaren worden de gebeurtenissen in die keten aangepast en uitgezocht en opgerekt, net zolang tot ze passen bij de manier waarop wij onze levensweg zien. Ik denk gewoon dat het zo gaat, ook al is er geen enkel bewijs voor. En misschien heb ik ook wel een heleboel dingen op één hoop gegooid, omdat het allemaal al zo lang geleden is.

'En, wat heeft die indiaanse dokter gedaan?' vroeg Florrie toen we thuiskwamen. Ze kon nooit haar nieuwsgierigheid bedwingen.

'Niet veel,' zei ik.

'Nou weet ik nog niks, Ginny.'

Ik voelde me een stuk volwassener, omdat ik een poosje weg was geweest. Ik had geen zin om me op een dag als deze door Florrie op mijn kop te laten zitten.

'Heeft hij je nog medicijnen gegeven?' vroeg ze.

'Hij gaf me iets waarvan ik moest niezen,' zei ik.

'Daar zul je vast en zeker enorm van opknappen,' zei Florrie en ze hing de natte theedoek uit over de rand van de lege pan.

'Ik moest zo hard niezen dat ik ervan begon te huilen,' zei ik.

'Heeft hij nog geheimzinnige wijsjes gezongen?' vroeg ze.

'Hij zwaaide een veer voor mijn gezicht heen en weer, en ook een klein zakje,' zei ik.

'En heeft pa je daarvoor nou die hele reis laten maken?' zei ze.

Voor één keer was ik Florrie de baas. Haar nieuwsgierigheid en het feit dat zij thuis had moeten blijven, verzwakten haar positie. 'Ze hebben me ook nog de toekomst voorspeld,' zei ik.

'Wie, de dokter?'

'Nee, zijn vrouw, denk ik.' Ik stapelde de afgedroogde borden op de plank.

'Wat zei ze dan?' vroeg Florrie.

'Ze zei dat ik eerst heel veel vreugde zou krijgen in mijn leven en daarna een vreselijk verdriet. En ten slotte weer een groot geluk.'

'Ook geen kunst, om zoiets te voorspellen,' zei Florrie. 'Het zal jaren en jaren duren voor je weet of het klopt.'

Bijna had ik haar verteld over de geheime gedachte aan de duif en de geheime naam, maar ik hield me net op tijd in. Er was heel veel dat Florrie niet over mij hoefde te weten.

'Hij heeft me ook een drankje gegeven,' zei ik.

'Dat mag ik hopen, ja,' zei Florrie. Ze pakte de bezem en veegde de kruimels en de as rond het fornuis weg. Ik liet haar het potje met de houten stop zien.

'Dat is gewoon een stuk speelgoed,' zei ze. 'Iets voor een poppenhuis.'

Ik vertelde haar over de pottenbakkerij en de oven en de kleiput, en over de kannen en kruiken die er net zo uitzagen als dat van mij, maar die wel tot aan mijn middel reikten. 'Waarvoor zouden ze zulke grote potten maken?' vroeg ik.

'Om maïs in te bewaren, of water, denk ik,' zei ze.

En ik herinnerde me iets wat ik ooit had gelezen; dat in sommige landen de mensen hun doden begroeven in grote kruiken en grote urnen met offergaven erin op altaren plaatsten, als offer aan hun goden.

'Hoeveel vroeg die dokter eigenlijk?' vroeg Florrie.

Ik besloot echter haar verder niets wijzer te maken. Als ze het zo graag wilde weten, moest ze pa maar vragen hoeveel hij dokter Match had betaald.

Die avond nam ik een lepel van het drankje. Het leek precies op het middeltje van dokter Johns, maar het smaakte anders. Volgens mij zat er in het medicijn van dokter Match niet veel alcohol. Toch was het zo sterk dat het brandde op mijn tong. Het smaakte alsof hij het mengsel had samengesteld uit het extract en het aftreksel van honderden planten tegelijk. Het vocht was ingekookt en gedestilleerd en opnieuw ingekookt, net als een essence. Zodra je het kruikje openmaakte, verspreidde de geur zich door de kamer. Ik weet niet wat voor geur het precies was. De dampen vulden de ruimte als een ontsnapte geest. Het deed me denken aan het verhaal van de geest in de fles.

'Het is maar een klein flesje,' zei Florrie. 'Wat ga je doen als het op is?'

'Als dit niet werkt, ben ik waarschijnlijk een hopeloos geval,' zei ik.

Diezelfde nacht echter voelde ik binnen in mij al iets gebeuren. Misschien kwam het niet echt door het medicijn, maar was gewoon de tijd voor de verandering gekomen. Het effect trad echter zo snel op, dat ik wel moest denken dat het medicijn er de oorzaak van was. Het was alsof er vanbinnen allerlei deurtjes opengingen die toegang gaven tot nieuwe vertrekken, en alsof in mijn lichaam allerlei zware voorwerpen heen en weer werden geschoven. Ik weet niet hoe ik het anders moet omschrijven. Ik voelde me vanbinnen net een drukke laad- en losplaats waar goederen werden gesorteerd en ingeladen.

De volgende dag had ik overal jeuk. Het was een kietelende jeuk, waardoor ik de hele tijd moest lachen. Ik lachte om mijn eigen grapjes en om de domme dingen die Florrie zei. En in mijzelf lachte ik gewoon om niks.

'Volgens mij ben je niet goed wijs, Ginny,' zei Florrie.

'Ik voel me anders uitstekend,' zei ik.

'Het komt vast door dat indiaanse sapje,' zei Florrie. 'Ik zou wel eens willen weten wat er allemaal in zit.'

'Van mij mag je een slokje proberen,' zei ik.

De jeuk ging over in een soort overgevoeligheid die drie of vier dagen duurde. Mijn borst was gevoelig en mijn buik ook. Een zeurend gevoel was het, alsof er iets openlag. En ik voelde me ook heel zwaar. Na een paar dagen leek het of ik vol zat met lood. Het zeurende gevoel hield aan.

'Voel je je beroerd?' vroeg Florrie.

'Nee hoor, ik voel me best.'

'Dat drankje helpt ook geen zier,' zei ze.

Maar het werkte wel! Het bracht in mijn binnenste van alles in beweging, alsof ik last had van winderigheid of brandend maagzuur. Ik wilde stil zijn, maar het lukte me niet. Ik wilde bij het vuur zitten, maar vond het er te warm. Ik legde een koude, natte doek op mijn voorhoofd, maar moest ervan rillen.

'Waar ga je heen?' vroeg Florrie.

'Naar de Rots van de Zonsondergang,' zei ik.

'Blijf liever binnen,' zei ze. 'Zeker met die wind.'

Over het weiland woei een sterke wind. Zelfs de bomen op de heuvelrand aan de overkant van de rivier begonnen nu groen te worden. Over de heuveltop zeilden grote wolken. Er leek storm op til. Ik ging op de rots zitten, maar de wind was te koud. Het gras was donkergroen. Tegen de donkere bosrand vlamden hondstand en boslelie op. Ik klom van de rots en liep naar de rivier.

Er was die ochtend waarschijnlijk een hele massa vliegjes uit het ei gekropen, want de lucht boven de rivier wemelde van glimmertjes. In een dichte nevel hingen ze boven het water, tot een windvlaag hen wegblies. Maar al gauw hingen ze er alweer te glinsteren, als een soort geestverschijning. In de bosjes langs de oever hing allerlei rommel, waaraan je kon zien hoe hoog het water had gestaan. Staande bij de rivier bad ik: 'Jezus, als U dit met mij laat gebeuren, zal ik U altijd blijven dienen. Ik zal trouw zijn in uw dienst.'

Die avond verergerde de pijn in mijn buik. Ik voelde me vanbinnen bont en blauw en ervoer een pijnlijke druk. Ik had behoefte aan iets warms en daarom maakte ik een kop koffie voor mezelf voor ik naar bed ging. Mijn verlangen naar verlichting van de pijn was groter dan mijn behoefte aan slaap.

Ik had nog nooit zo'n buikpijn gehad, zelfs niet als ik aan verstopping leed. Ik kroop in bed en ging opgerold op mijn ene zij liggen. Daarna draaide ik me op mijn andere zij, op zoek naar een koele plaats tussen de lakens. De pijn werd echter steeds erger. Ik kroop nog verder in elkaar en dat hielp een beetje. Mijn hoofd en mijn hele lijf voelden aan alsof ik hevig verkouden was.

Ik draaide me opnieuw om. Toen herinnerde ik me wat dokter Match had gezegd over de duif. Ik probeerde aan een duif te denken - aan het geluid dat ze maakt als ze haar veren opschudt, aan de lila en groene strepen in haar hals. Ik zag een duif opvliegen van de nok van de schuur en wegschieten over de vallei. Ze fladderde over de rivier heen, langs de berghelling omhoog, zo hoog dat de bomen onder haar zo klein waren als onkruid. En aan de andere kant van de bergtop zag ik de peilloos diepe dalen van South Carolina. De uitgestorven dalen en valleien leken kilometers diep. Ik zag appelbomen vol bloesem, en perzikenbomen. Ik zag de oude vrouw, madame Sparrow, bezig met de was, en ik zag rook uit de oven kringelen.

En terwijl ik aan de duif dacht, zei ik in mezelf de geheime naam die dokter Match me had gegeven. Ik herhaalde die telkens en telkens weer en ondertussen keek ik uit over het eindeloze land onder mij, vol lage heuvels en bergen, helemaal tot aan Caesar's Head en Table Rock. Ik zag die goeie, ouwe Callahan Mountain en Tryon Mountain in het oosten, vervagend in de wazige voorjaarsnevel boven het vlakke land.

Toen ik wakker werd, zat er kleverig spul tussen mijn benen en onder mijn heup. De pijn was verdwenen en ik rook bloed. Het was nog maar net licht en toen ik de dekens wegtrok zag ik pas goed wat een zooitje ik ervan had gemaakt. Er zat bloed op mijn nachtjapon en ook in de lakens zat een bloedvlek. Hier en daar was het bloed opgedroogd en aan mijn huid vastgekoekt.

Het was zo'n troep dat ik rilde van afschuw bij de gedachte dat ik de lakens en de nachtjapon in koud water zou moeten uitspoelen. En dat nog wel onder het toeziend oog van pa en Joe en Locke! Bij het zien van de bloedvlekken zou iedereen meteen begrijpen wat er aan de hand was. Ik stond op en goot water in mijn waskom. De lappen die Florrie me had gegeven lagen schoon en netjes opgevouwen in mijn klerenkast.

Het was een afschuwelijke toestand en toch voelde ik me fantastisch. Ik had het nieuwe land bereikt. 'Dank U, Jezus,' zei ik, terwijl ik de nachtjapon en de lakens waste. Ik had het gevoel dat ik een grote prestatie had geleverd en dat de toekomst weer binnen handbereik was. Het kleine kruikje zette ik weg in de kast, bij het schone linnengoed.

Zes

Zoals de meeste dingen die ik meemaak, leek ook mijn huwelijk helemaal vanzelf te gebeuren. Ik moet duizenden beslissingen hebben genomen, maar het voelde nooit alsof ik een keus maakte. Het overkwam me gewoon. Ik weet dat er mensen zijn die vinden dat het huwelijk veel te veel wordt opgehemeld en dat de lichamelijke liefde lang niet zo bijzonder is als wel wordt beweerd. Maar zolang het goed ging, was het allemaal boven verwachting. Ik heb me nooit beter gevoeld dan in de tijd dat het goed zat tussen Tom en mij. Ik keek altijd uit naar het eind van de dag, naar het moment dat het bedtijd werd. Hoe hard ik ook gewerkt had en hoe moe ik ook was, het was altijd rustgevend om door Tom bemind te worden. En wat er sindsdien ook gebeurd mag zijn, ik had die nachten voor geen goud willen missen.

Tom en ik trouwden bij ons thuis. Dominee Jolly kwam over om de plechtigheid te leiden en wij spraken de trouwbelofte uit. Van Toms familie was er niemand. Het waren geen gezelschapsmensen. Mijn broer Joe en zijn vrouw Lily waren wel gekomen en ook mijn zus Florrie en haar man David, en na afloop aten we gebraden kip en watermeloen. We hadden geen receptie of bal, zoals sommige andere mensen.

Het eerste wat pa over Tom te weten kwam, was wat hij allemaal niet deed. Hij hield niet van jagen en zette nooit vallen voor wezels en muskusratten. Hij ging ook nooit vissen, behalve nu en dan in het voorjaar. Hij ging zondags naar de kerk, maar nooit naar doordeweekse bidstonden. Hij las nooit een boek of tijdschrift en keek zelden of nooit de krant in. Hij hield niet van discussies over politiek en als het aan hem lag, ging hij altijd vroeg naar bed. Hij nam nooit een borrel zomaar voor de gezelligheid, hij rookte en pruimde niet. Op feestdagen werkte hij even hard als anders, behalve als ze op een zondag vielen. Op zondagen verveelde hij zich bijna dood.

Nadat de dominee was vertrokken en ik de afwas had gedaan, gingen we om de tafel zitten. Joe en Lily hadden als huwelijkscadeau een lamp voor ons meegebracht met kristallen hangertjes eraan die op grote sneeuwvlokken leken. Als de lamp werd aangestoken, leek het net of er allemaal ijspegels aan hingen. Pa gaf me honderd dollar en Florrie had een quilt voor me gemaakt. Het was stil in huis. Ik denk dat pa vond dat ze ons nu verder het beste met rust konden laten. 'Tijd om te melken,' zei hij en schoof zijn stoel achteruit.

'Ik kom je helpen zodra ik me verkleed heb,' zei Tom. Het was duidelijk dat hij zo snel mogelijk van zijn nette pak verlost wilde zijn om aan de slag te kunnen gaan. Hij wreef in zijn handen alsof hij ze waste. De huid zag er droog en poederig uit, zo had hij erop zitten schrobben.

'Dan ren ik maar vast naar de bron,' zei pa. 'Zodra ik terug ben, kunnen we met melken beginnen.' Pa zei altijd dat hij even naar de bron ging, als hij zijn behoefte moest doen. Toen hij terugkwam, had Tom zich al verkleed en was hij met de emmers onderweg naar de melkgoot.

'Pa, je kunt evengoed gaan zitten,' zei ik. 'Tom is al gaan melken.' Pa ging naar buiten en ging op de veranda zitten. Voortaan liet hij het melken helemaal aan Tom en mij over.

In de avond werd het kil en Tom legde een vuur aan in de haard, volgens mij alleen om iets omhanden te hebben. Er zat voldoende brandhout in de keukenkist, maar hij nam de lantaarn mee naar de houtstapel en hakte nog wat bij. Ook bracht hij een paar eikentakken mee die in de schuur te roken hingen.

'Zo'n groot vuur hebben we nu ook weer niet nodig,' meende ik.

'Het wordt maar een klein vuurtje, alleen om de kou uit de lucht te halen,' zei hij.

'Een vuurtje in het donker is gezellig,' zei pa.

Ik deed langer over de vaat dan anders. Ik poetste elke lepel en elke vork afzonderlijk op, voor ik ze in de la legde. Ik zette de borden in de kast en deed de overgebleven taart in de trommel. Nadat ik het afwaswater had weggegooid, veegde ik de keuken en dweilde hem na met het laatste restje heet water.

Toen ik eindelijk in de woonkamer bij de haard ging zitten, brandde het vuur als een tierelier. De vlammen dansten rond het haardrooster en het hele huis geurde naar gerookt eiken. De kilte van de late zomeravond was verdreven.

'Vuur werkt ontspannend,' zei pa, 'of je nu buiten of binnen bent.'

'Vuur geeft je een huiselijk gevoel,' zei ik.

Tom porde tussen de houtblokken, waardoor het vuur nog hoger opvlamde. 'Mensen verzamelen zich altijd als vanzelf rondom een vuur,' zei hij.

Dat klopte helemaal, dacht ik. Zodra mensen rondom een vuurtje zijn gaan zitten, voelen ze zich op hun gemak en zeker van zichzelf. Daarom brandde er altijd een vuur op de altaren in de Bijbel. Daarom is de haard het middelpunt van het huis. Het aanleggen van een vuur was Toms manier om zichzelf in ons huis een plaats te veroveren. Dit was zijn vuur.

'Het viel me in de oorlog altijd op dat de lust tot vechten ons verging, zodra we bij het vuur zaten of stonden,' zei pa. ''s Avonds zaten we in het volle zicht van de yankees ons kostje te koken en onszelf te warmen, en zij deden precies hetzelfde. We riepen zelfs van alles over en weer, we plaagden elkaar en ruilden speelkaarten en drank en dat soort dingen. Zodra de vuren waren aangestoken, daalde er een soort vredige stemming over iedereen.'

'Een vuur is ook een teken van eerbied,' zei ik. 'De Romeinen geloofden dat de haard de woonplaats van de goden was.'

'Dat slaat nergens op,' zei Tom. 'De haard is zichtbaar voor iedereen en je ziet meteen dat er geen enkele god in woont.'

'Misschien zagen de vlammen eruit als kleine goden,' zei pa.

'Of misschien dachten ze dat de goden in de trek woonden, of in de warme stenen,' zei ik.

'Ieder mens gelooft precies wat hij wil geloven,' zei Tom. Zijn das en kraag had hij al eerder afgedaan en bij het vlammenlicht glansde zijn zonverbrande huid als goud. Ook zijn haar was van goud en zijn ogen schitterden. Zijn overhemd was bespikkeld met roze en perzikkleurige vlekjes. Hij ziet er zelf uit als een gouden god en hij beseft het niet eens, dacht ik.

'Een vuur is altijd interessant om naar te kijken,' zei Tom.

Pa trok zijn horloge tevoorschijn. 'Tijd om de kat op te winden en de klok buiten de deur te zetten,' zei hij. Het was een grap die hij al maakte toen ik nog een klein meisje was.

'We moeten nog bidden,' zei ik.

Pa en ik knielden bij onze stoel en toen Tom dat zag, liet ook hij zich op zijn knieën zakken. Ik legde mijn wang op de zitting en keek zo de maan recht in het gezicht. Ze stond in het eerste kwartier en daardoor leek het net of ze zich bukte om naar binnen te kijken.

'Heer, wij vragen uw zegen over onze familie en over het nieuwe lid van dit gezin,' zei pa. 'Nu Ginny en Tom aan het begin staan van hun samenleven, bidden we U dat U op hen neer wilt zien en hen wilt beschermen. En we vragen U of zij hun leven mogen wijden aan uw dienst.'

Toen pa uitgesproken was, stonden we allemaal op en pa pakte de lamp van de schoorsteenmantel. 'Ik laat het afsluiten maar aan jullie over,' zei hij en stak Tom zijn hand toe. 'Goed om je hier bij ons te hebben,' zei hij.

Nadat pa verdwenen was, ging Tom weer zitten en staarde in het haardvuur. Ik vroeg me af wat hij daar zag. Sommige mensen beweren dat ze in een vuur de toekomst kunnen zien. 'Heb je zin in popcorn?' vroeg ik.

'Neu, laat maar,' zei hij.

'Ik kan nog wat koffie zetten en verse beschuit bakken,' zei ik.

'Nee, ik zit nog vol van het avondeten,' zei hij.

Hij schoof wat dichter naar het vuur en het licht danste en golfde over zijn gezicht. Er ging een rilling door me heen, alsof ik het koud had. Hij strekte zijn gelaarsde voeten uit naar de vlammen.

'Als je slaap krijgt, moet je het maar zeggen, dan gaan we naar bed,' zei ik.

'Zo dadelijk,' zei hij. 'Laat opblijven is niks voor mij.'

'Ik zal het bed vast openslaan,' zei ik.

'Doe maar kalm aan,' zei Tom.

Ik keek ook in het vuur. De vlammen krulden van beide kanten van de haard naar binnen.

'Er zijn mensen die zeggen dat ze in een vuur de toekomst kunnen lezen,' zei ik.

'Een vuur is gewoon een vuur,' zei Tom.

'Dan ga ik maar vast,' zei ik.

'Doe dat,' zei hij.

Sinds de trouwplechtigheid, waarbij we elkaar gekust hadden zodra dominee Jolly ons tot man en vrouw verklaard had, had ik Tom niet meer aangeraakt. Ik pakte de lamp van de schoorsteenmantel om die mee naar boven te nemen en legde in het voorbijgaan even mijn hand op Toms schouder. Onder zijn witte overhemd waren zijn spieren hard als staal.

Die ochtend had ik de slaapkamer schoongemaakt en die was nu zo schoon als nog nooit eerder in mijn leven. Ik had de gordijnen opgehangen die ik eerder die zomer had genaaid en er lag een nieuwe quilt over het bed. Ik had alle hoekjes gestoft en de tijdschriften en boeken naar de vliering gebracht. In de linnenkast had ik ruimte vrijgemaakt voor Toms kleren en op het nachtkastje had ik een gehaakt kleedje gelegd. Met een bezem had ik de spinnenwebben van het plafond verwijderd. Ik had de ramen gezeemd en de cederhouten commode en de dekenkist geolied.

De slaapkamer lag aan de noordkant en was altijd de koelste kamer van het huis. De koelte voelde aangenaam na de hitte van het haardvuur. Ik zette de lamp op het nachtkastje en draaide de vlam wat op. De kamer was bijna helemaal in schaduw gehuld en de linnenkast zag er dreigend uit, als een grote, lege deuropening. Dit was de kamer waarin ik was geboren. Het was gepast dat het ook de kamer zou zijn voor mijn leven als getrouwde vrouw.

Ik legde het bed zo netjes mogelijk open, zodat de schone lakens goed opvielen. De bontgekleurde vlakken van de quilt glansden huiverend in het licht. Ik zal deze kamer nooit meer voor mijzelf alleen hebben, dacht ik. Mijn nachtjapon lag al klaar op de commode; ik had hem de afgelopen zomer zelf genaaid uit een lap satijn, en de mouwen en de kraag afgezet met kant. Ik trok mijn kleren uit en hing ze in de linnenkast.

Er ging ergens een deur dicht en ik luisterde of ik kon horen wie het was, Tom of pa. Maar pa lag in de kamer naast de onze al te snurken. Ik liep naar het raam en schoof het gordijn opzij, maar er was niet meer te zien dan de maansikkel boven de cypressen en de coniferen. Voor het naar bed gaan, gaat een man altijd even naar buiten om te plassen. Ik vroeg me af hoelang Tom nog weg zou blijven.

Toen ik eenmaal in bed lag, merkte ik dat de lamp wel erg fel brandde. Ik wilde niet dat Tom door het licht verblind zou raken als hij binnenkwam. Daarom draaide ik de pit laag, zodat de hele kamer lag te glanzen in een zachtgele gloed. Mijn haar viel voor mijn ogen en ik streek het weg.

Het duurde eeuwen voordat Tom weer binnenkwam. Eindelijk hoorde ik de keukendeur achter hem dichtgaan en de grendel ervoor glijden. Daarna rakelde hij het vuur nog even op. Hij had vast zijn laarzen uitgedaan bij de haard, want hij kwam zo geruisloos aanlopen door de hal dat ik schrok toen de slaapkamerdeur openging.

'Ik heb de lamp aangelaten, zodat je kunt zien waar je je kleren moet hangen,' zei ik.

'Niet nodig,' zei Tom. Hij liep naar het nachtkastje en blies de lamp uit. In het donker hoorde ik hem zijn broek uittrekken en ik vroeg me af wat hij ermee zou doen. Zou hij hem op de vloer laten vallen, zodat er morgen iemand bovenop ging staan en hij helemaal verkreukeld zou zijn? En toen voelde ik hem langs het bedframe schuren en wist ik dat hij zijn broek over de rand hing. Ik denk dat hij het altijd zo had gedaan, vroeger bij hem thuis en later bij de familie Lewis.

Toen Tom onder de quilt kroop, schoof ik een eindje op om plaats voor hem te maken, maar ik schoot te ver door en moest dus weer terug. Omdat hij net van buiten kwam, was zijn huid koud. Het bed boog aan zijn kant door toen hij ging liggen en daardoor voelde het matras heel anders aan.

'Hoe laat sta jij altijd op?' vroeg ik, maar hij gaf geen antwoord en dus dacht ik dat hij me niet gehoord had. 'Wat wil je hebben als ontbijt?'

'Sssst,' zei hij, net of hij bang was om pa wakker te maken.

Tom maakte geen enkel geluid, ook al lag hij nu dicht tegen me aan. Zijn lippen gleden over de mijne en zijn snor kriebelde tegen mijn neus. Ik giechelde een beetje en hij ook. Het was de eerste keer die dag dat ik hem hoorde lachen.

'Sssst,' zei ik en ik legde een hand op zijn harde schouder.

Het is echt raar om met iemand anders in bed te liggen, dacht ik. En toch was het anders raar dan ik verwacht had. Ik was zo nieuwsgierig als een klein meisje naar wat er nu zou gaan gebeuren.

Toen voelde ik mijn nachtjapon schuiven. Onder de dekens gleed hij langzaam omhoog. Het zachte satijn slipte over mijn knieën en over mijn bovenbenen. Het kietelde een beetje, maar het was een prettig gevoel. De stof fluisterde langs mijn huid en er gleed een gevoel van bevrijding over me heen dat ik sinds mijn kindertijd niet meer had gekend. Terwijl de nachtjapon over mijn heupen werd getrokken, dacht ik: ik heb me in geen tijden zo vrij gevoeld. Misschien dat ik deze sensatie van naakte vrijheid eerder had gehad, maar dat was dan heel lang geleden. Mijn buik voelde als het middelpunt; alles wat er gebeurde, speelde zich daaromheen af. Ik dacht: dit genot ben ikzelf. Het is van mij. En om de een of andere reden moest ik denken aan zondoorstoofde tomaten en verse snippers eikenhout. Tom ging heel langzaam te werk. Hij liet me wachten op elke volgende aanraking, net zo lang tot ik het nauwelijks meer uithield. Langzaam aan, dan breekt het lijntje niet, hoorde ik hem denken. En al die tijd rook ik de geur van warme tomaten in de zon. Ik voelde er minder van dan ik verwacht had en tegelijk ook meer.

Onze trouwdag viel aan het eind van de zomer. Het was de tijd van riet snijden en melasse koken, een klus waar ik een gruwelijke hekel aan had, maar waarvan Tom leek te genieten. Het was afschuwelijk werk. Je moest de rietstengels strippen terwijl ze nog op het land stonden, rij na rij, tot je rug bijna gebroken was. Daarna moesten ze vlak bij de grond worden afgesneden en naar de molen worden gebracht. Ik geloof niet dat er een saaier werkje bestaat dan het invoeren van rietstengels in de molen, de onderkant eerst. Het is dat je moet oppassen dat je vingers niet gegrepen worden, anders zou je het slapend kunnen doen. Op één enkele akker staan duizenden en duizenden van die stengels en jij moet ze er een voor een induwen, terwijl het paard op eigen houtje de molen aandrijft. De trog waar het sap instroomt, zit volgeplakt met wespen.

Suikerriet lijkt op gras, alleen is het flink wat groter. Je kneust de stengels om het sap eruit te halen en dat sap breng je vervolgens aan de kook. In feite is het dus gewoon grassap wat je maakt. Neem van mij aan dat sorghumsiroop een rijke, rokerige smaak heeft die je nergens anders proeft. En als je even vergeet hoe het is gemaakt, is het nog lekkerder. Is de melasse echter te kort gekookt, dan is de stroop groen, als sap dat uit kweekgras is geperst; en daar smaakt het dan ook naar.

Tom had bij de familie Lewis melasse leren koken. Volgens mij was het een karwei dat hij van het begin af aan leuk had gevonden. Hij leek het geen probleem te vinden om de rijen slanke stengels te strippen, noch om de stengels vervolgens naar de stapel naast de molen te sjouwen. Hij maakte de molen schoon en oliede de rollers, die na het gebruik van vorig jaar waren gaan roesten. Hij begon bij het krieken van de dag, als de akker en het weiland nog nat waren van de dauw. Tegen het avondeten had het paard in het gras rond de molen een cirkel uitgesleten, en ook het dier zelf was dan helemaal versleten. Maar Tom gunde zich nog geen tijd om te eten. Hij veegde de wespen van de trog en als er een in het sap viel, knipte hij het insect met duim en wijsvinger weg.

Het ergste van alles was het afschuimen en roeren van de gloeiend hete stroop. Tom had bij het fornuis een houtstapel gemaakt en zo hield hij het vuur flink brandend. Met de grote lepel viste hij stukjes rommel en wespen uit de siroop.

Dat jaar vormden de wespen een grotere plaag dan ooit. Dat kwam door de droogte, waardoor de nesten in de grond niet ondergelopen waren. Daardoor waren alle eitjes uitgekomen en de jonge wespen gingen nu in groten getale op zoek naar zoetigheid. Ze vraten tunneltjes door de valappels in de boomgaard en als je appels of perziken schilde hingen ze pal voor je gezicht te zoemen. Bij het inmaken van de perziken werd ik twee keer gestoken. Ze zoemden rond je lippen en je handen en je ogen. Misschien vonden ze tranen lekker. Ik wist niet hoe we dit jaar stroop moesten koken, zo dicht waren de zwermen die om ons heen vlogen.

Tom groef een gat voor de afgeschuimde troep en dat vulde zich al snel door de lepels vol schuim en rommel die hij uit de kokende pan viste. De kleur van melasseschuim laat zich moeilijk omschrijven. Het ziet er meestal uit als een soort groenig slijm, maar soms is het bruin of zelfs roze. De randen van het gat zaten al gauw volgekoekt met wespen, die een meter de lucht in vlogen telkens als Tom in de buurt kwam.

'Pas op voor de wespen, hoor,' zei ik.

Hij gaf geen antwoord. Hij had het te druk met afschuimen en roeren. Uit de borrelende pan steeg een zoetruikende stoom op, die zich vermengde met de rook uit het fornuis.

'En val er niet in!' zei ik ook nog, toen hij zich ver over de langwerpige pan heen boog. Wat naar de oppervlakte van kokende sorghum stijgt, bestaat deels uit vuil en deels uit snippers gekneusd riet. Als je heldere siroop wilt hebben, moet je dat er allemaal uit zeven. Boven op de stroop vormt zich een laagje glanzende bellen en dat moet je eraf scheppen.

'Goede melasse heeft dezelfde kleur als verse koffie als je hem tegen het licht houdt,' zei Tom.

Ik schraapte de wespen van de rand van de pan en smeet ze in het gat met schuimvlokken. Pa voerde de molen rietstengels en ik hielp een handje bij het fornuis. Voor elk dozijn wespen dat ik verwijderde, kwamen honderden andere aanzetten. Ik heb geen idee waar ze allemaal vandaan kwamen. Ze zaten overal. Ik werd opnieuw gestoken en ook het paard kreeg de volle laag. Pa werd gestoken bij de molen. De doordringend zoete geur lokte alle wespen uit de wijde omtrek. Ook de bijen meldden zich voor het feestmaal, en als je één bij ziet, duurt het niet lang meer of het zijn er honderd.

Tom was nog steeds niet gestoken, hoewel hij pal boven de pan stond. 'Val er niet in,' zei ik weer.

Tom stond in de pan te roeren zodat de siroop gelijkmatig zou koken. Aan de ene kant van de pan stroomde het verse sap naar binnen, en ik nam aan dat de siroop het eerst in het midden aan de kook zou raken, omdat de pan daar het sterkst verhit werd. Tom stak de lepel in de stroop en haalde nog meer schuim naar boven. Weer ging de lepel erin.

Iedereen weet hoe het gaat als je je evenwicht verliest: het dringt pas echt tot je door als je ergens tegenaan klapt. Ik zag Toms voeten wegglijden in de gravel. Hij probeerde zichzelf nog schrap te zetten, maar stak de lepel te ver naar voren. Misschien zat die te vol met stroop, zodat Tom hem niet kon houden, of misschien was hij een beetje duizelig geworden van de stoom.

Ik zag hem vallen, met het gezicht omlaag, regelrecht in de pan met kokende stroop. De stoom die uit de pan kwam, was zo dik als een vetwalm en Tom schoot er dwars doorheen. Daaronder was het sap, donker als dropwater en plantenextract. Ik weet niet meer of ik gegild heb. Ik dacht alleen aan zijn nek en zijn gezicht, die door de gloeiende siroop zouden verbranden. Hij heeft vast en zeker zijn ogen stijf dichtgedaan. Wat ik nog steeds niet begrijp, is hoe hij erin slaagde op het nippertje zijn ellebogen vooruit te steken om zijn val te breken. Ik had zelf niet eens genoeg tijd om hem te grijpen.

Zijn ellebogen verdwenen in de kokendhete stroop, en vervolgens zijn borstkas en oksels. Even leek het of hij kopje-onder zou gaan. Zo voelt het dus om iemand te zien sterven, dacht ik. Ik ben nog niet getrouwd of ik ben alweer weduwe. Zijn sterke lichaam zal helemaal afbladderen en ik zal nooit meer mijn genot met hem beleven.

Ik trok hem aan zijn middel terug en op hetzelfde moment sprong hij achteruit. Ik duwde hem neer op het gras, terwijl de hete sorghum zijn armen en borst bedekte als een onvoorstelbaar heet kompres. De damp sloeg eraf.

'Trek uit!' schreeuwde ik. 'Trek je overhemd uit!' Ik probeerde de knopen los te rukken, maar brandde mijn vingers aan de siroop. Het voelde alsof hij overdekt was met kokendheet slijm. Op dat moment kregen de wespen hem in de gaten. Eerst hingen ze zoemend boven zijn gezicht en toen leek het alsof alle wespen in de vallei tegelijkertijd kwamen aanvliegen. Hij zag eruit alsof hij een overhemd van wespen aanhad; elke centimeter van zijn lichaam was met wespen bedekt. Een paar bleven vastzitten in zijn snor.

'Pak de emmer!' brulde hij en hij wees naar de emmer water die we gebruikten om de lepel schoon te spoelen. Ik greep de emmer en smeet hem leeg boven zijn gezicht en schouders. Daardoor koelde de siroop in elk geval een beetje af en waarschijnlijk verdronken er ook wel een paar wespen, maar de rest werd er alleen maar extra dol van. In hun razernij leken ze hem in het gezicht te spugen, en toen begon het steken. 'Aaaah!' brulde hij en hij greep naar de knopen van zijn overhemd, maar die waren allemaal even kleverig.

'Loop weg!' gilde ik en wapperde met mijn schort om de wespen te verjagen. Ondertussen probeerde ik te bedenken wat ik nog meer kon doen.

Tom rende het weiland in. Ik had geen idee waarheen, maar ik rende hem achterna. Daardoor zag ik dat hij op weg was naar de rivier. Aan de andere kant van het hek lag een kleine akker en daarachter was de inham waar Joe en Locke altijd gingen zwemmen als het werk op de maïsakker erop zat.

Ik rende Tom achterna tot aan de oever en zag hem met een reuzensprong in het water verdwijnen. Hij dook er tot aan zijn nek in, maar de wespen bleven zijn gezicht teisteren, dus dook hij helemaal onder in het koude water en bleef daar een lange tijd. Ik dacht al bijna dat hij niet meer boven zou komen. Waarschijnlijk heb ik geschreeuwd en maakte ik ook al aanstalten om zelf de rivier in te lopen, toen hij plotseling zijn hoofd weer boven water stak. Ik zag honderden wespen wegdrijven met de stroom.

Door het water spoelde de melasse van hem af, en stolde tegelijkertijd. Het was te ruiken hoe de rokerig zoete geur zich vermengde met die van het rivierwater. Tom wreef over zijn gezicht alsof hij zich stond te wassen. Waar de wespen hem hadden gestoken, zat zijn nek vol rode vlekken.

Maar de wespen waren weg. Misschien dat er nog een of twee om zijn hoofd cirkelden, maar die merkte hij niet eens op. Door de brandwonden en de steken was hij een beetje de kluts kwijt. Volgens mij word je van een wespensteek altijd een beetje rillerig. Hij stond te huiveren van de kou in het ijzige water.

'Kom er maar uit,' zei ik. Ik wilde zo snel mogelijk tabakssap of jakobskruiskruid op de steken wrijven. En hij zou een flinke slok uit de kruik moeten drinken, want niets helpt zo goed tegen gif als een stevige borrel.

Maar Tom klom er aan de overkant uit, omdat dat dichterbij was. Aan die kant stonden een paar berken die van top tot teen met wijnranken waren behangen. De oever daar was hoog en als kinderen klommen we er altijd tegenop om vervolgens aan de wijnranken te gaan schommelen. Nu trok Tom zich aan zo'n rank tegen de oever op. Ik denk dat hij na dat koude waterbad zo snel mogelijk in de zon wilde komen, zo ver mogelijk bij de melasseoven en de wespen vandaan.

Nu Toms gezicht en ellebogen en borstkas onder de blaren en de wespensteken zaten, vroeg ik me bezorgd af wat er van de liefde terecht moest komen. Maar verliefde jonge mensen vinden altijd wel een oplossing. We deden het gewoon wat kalmer aan en gingen iets voorzichtiger te werk. En als gevolg van die voorzichtigheid en van de beperkingen was het zelfs nog fijner. Ik had het gevoel dat ik hem op die manier zijn gezondheid teruggaf en zo kreeg het woord 'huismiddeltje' voor ons een compleet nieuwe betekenis.

In minder dan een week was Tom hersteld van de wespensteken, en de brandwonden bleken reuze mee te vallen. Ik denk dat zijn overhemd hem tegen het ergste beschermd had en omdat hij zo snel achteruit was gesprongen, had hij alleen brandblaren aan zijn ellebogen opgelopen. Daar kwamen korstjes op, waarna ze snel genazen. Volgens mij had hij geluk gehad. Hij was geen man om lang stil te zitten. De dag nadat hij was gestoken, stond hij al de veranda te dweilen en hij zei geen stom woord toen pa en ik naar buiten gingen om het melassestoken af te maken. Door de steken stond hij nog steeds een beetje wankel op de benen en de schrammen op zijn romp deden hem pijn, maar klagen deed hij niet.

Ik kwam erachter dat Tom het soort man was dat een doel nodig heeft om na te streven, anders houdt hij het niet uit. Ik denk dat hij op deze manier de controle over zijn leven probeerde te houden. Iets anders dan werken deed hij niet. Hij ging nooit op jacht, en sloeg nooit paaltjes in de grond voor een potje hoefijzerwerpen. Hij hield van lekker eten, maar gebruikte nooit sterke drank. Zelfs pa hield van een borrel op zijn tijd, net als ik, wanneer het geen kwaad kon.

Zoals ik al zei, ontdekte ik al gauw dat Tom een echte liefhebber was van de genoegens van het bed. Hij hield van een goede nacht-

rust als hij moe was, en hij genoot van alle aspecten van de lichamelijke liefde. Voor een man van zo weinig woorden hield hij daar
zelfs uitzonderlijk veel van; alhoewel, ik geloof dat alle mannen
ervan houden, en de meeste vrouwen ook. Ik kan hem niet met anderen vergelijken, maar na verloop van tijd dacht ik wel eens dat dit
zijn manier van praten was. Het samenzijn met Tom was als een
langdurig gesprek dat op elk willekeurig moment kon beginnen en
dan alle kanten uit kon zwerven, maar waarbij je op een gegeven
ogenblik onvermijdelijk voor verrassingen kwam te staan. Uit wat
ik andere vrouwen, onder wie Florrie, over dit soort dingen heb
horen vertellen, heb ik geconcludeerd dat Tom hierin uniek was. Ik
geloof dat hij het liefdesspel net zo serieus opvatte als zijn andere
werkzaamheden. Alles deed hij even weloverwogen en grondig, afgezien dan van die keer dat hij in de melasse viel. Hij werkte gestaag van het een naar het ander en elke aanraking pakte goed uit.
Ik heb zelfs een keer aan Florrie verteld hoeveel genot Tom mij be-
zorgde. Dat was niks voor mij en ik heb daarna ook meer dan eens
gewenst dat ik het nooit had gedaan.

Iets wat Tom ook graag deed, was cider maken. Hij had nog nooit
van zijn leven appelbomen van zichzelf gehad. Pa had meteen na de
oorlog twee boomgaarden geplant, eentje hoog op de berg en eentje op de heuvel achter het huis. Iedere herfst hadden we Golden
Delicious, Red Delicious, Ben Davis, Winesaps en een boom vol
grote Wolf River-appels voor taart en appelmoes. Bovendien hadden we ook nog peren en pruimen.
    Twee weken nadat hij zich gebrand had, spande Tom de wagen
in en reed naar de stad om een ciderpers te kopen. Die kostte hem
acht dollar en hij had een hele dag nodig om het ding in elkaar te
zetten, te oliën en aan de praat te krijgen. Daarna rooide hij een
flinke lap struikgewas en effende hij de oude bergweg, zodat hij de
grote boomgaard met de wagen kon bereiken. Voor zover ik wist,
was het de eerste keer dat we alle appels oogstten. Tot dan toe vulden we hoogstens een paar zakken om mee naar huis te nemen. De
rest werd door de herten en de vogels opgevreten of vroor kapot tot
pulp.
    Maar Tom liep tussen de bomen door en plukte alle appels, zon-

der er ook maar één over te slaan. De verschillende soorten deed hij in verschillende zakken en hij raapte ook alle goede appels uit het gras. Toen hij daarmee klaar was, lagen er voor de wespen en de vogels alleen nog een paar rotte en gebutste exemplaren.

De mooiste appels werden in krantenpapier gewikkeld en in grote vaten in de kelder opgeslagen. Alles bij elkaar hadden we meer dan twintig vaten vol, waarvan Tom er een paar in het dorp verkocht. De appels die hij had geraapt, en die gekneusd waren of waarin het stro gaatjes had geprikt, wasten we om er cider van te maken. Elke avond nadat hij terug was van het veld, waren we daar druk mee in de weer. We draaiden het fruit door de molen en persten daarna met de ciderpers het sap uit de zoetgeurende partjes. Ondanks de avondkoelte raakten we helemaal bezweet. Ik vond het een mooi gezicht om het sap uit de gleuven van de pers te zien stromen. Je kon elke guts goudschuimend, flonkerend sap afzonderlijk ruiken. Ik hield een dennentak bij de hand om de wespen weg te jagen.

Niets ruikt zo heerlijk als appels, of het moeten bloemen zijn. Het witte vruchtvlees dat goud begint te kleuren zodra je de appel doormidden breekt, ruikt als een essence van de aarde zelf. Het sap is een aftreksel van zon en wind en regen en zomer. Zelfs al voordat het begint te gisten, smaakt cider als sterke drank.

Om de zoetheid van het sap vast te houden, sloot Tom de kruiken af met was. Ten slotte stond er bijna tweehonderd liter in de kelder.

Ik weet nog dat ik me op een gegeven moment nogal diep vooroverboog om de appelpulp van de pers te vegen. Er schoot een pluk haar los, die vastkleefde in mijn nek. Omdat het zweet tussen mijn borsten en uit mijn oksels stroomde, had ik een paar knoopjes van mijn jurk losgemaakt. Toen ik even opkeek, zag ik Tom naar mijn borsten kijken. 'Schaam je,' zei ik en gaf hem een tikje op zijn arm. Zijn gezicht, dat al rood was van het harde werken, werd nog een tikkeltje roder. Ik was aangekomen sinds de bruiloft en voelde me forser, ronder en zachter.

Al die eerste herfst had Tom een soort eigen routine ontwikkeld. Na vier uur 's ochtends kon hij eigenlijk niet meer slapen. Hij hield van vroeg naar bed gaan en vroeg opstaan. Na het opstaan maalde hij koffie op de achterveranda en als het licht werd, had hij zijn eerste kopje al op. Dat was het enige moment van de dag waarop hij stil kon zitten. Misschien was het niet alleen mijn lievelingsmoment, maar ook dat van hem. Hij stookte het vuur op voor de koffie en dan zat hij daar maar wat te mijmeren. Ik had wel alles willen geven om te weten waaraan hij dan dacht. Misschien zat hij te bidden of te peinzen over heilige dingen. Maar eigenlijk denk ik dat hij met zichzelf overlegde wat hij die dag zou gaan doen, en wat er in die tijd van het jaar gedaan moest en kon worden. Hij was vast van plan het hele bedrijf op rolletjes te laten lopen en dus dacht hij na over wegen en hekken, over terrassen die moesten worden verstevigd en over geulen die met kreupelhout moesten worden opgevuld. Nadat hij ergens buiten zijn behoefte had gedaan, zat hij zo een halfuur te zitten. Ik geloof dat hij van mening was dat bij de familie Peace alle pit eruit was en dat het zijn taak was de zaak weer op poten te krijgen.

Toen het cider maken achter de rug was, bouwde Tom een nieuwe koelschuur. De eigenlijke bron lag driehonderd meter verderop, aan de andere kant van de heuvel, en pa had in een stel boomstammen een goot uitgehakt om het water doorheen te leiden, naar het erf. De goot was echter gaan rotten en lekken; een fatsoenlijke koelschuur hadden we nooit gehad. Tom bestelde buizen in de stad, ter vervanging van de houten goten, en daarna groef hij een bassin dat even diep was als de bron zelf. De wand ervan bekleedde hij met stenen. De afvoer voor het vuile water, die langs de afrastering van het weiland naar de dode rivierarm liep, plaveide hij met keitjes. Ik had nog nooit iemand zo hard en met zo veel doorzettingsvermogen zien werken. Tom had nooit eerder gemetseld, maar hij ging bij het bouwen zo doordacht te werk dat alles er uiteindelijk uitzag als het werk van een vakman.

Voor de koelschuur zelf kliefde Tom grote blokken kastanjehout, die hij rond het bassin tussen de coniferen zette. Het dak maakte hij van cederhouten planken en nadat hij het gebouwtje daarmee had afgedekt, was het binnen koel en donker. Het water gutste uit de pijp en murmelde in de afvoer. Zelfs in de warmste tijd van het jaar was het daarbinnen koel en daarom maakte Tom ook nog een kist waarin we de melk, de eieren, de boter en de cider bewaarden.

Onder het lage, houten dak bleef het 's winters lekker warm door de warmte van de aarde en van het opwellende bronwater. Wat je daar ook neerzette, het bevroor nooit, al was het nog zulk ijzig weer.

Tussen de rokerij en de koelschuur maakte Tom een wasplaats voor mij. Hij timmerde een tafel voor de wastobbe en het wasbord en bevestigde een waslijn langs het pad naar de rokerij.

Als het pa al dwarszat dat Tom in zo veel opzichten de touwtjes in handen nam en zo veel nieuwe dingen ondernam, dan liet hij dat nooit merken. Hij was nu over de zestig en zat graag wat te babbelen, overdag in de zon op de veranda en na het invallen van de duisternis bij de haard. Hij had altijd al niets liever gedaan dan praten, en dat had hij met Locke en Florrie gemeen. Hij vertelde graag over dingen die hij had gelezen, en over de dingen die hij als jonge soldaat in Virginia had gezien. Hij had zijn bakkebaarden laten staan en bijna van het ene moment op het andere zag hij er oud uit. Hij las de kranten en hield zo de oorlog in Spanje bij. Aan Tom en mij las hij de berichten voor over Teddy en zijn Wilde Ruiters. Dat Roosevelt een republikein was, maakte hem in pa's ogen alleen maar een nog grotere held. Pa was altijd republikein geweest, al vanaf het moment dat hij op Lincoln had gestemd, net als ons hele gezin. Na de oorlog was hij niet naar de democraten overgelopen, zoals zo veel andere mensen in de vallei hadden gedaan.

Ik denk dat pa in de loop der jaren het contact met de werkelijkheid een beetje kwijtraakte. Soms leek hij in gedachten mijlenver weg en dan praatte hij over de maanden die hij in het krijgsgevangenenkamp in het noorden had gezeten. Volgens mij had hij zijn belangstelling voor het reilen en zeilen van de boerderij al verloren toen hij last van zijn hart begon te krijgen.

Die eerste winter bouwde Tom twee extra stallen en een voederstal aan de houtschuur vast. Hij sleepte boomstammen van de heuvel naar beneden en rolde ze met hulp van Joe op hun plek. Het was een lage schuur en het moeilijkste van de klus was nog het inkepen van de stammen, om ze in elkaar te schuiven. Joe en Tom boorden gaten in het hout en zetten de stammen aan elkaar met houten pinnen. Daarna zette Tom een hek om de schuur heen en schutte daarmee in een moeite door de mesthoop aan de voorkant af. Pa had de mesthoop altijd aan de achterkant van de schuur, uit het zicht, maar Tom wees hem erop dat de mest aan de zuidkant in de volle zon sneller zou drogen. Bovendien ging het schoonmaken van de stallen vlotter als de mesthoop dichtbij was, en was die plek gemakkelijker met de wagen te bereiken wanneer de mest uitgereden moest worden. Door het erf te ommuren kon hij ook de bergen ruwvoer dichterbij aanleggen. Het opgestapelde maïsloof stak zelfs boven het schuurdak uit. De afgesneden punten droogden in de wind, maar het loof binnen in de berg bleef droog en zoetgeurend. Bij gebruik van een paar bladeren tegelijk kon je er de hele winter mee doen, omdat alleen de uiteinden wegrotten in de elementen.

Zeven

Telkens als ik over de pinkstersamenkomsten begon, zag ik Tom verstrakken. In het begin merkte ik het gewoon niet als hij kwaad was, omdat hij nooit veel zei. In onze familie gooide iedereen zijn boosheid er altijd meteen uit. Mettertijd ontdekte ik echter dat Tom in zo'n geval juist nog minder zei dan anders en dat hij je blik ontweek. Hij keek een andere kant uit en soms werd zijn gezicht rood. En als je hem een vraag stelde, gaf hij nauwelijks antwoord.

'Maar Tom,' zei ik, 'lofprijzing is een van de mooiste dingen die een mens kan doen. Het verlangen ernaar is aangeboren, net zoals de behoefte aan eten en aan de liefde.' Ik had voorganger Liner ooit zoiets horen zeggen en het was me altijd bijgebleven.

'Ik ga toch naar de kerk,' zei hij. 'Mijn hele leven al.'

'Maar ik ga soms liever naar een dienst waar de Geest echt werkt, waar de sfeer niet zo dor en doods is,' zei ik. Het lukte me maar niet om uit te leggen hoe het voelde om tijdens een opwekkingsdienst te dansen en in tongen te spreken. Ik had er gewoon geen woorden voor. 'De meeste kerken hebben alleen de uiterlijke vormen van lofprijzing, als een soort plichtpleging,' ging ik verder. 'Hun samenkomsten lijken wel een droeve plicht die ze tegen wil en dank vervullen.'

'Ik zou niet graag oordelen over de manier waarop andere mensen God aanbidden,' zei Tom.

'Maar dat vraag ik je nou juist, dat je mijn manier van God aanbidden niet veroordeelt,' zei ik. 'Hier, luister maar wat er in Handelingen over staat.' Ik wilde dolgraag de kille afstand overbruggen die tussen ons ontstond, zodra ik over de heiligingsdiensten begon. Nog steeds had ik de hoop niet opgegeven dat Tom het ooit zou begrijpen.

'"En toen de Pinksterdag aanbrak, waren allen tezamen bijeen",' las ik. '"En eensklaps kwam er uit de hemel een geluid als van een geweldige windvlaag en vulde het gehele huis, waar zij gezeten waren; en er vertoonden zich aan hen tongen als van vuur, die zich verdeelden, en het zette zich op ieder van hen; en zij werden allen vervuld met de heilige Geest en begonnen met andere tongen te spreken, zoals de Geest het hun gaf uit te spreken... en toen dit geluid gekomen was, liep de menigte te hoop en verbaasde zich, want een ieder hoorde in zijn eigen taal spreken."'

Het was een bijbelgedeelte dat me altijd weer in verrukking bracht. Ik had het al zo vaak gehoord dat ik het helemaal uit mijn hoofd kende. Alleen al het luisteren ernaar gaf me het gevoel dat ik werd opgetild.

'Iedereen hier langs de rivier spreekt toch al dezelfde taal,' zei Tom. 'Al dat gedoe is hier helemaal niet nodig.'

Ik merkte dat hij er niets van begreep. Hij hoorde alleen maar wat hij wilde horen.

'Maar taal kan ook staan voor een boodschap,' zei ik. 'Dan betekent het dat iedereen precies die boodschap hoort die hij nodig heeft. En dat is dan het wonder.'

'Ik zie er gewoon het nut niet van in om je te gedragen als een dronkenman of een zot,' zei Tom. 'Daar heeft toch niemand iets aan?'

'Die kritiek heeft Petrus al weerlegd,' zei ik. 'Luister maar: "En zij waren allen buiten zichzelf en geheel met de zaak verlegen, en zij zeiden de een tot de ander: Wat wil dit toch zeggen? Maar anderen zeiden spottend: Zij hebben te veel zoete wijn gehad! Maar Petrus stond met de elven op, en hij verhief zijn stem en sprak hen toe: 'Gij Joden en allen, die te Jeruzalem woonachtig zijt, dit zij u bekend en neemt mijn woorden ter ore. Want deze mensen zijn niet dronken, zoals gij veronderstelt, want het is het derde uur van de dag.'"

'Dat was in een heel andere tijd en op een heel andere plaats,' zei Tom.

'Maar het is een boodschap voor deze tijd,' zei ik. 'Zelfs speciaal voor deze tijd. Luister maar: "En het zal zijn in de laatste dagen, zegt God, dat Ik zal uitstorten van mijn Geest op alle vlees; en uw zonen en dochters zullen profeteren, en uw jongelingen zullen gezichten zien, en uw ouden zullen dromen dromen: ja, zelfs op mijn dienstknechten en mijn dienstmaagden zal Ik in die dagen van mijn Geest uitstorten en zij zullen profeteren. En Ik zal wonderen geven in de hemel boven en tekenen op de aarde beneden: bloed en vuur en rookwalm."'

Onder het lezen werd ik een beetje licht in mijn hoofd, zo veel kracht ging er van die woorden uit. Het waren de beloften van het profeteren en van de tekenen en wonderen, die me het meeste raakten. Ik kon ze nauwelijks lezen zonder in tranen uit te barsten. Die belofte was onze grootste rijkdom.

Al mijn argumenten leidden er alleen maar toe dat Tom nog zwijgzamer en koppiger werd, en toch kon ik mijn mond nog niet houden.

'De mensen zijn op aarde om de Heer te prijzen en in blijdschap te leven,' zei ik.

'Ze zijn niet op aarde om zich als zotten aan te stellen,' zei Tom.

'Het is gevaarlijk om andere mensen zot te noemen,' zei ik. 'In de Bijbel staat dat je dan in het hellevuur geworpen zult worden.'

'Waarom mag je iemand niet zot noemen als hij zich als een zot gedraagt?'

Ik had Tom duidelijk willen maken hoe blij het in de pinkstersamenkomsten toeging en nu had ik hem alleen maar nog nijdiger gemaakt. Ik wilde het gesprek niet zo eindigen, maar wist ook niet meer wat ik moest zeggen.

'Zal ik je nog iets voorlezen uit *The Moody Monthly*?' vroeg ik.

Tom gaf geen antwoord. Hij staarde naar zijn handen op tafel en daarna naar de vloer. Aan de stand van zijn schouders kon ik zien dat hij niets liever wilde dan in zijn eentje buiten aan het werk zijn.

'De Heer wil dat wij gelukkig zijn,' zei ik, 'niet tobberig en boos en aldoor gespannen.'

Ik weet eigenlijk niets van Toms geloof, behalve dat hij vond dat mensen op zondag naar de kerk hoorden te gaan. Hij praatte niet graag over wat hij dacht. Ik vermoed dat hij zich nog eens te meer terugtrok omdat pa en Joe en ik voortdurend aan het praten en discussiëren waren.

'Bedoel je zoals in de Happyland-kolonie?' vroeg hij. Het was voor het eerst dat ik hem een sarcastische opmerking hoorde maken.

'Ik weet niet veel van die Happyland-kolonie,' zei ik. 'Toen ik er voor het eerst van hoorde, was die al bijna uitgestorven.'

Ik wist nog wel dat het ging om een stel bevrijde slaven uit Mississippi of daaromtrent, die na de Burgeroorlog het bergland waren ingetrokken en op het land van Lewis een paar huizen hadden gebouwd. De groep stond onder leiding van een prediker die Robert Montgomery heette. Nadat ze zich in het bergland hadden gevestigd, riep die Montgomery zichzelf tot koning uit en zijn vrouw Luella tot koningin. Hun gemeenschap noemden ze het koninkrijk Happyland. Sommige van de leden werkten op de boerderij van Lewis om de huur te betalen, maar in het koninkrijk zelf hadden ze alles gemeenschappelijk. Ik had gehoord dat de koning en de koningin een mooie koets hadden en op houten tronen zaten.

'Ik ben in de buurt van Happyland opgegroeid,' zei Tom. 'Tijdens hun nachtelijke samenkomsten kon je ze horen brullen en schreeuwen. Ze dansten zo wild dat de grond daarna helemaal aangestampt was.'

'Ze waren vast gewoon dolblij dat ze geen slaven meer waren,' zei ik.

'Het waren heel gewone mensen,' zei Tom. 'Alleen tijdens die diensten raakten ze hun hoofd kwijt. Wat zich daar allemaal afspeelde, is met geen pen te beschrijven. Het waren zogenaamd christenen, maar ze brulden en sprongen in het rond als gekken. Soms trokken de vrouwen zelfs hun kleren uit en dan stonden ze bij het licht van de lantaarns in hun nakie te dansen en met hun lijf te schudden. Ze gebruikten schedels en bloed in hun diensten. Volgens mij was het voor een deel niks anders dan voodoo. Bij volle maan of warm weer hielden ze ons tot in de kleine uurtjes uit de slaap.'

'Iedereen heeft zo zijn eigen manier van aanbidding,' zei ik.

'Nou, zij werden echt gek,' zei Tom. 'Ze verwondden zichzelf door over dingen heen te springen. Een van die kerels klom een keer in zo'n vlaag van verstandsverbijstering in een boom en brak zijn been toen hij er weer uit sprong.'

'Dat was vast een ongeluk,' zei ik.

'Ma ging door de grond bij het idee dat mijn zusje en ik al dat geraaskal zouden horen,' zei Tom. 'Zodra er weer zo'n dienst begon, deed ze de ramen dicht, maar ik glipte een keer stiekem naar buiten en verstopte me in het bos om te kijken.'

'Ik wed dat je alleen maar die vrouwen zonder jurk wilde zien,' zei ik en gaf hem een klap op zijn knie, maar bij Tom kon er nog geen glimlach af.

'Het was heidens gedoe,' zei hij. 'Ze stonden te schokken alsof ze de stuipen hadden.'

'Nou, in onze diensten trekt niemand zijn kleren uit,' zei ik. 'Dat heb ik tenminste nog nooit gehoord.'

'Een van die vrouwen raakte zo opgewonden van het dansen dat ze moest bevallen,' zei Tom. 'Maar de baby was dood. Ik heb het kind de volgende dag op een tafel zien liggen, vlak voor ze het begroeven.'

'Misschien was het een miskraam,' zei ik.

'Het was moord,' zei hij. Hij keek naar zijn voeten en schudde zijn hoofd. 'Het punt is dat de Happylanders overdag gewone mensen waren,' zei hij toen. 'Ik werkte met hen samen en het waren harde werkers. Beste mensen ook, maar het probleem was dat ze misleid werden door die koning van hen, die hen dwong hem te vereren. En dat deed hij alleen om hen onder de duim te kunnen houden.'

'Misschien was het wel het grootste geluk dat ze hadden,' zei ik.

'Wat, die koning aanbidden?'

'Nee, die samenkomsten en het dansen en zingen.'

'Het hoort niet dat mensen zichzelf opwinden tot ze zich als krankzinnigen gedragen,' zei Tom en hij keek weer een andere kant uit.

'Je kunt toch niet weten wat er leeft in het hart van een ander mens,' zei ik.

Maar hij gaf geen antwoord meer. Ik merkte wel dat hij vond dat hij genoeg gepraat had. Tom was van mening dat je je met woorden vastlegde, en dat wilde hij alleen doen als hij er niet onderuit kon. Volgens mij vond hij dat je met woorden sowieso te ver ging. Ik weet dat hij de meeste gesprekken als een misstap beschouwde. 'Door al dat gepraat raakt een mens alleen maar in de problemen,' zei hij vaak. 'De tong is zijn ondergang.'

Hij geloofde dat iemands oprechtheid in zijn armen en handen zat, en in een sterke rug. Daarom was hij ook zo'n goede minnaar. Hij had vertrouwen in alles wat hij met zijn lichaam deed. 'Niemand kan tien minuten lang praten zonder te liegen,' zei hij wel eens. Ik weet niet waar hij die wijsheid vandaan had, maar hij zei het regelmatig. Omdat pa en ik en Joe en Florrie en Locke allemaal graag praatten, was het eigenlijk een beschuldiging. Wij vonden het echter niet erg dat Tom erbij zat zonder veel te zeggen. Als hij wilde, kon hij goed luisteren.

'Zal ik je voorlezen uit de krant?' vroeg ik. 'Er staat weer een verhaal over Cuba in.'

'Laat maar zitten,' zei hij. 'Het is toch bijna bedtijd.'

Na ons trouwen verbaasde het me soms met wie Tom goed overweg kon en wie hij niet mocht. Hij sprak zich niet vaak over andere mensen uit, maar ik merkte wel hoe aardig hij Florrie vond. Volgens mij kwam dat doordat Florrie hem graag plaagde. Ze maakte ook altijd grapjes en daarbij gaf ze hem dan een duw tegen zijn arm of een klap op zijn buik, dat laatste eigenlijk steevast als ze allebei stonden. Dat vond ze leuk. Tom was ook zo'n sterke vent, stevig gebouwd en gedrongen - ze kon eenvoudig niet van hem afblijven.

Natuurlijk was Florrie in haar contact met mannen altijd een flirt geweest. Ze sloeg hen op de rug of porde hen met de elleboog in de zij. David, haar man, werd in die tijd al ziekelijk. Hij wilde graag baptistenpredikant worden en zat een groot deel van de tijd binnenshuis in de Bijbel te lezen. Het werk liet hij bijna helemaal aan haar over. Tom was in alle opzichten zijn tegenpool.

Ik geloof dat het de natuurlijke gang van zaken is dat mannen en vrouwen zich tot elkaar aangetrokken voelen. Het huwelijk is niet meer dan een vorm van selectie en een manier om die aantrekkingskracht te sturen. Toch hadden Tom en Lily van Joe vanaf het begin een hekel aan elkaar, alsof ze de ander meteen herkenden als iemand die ze niet konden uitstaan. Ik heb nooit begrepen waarom. Ik weet wel dat het iets met het geloof te maken had, want Lily had altijd de mond vol van een of andere dienst waar ze met Joe was geweest of van een samenkomst in Fletcher die ze wilden bezoeken. Lily praatte dolgraag over de dominees die ze had gehoord - hoe ze preekten en hoeveel mensen er toen waren genezen of de doop met vuur hadden ontvangen. Als ze eenmaal begonnen was, ratelde ze aan één stuk door. Af en toe vroeg ze Joe om een bevestiging, maar voordat hij iets kon zeggen was zij alweer aan het woord.

Niet lang nadat Tom en ik getrouwd waren, kwamen Joe en Lily op een zondag bij ons eten. Lily had een nieuwe, paarse jurk aan met een paarse hoed erbij. Geen vrouw die ik kende was zo gek op kleren als zij. Als ze ook maar iets kon missen, besteedde ze dat aan een nieuwe lap stof of een nieuwe jurk of sjaal. Als je zag hoeveel kleren ze had, zou je denken dat zij en Joe het rijk hadden, ware het niet dat haar jurken te bont waren. Ze droeg altijd geel en roze en paars en ik geloof niet dat echt rijke mensen zich zo kleden. Ze hield van jurken met wijde fladdermouwen, en als ze naar de kerk ging, of naar een opwekkingssamenkomst, had ze soms zelfs een bijpassende parasol. Ze zei dat ze er graag mooi uit wilde zien, uit eerbied voor Jezus en voor de heilige Geest. 'Het is een manier om van mijn geloof te getuigen,' zei ze.

Lily wist precies hoe ze pa om haar vinger moest winden. Ze knuffelde en zoende hem en nam stukjes taart of pastei voor hem mee. En al die aandacht beviel hem best, daar was hij tenslotte een man voor. Hij was tegen die tijd ook al zo oud, dat hij een beetje kinds begon te worden. Op een keer bedelde ze hem een stuk land af dat een eindje verderop langs de weg lag. 'Pa,' zei ze, 'ik heb helemaal niets van mijzelf. Als u me nou dat stuk grond geeft, dan heb ik ook iets dat helemaal alleen van mij is.' En pa ging naar de stad om een akte te laten opstellen en zo kreeg zij de ruim twee hectare aan de weg langs de rivier.

Gek genoeg stoorde ik me niet zo aan Lily. Waarom weet ik niet, want ze werkte iedereen op de zenuwen. Vermoedelijk vond ik haar alleen maar dom en trok ik me daarom niet al te veel van haar aan. Of misschien kwam het omdat ik haar alleen maar op zondagen zag. Anders dan Florrie kwam ze me maar zelden helpen met het werk.

Op die bewuste zondag had ik kip met rijst gemaakt en kokoscake gebakken. Ik had me moeten haasten om alles nog voor kerktijd klaar te krijgen en daarom had ik geen gelegenheid gehad een mooie blouse aan te trekken. Ik had dus een doodgewone katoenen blouse aan, volkomen acceptabel, maar niet heel modieus.

Toen we aan tafel gingen, bewoog Lily even bevallig haar paarse schouders, klopte op haar hoed en zei: 'O, Ginny, jouw kleren staan je toch altijd even goed.'

Nu kende ik Lily langer dan vandaag en ik wist dus dat ze alleen maar naar een complimentje over haar nieuwe outfit zat te vissen. Waarschijnlijk had niemand daaraan gedacht, omdat ze zo mogelijk elke zondag een nieuwe jurk droeg.

'Dank je, Lily,' zei ik. 'En die jurk van jou is werkelijk adembenemend. Vind je hem ook niet prachtig, Tom?'

Maar Tom was alweer kwaad. Hij kon van Lily nu eenmaal niets hebben en haar manier van doen werkte hem sterker op de zenuwen dan ik ooit voor mogelijk had gehouden. Zijn gezicht werd rood en hij keek strak op zijn bord. In zijn jeugd had hij vast en zeker geen mensen zoals Lily om zich heen gehad.

'Nou ja, ik moest toch iets fatsoenlijks aanhebben, nu we naar de stad gaan om voorganger Carver te beluisteren,' zei Lily. 'Ik zei tegen Joe dat ik deze jurk wel op tijd af móest hebben, anders had ik nog geen vod gehad om aan te trekken.'

'Je ziet eruit als een dame,' zei ik en schonk pa een kop koffie in.

'Ik vind dat we ons netjes moeten kleden, uit eerbied voor het werk van de Heer,' zei Lily. 'Vindt u ook niet, pa? We moeten er op z'n minst even goed uitzien als het volk van de duivel.'

'We moeten er altijd keurig uitzien,' zei pa.

'Voorganger Carver heeft een vrouw in Greenville van een kropgezwel genezen,' vertelde Lily. 'Voor het oog van duizend mensen greep hij haar onder de kin en trok het gezwel er gewoon af.'

'Ik heb anders gehoord dat hij naar haar portemonnee greep en haar een hoop geld ontfutselde,' zei Tom.

Lily negeerde hem. Toms gezicht gloeide alsof het door de zon verbrand was en hij keek nog steeds niet op van zijn bord.

'Voorganger Carver heeft honderden mensen genezen, overal in South Carolina,' zei Lily. 'In samenkomsten waar hij spreekt, kunnen de lammen weer lopen en de blinden weer zien. Hij is een groot profeet. Overal waar hij komt, neemt het aantal geredden aanzienlijk toe.'

'Ik heb anders gehoord dat overal waar hij komt negen maanden later het aantal inwoners aanzienlijk toeneemt,' zei Tom.

'Tom!' zei ik, maar stiekem moest ik toch een beetje lachen. Ik had Tom nog nooit zo horen praten.

'Voorganger Carver heeft altijd een speciale zegen voor wie bereid is die te ontvangen,' zei Lily, terwijl ze haar mond afveegde met haar zakdoek.

Zodra Tom zijn bord leeg had, stond hij op en ging naar buiten. Hij hield er niet van om na het eten met mijn familie na te praten, en zeker niet als Lily op bezoek was.

Zij mocht hem evenmin. Ze had meer op met mannen die met haar flirtten en haar complimentjes gaven over haar nieuwe jurken. En ze had een hekel aan mannen die met haar in discussie gingen. Daarom hield Joe ook altijd zijn mond als zij aan het woord was met haar bibberstem. Nadat haar vader tijdens de Burgeroorlog om het leven was gekomen, was zij verder opgegroeid als wees en ik denk dat ze altijd zo modieus en beschaafd probeerde te lijken om te verbloemen hoe arm ze het vroeger had gehad.

Op een keer, het was nog voordat Jewel werd geboren, gingen we bosbessen plukken aan de monding van de rivier. Het was de eerste zomer na ons trouwen. Tom spande het paard in en zette drie stoelen in de wagen. We namen emmers mee en ook een picknickmand, en we vertrokken bij het krieken van de dag, want het was wel tien mijl rijden. Op de weg langs de rivier pikten we Joe en Lily op. David was ziek en Florrie kon niet mee, dus het bleef bij ons vieren en pa.

Lily verscheen met een grote, witte hoed op, met een witte voile eraan. 'Ik moet mijn gezicht beschermen tegen de zon en de vliegen,' zei ze. 'Ik heb geen zin om terug te komen met mijn gezicht onder de bulten en de blaren.'

Het was een prachtige zomerochtend en we waren al bijna bij de monding van de rivier aangekomen, voordat de zon over de bergrand heen kwam kijken. Ik heb altijd van dat deel van de vallei ge-houden. De rivier slinkt er tot een smal stroompje en de bergwand stort zich recht omlaag naar het water. De dennen zijn er kaarsrecht en zwart en de rotsen torenen als standbeelden hoog boven ons uit.

'Heb je in de krant dat artikel over rimpels gelezen?' vroeg Lily, terwijl de wagen over de rotsachtige bodem ratelde.

'Volgens mij niet,' zei ik. Ik keek naar het gevlekte, vroege licht dat tussen de bomen door viel. Het hele bos glinsterde van dan-sende gouden muntjes en vegen zonlicht.

'Er stond in dat er maar twee manieren zijn om rimpels te voor-komen: uit de zon en de wind blijven en je gezicht nooit met scherpe zeep wassen.'

Tom stuurde de paarden voorzichtig om de rotsblokken heen en liet de wagen stapvoets rijden op plekken waar de grond was weg-gespoeld. We begonnen te klimmen langs de kronkelweg die vanuit de vallei omhoogliep. Nu reden we in de volle zon.

'Heb jij het artikel gelezen, Tom?' vroeg Lily.

Tom gaf geen antwoord, maar keek strak naar zijn schaduw, die over de rug van het paard lag.

'Ach,' zei Lily, 'ik vergat even dat Tom de krant nooit leest.'

'We moeten nog water hebben,' zei pa. 'Daarginds is een bron.'

'Hoger op de helling is nergens water,' zei ik. Iedereen die bij Long Rock wilde picknicken of bosbessen wilde plukken, moest zorgen dat hij water bij zich had.

Tom liet het paard een eindje verderop halt houden en pakte de wateremmer uit de wagen. De emmer kwam met een knal tegen de rand aan en daaraan kon ik merken hoe woedend Tom op Lily was. Meestal was hij veel te voorzichtig om met iets te stoten. De bron bevond zich tussen de laurierbosjes aan de hoge kant van de weg. Tom verdween tussen het struikgewas.

Pa haalde zijn bril uit zijn zak en zag dat er aan een van de poten een schroefje ontbrak. Hij zocht in zijn zakken naar de losse schroef. 'Zonder mijn bril kan ik geen bessen plukken,' zei hij.

Het schroefje was niet te vinden. Hij keerde zijn jaszak binnen-stebuiten, maar vond niets dan pluisjes. 'Ik heb een extra schroefje in mijn portemonnee,' zei hij toen. Hij grabbelde weer in zijn zak en zei verschrikt: 'Hij is weg.'

Pa klopte op al zijn zakken, en daarna nog een keer. In zijn kleine, leren portemonnee bewaarde hij altijd zijn pensioengeld, en ook zijn huissleutel. 'Ik had hem vanmorgen nog,' zei pa.

'Misschien is de man die niet kan lezen ermee vandoor,' zei Lily. Ik keek haar aan en zij keek snel een andere kant op. Het bloed vloog naar mijn gezicht.

'Ik bedoelde het niet zo,' zei ze vanachter haar voile. 'Ik meende er geen woord van.'

Tom kwam terug en zette behoedzaam de volle emmer in de wagen. Het koude water liep langs de zijkanten naar beneden, het hooi in.

'Pa is zijn portemonnee verloren,' zei ik tegen Tom.

'Waar dan?' vroeg hij.

'Dat weet ik niet,' zei pa. 'Vanochtend had ik hem nog.'

'Waar heb je hem voor het l-l-l-laatst gezien?' vroeg Joe.

'Toen ik naar buiten ging, heb ik de sleutel erin gedaan,' zei pa.

Tom liep om de wagen heen en keek onder de stoelen. 'Hier is hij al,' zei hij en hij pakte de portemonnee uit het stro.

'Gelukkig!' zei ik.

Toen we eenmaal boven waren, konden we het hele rivierdal overzien. In de zomernevel lag het blauw en wit aan onze voeten. Het was zo heerlijk om weg te zijn uit de keuken en weg van de smoorhete akkers, en hier hoog op de berghelling te staan, waar de bessenstruiken wit uitsloegen in de bries. In het noorden waren de Pisgah Mountains zichtbaar; de bergen leken over elkaar heen te klimmen om de hemel te bereiken. 'Wat een verrukkelijke dag,' zei ik.

Het was in diezelfde zomer voor Jewels geboorte dat Tom een keer met Joe en David ging vissen. Als Joe zijn vallen afliep, vroeg hij nooit iemand mee, maar hij had al meer dan eens geïnformeerd of Tom soms zin had om in de Flat Woods samen op kalkoenen of herten te gaan jagen. En telkens weer had Tom gezegd dat hij het druk had, dat hij hout moest hakken of struiken rooien of een hek repareren. 'En ik heb geen geweer ook,' zei Tom.

'Je mag het mijne wel lenen,' zei pa. Pa had een voorlader en een buks, maar Tom beweerde dat hij die liever niet gebruikte.

Als je het mij vraagt, geloofden pa en Joe niet echt dat Tom nog nooit had gejaagd of vallen had gezet. Ze dachten dat hij alleen maar bescheiden wilde zijn of misschien zelfs bij pa in een goed blaadje probeerde te komen. Misschien wilde hij zich tegenover hen bewijzen door harder te werken dan zij. Misschien probeerde hij door zijn onafgebroken inzet te laten zien dat hij op de hoeve de touwtjes in handen had.

Maar nu was het achter in de lente en we hadden een verschrikkelijk regenachtige periode achter de rug. Minstens twee weken had het bijna dagelijks gestortregend. Slechts af en toe was het even droog geweest; dan brak de zon voor een paar minuten door en sloegen de mistdampen van Cicero Mountain af, maar voor je het wist regende het alweer. Toen het eindelijk ophield met regenen, stonden de pas geploegde akkers blank en was de aarde in de tuin te zompig om erin te kunnen werken. Toen halverwege de ochtend de zon doorbrak, zagen we ook hoe hoog de rivier tussen zijn oevers stond. De watervallen bij de molen brulden oorverdovend.

Op dat moment kwamen Joe en David met hun hengels voorbij. Joe had ook nog een blik met wormen bij zich. David was al te zwak om veel te jagen of zwaar werk te doen, maar vissen vond hij leuk. Soms zat hij de hele dag bij een waterpoel naar zijn hengel te turen en traktaten en tijdschriften te lezen.

'Hé, Tom, g-g-g-ga je hengel eens halen,' riep Joe vanaf het erf.

Tom zat een gat in zijn overall te verstellen. Van alle mannen die ik kende was hij de enige die kon naaien. Waarschijnlijk had hij het zichzelf geleerd toen hij op de boerderij van Lewis op eigen benen moest leren staan. Tom liep de veranda op. 'Ik heb geen tijd,' zei hij.

'Natuurlijk heb je wel t-t-t-tijd,' zei Joe. 'Alles is k-k-k-kletsnat en haast verzopen, op de forellen na.'

'Ga nou mee,' zei David en hij hoestte.

'Ik heb niet eens een hengel,' zei Tom.

'Pa heeft zat hengels onder de dakrand van de rokerij hangen,' zei ik. 'De mijne hangt er ook bij. Neem die maar.'

'Vooruit,' zei Joe. 'Nu b-b-b-bijten ze juist goed.' Bij het vooruitzicht om te gaan vissen werd Joe altijd zo opgewonden als een kleine jongen.

Ik merkte wel dat het Joe en David in verlegenheid zou brengen als Tom niet meeging. Ze hadden zo hun best gedaan om aardig te zijn voor hun zwager. Misschien zouden ze hem nooit meer meevragen.

'Kom mee,' zei ik tegen Tom. 'Ik ga ook, dan hebben we straks een lekker maaltje vis voor het avondeten.'

De gedachte dat het iets nuttigs op zou kunnen leveren, trok hem waarschijnlijk over de streep. Al het varkensvlees was op en een portie verse vis was dus meer dan welkom.

'G-g-g-ginny ging vroeger d-d-d-dolgraag vissen,' zei Joe. 'Tenminste, als ze zich los k-k-k-kon maken uit haar boek.'

Ik pakte de hengels, die aan de muur van de rokerij aan spijkers hingen, en we volgden Joe over het pad langs de rand van de akker.

Toen ik nog jong was, visten we vooral in de lente en de voorzomer. Wanneer het na een flinke regenbui te nat was om te zaaien of te wieden, nam pa ons mee naar de modderige rivier. Ik vond het zo spannend om naar die gezwollen rivier te gaan, dat ik er buikpijn van kreeg. Florrie en ik leerden hoe we een worm aan onze haakjes konden vastmaken net als pa en Joe. Pa deed ons voor hoe je de lijn in diep water moest uitwerpen en leerde ons dat je de hengel met twee handen moest vasthouden, in afwachting van het moment waarop een forel er een ruk aan zou geven. Hij leerde ons hoe je kon vissen in de ondiepe gedeelten in de bochten van de rivier, en op de donkere plekken achter rotsen of onder een overhangende tak of oeverwal. Zo leerden we Lemmons Hole en Bee Gum Hole door en door kennen.

Achter Joe aan liepen we nu naar Bee Gum Hole. De rivier maakt daar een bocht en op die plek mondt de kreek erin uit. Het water stond wel dertig centimeter hoger dan normaal. Over de zanderige oever, waar de vissers altijd hun vuurtjes stookten, klotste nu troebel water.

'G-g-g-gooi je lijn maar daarginds uit, in diep water,' zei Joe en hij wees naar het diepste gedeelte vlak bij de stroomversnelling. De snelle stroming aan de andere kant joeg het water in draaikolken terug naar het diepe stuk.

Tom zei niets, maar bevestigde het aas aan de haak.

'Er zit daar een grootvaderforel die zo groot en slim is dat je hem nooit te pakken krijgt,' zei David. 'Hij vreet de kleine forelletjes op. Dat beest moet hier al gezeten hebben in de tijd dat de indianen de rivier bevisten.' Hij kreeg een hoestbui.

'Als je die aan de h-h-h-haak krijgt, kan hij je er wel in trekken,' zei Joe. 'Die vis is zo sterk als een p-p-p-paard.'

'We noemen hem Schuiver,' zei David. 'Ouwe Schuiver.'

Joe en David babbelden als kleine jongens. Ik denk dat vissen elke man het gevoel geeft dat hij weer jong is. Nog voordat Tom zijn hengel had uitgeworpen, had David al een forel van bijna twintig centimeter lang aan de haak geslagen. De spiegelende flanken fonkelden toen David het beest op de kant trok.

'Is me dat even een m-m-m-monster,' zei Joe. David wipte de haak uit de bek van de vis en smeet het beest weer terug. 'Zulke miezertjes hoeven we niet,' zei hij.

Ik deed het aas aan mijn haakje en maakte een extra loodje aan de lijn vast vanwege de sterke stroming. Ik beet er even stevig in om het goed vast te zetten en spuugde op de grond om de loodsmaak kwijt te raken. Sinds mijn tiende jaar had ik dit niet meer gedaan. Tussen mijn tanden was het lood zacht als toffee.

Tom hield de plek waar hij zijn hengel had uitgeworpen goed in de gaten. De stroomversnelling zat vol rimpels en bellen die zijn lijn meevoerden en lieten dansen. Een deel van de geheimzinnigheid en de spanning van vissen is dat je niet kunt zien wat er gebeurt. Alles speelt zich diep onder het wateroppervlak af en het enige wat je kunt doen is afwachten tot de lijn straktrekt, of tot er iets aan de hengel rukt. Vissen is een lesje in geduld en nederigheid, omdat je zo weinig invloed hebt op wat er zal gebeuren. Zelfs als je beet hebt, kan de vis zich nog losrukken voor je hebt opgehaald. Vooral forellen zijn goed in het uitspugen van de haak zodra ze die in hun lip voelen. Als ze het aas niet heel snel doorslikken, kunnen ze zich loswerken door als een razende hun lijf om te gooien, nog voor je hen op het droge hebt.

Tom was geduldig. Langzaam bewoog hij zijn hengel naar links en daarna rustig aan weer naar rechts. Ondertussen keek hij naar de snelle stroming aan de overkant en naar een havik die zijn rondjes draaide boven de steile heuvelrug langs de rivier. Overal op de helling ontvouwden zich de blaadjes in alle tinten groen en geel. Lentekleuren zijn mijn lievelingskleuren. Het geel en groen is zo ragfijn als rook. De hulst bloeide al en de kornoelje stond in knop. In het zonlicht lagen de bossen te glanzen als een pas aangelegde tuin.

'Als je je d-d-d-druk maakt, bijten de vissen niet,' zei Joe.

'Je kunt een vis naar je haak toedenken,' zei David, 'als je alleen aan mooie dingen denkt, tenminste.'

'Ik denk alleen maar dat mijn arm moe begint te worden,' zei Tom.

Er trok iets aan mijn lijn. Ik haalde een beetje in en het rukken werd heftiger. Het uiteinde van de hengel dook onder en ik haalde op. De lijn sidderde en rukte. Ik haalde hem helemaal in en trok een spartelende vis boven water. De vis was wit met een soort gouden glans.

'D-d-d-da's een doodgewone karper,' zei Joe.

Ik stak de hengel recht omhoog en graaide naar de wild springende vis. Hij had horentjes op zijn kop en hapte naar lucht toen ik hem stevig vastpakte.

'Smijt hem maar in de bosjes,' zei David. 'Het is troep, anders niet.'

Ik smeet de karper in de laurierstruiken aan de rand van de open plek, waar ik hem af en toe nog even hoorde spartelen. Ik deed opnieuw wat aas aan de haak en wierp weer in.

De lucht was helemaal helder, op een paar witte wolken boven ons na. Het wit was zo fel dat het pijn deed aan je ogen. Toch stond David een hele poos naar de wolken te staren. 'Je hoeft alleen maar omhoog te kijken om te weten wie deze wereld geschapen heeft,' zei hij toen. 'Wat ik je brom.'

Het leek wel of er binnen in de wolken een licht scheen, zo fel waren ze. De lucht was schoongewassen. Het was fijn om even iets anders te zien dan de modderige rivier. De toppen van de wolken waren wit als sneeuwbanken.

'T-t-t-tekenen en wonderen, pal voor je neus,' zei Joe.

'Waarom wordt dit eigenlijk Bee Gum Hole genoemd?' vroeg Tom.

'Omdat hier lang geleden een bijenkorf is aangespoeld,' zei David. 'Dat was in de tijd dat de eerste blanken zich hier vestigden. Niemand wist waar het ding vandaan kwam.'

'Volgens mij hebben de forellen vandaag geen t-t-t-trek,' zei Joe. 'Misschien hebben ze een vastendag.'

Op dat moment zwiepte Toms hengel onder water. Hij gaf er een ruk aan en de lijn trok zo snel strak dat die siste in het modderige water. Tom zwaaide de hengel heen en weer en de lijn begon zich stroomopwaarts te bewegen. Ik had nog nooit een vislijn zo door het water horen zingen. Fluitend gierde hij door de baai, nu eens hierheen, dan weer daarheen.

'Die heb je te p-p-p-pakken,' schreeuwde Joe.

De lijn vloog naar de andere kant van de inham, schoot daar bijna boven het water uit en kwam toen weer terug. Het ging van zieng-zieng-zieng.

'Het is een knaap,' zei David. 'Hou vast.' Hij hoestte. 'Het is Ouwe Schuiver.'

'Dat is geen vis meer,' zei Joe. 'Het is een paard.'

Tom rende langs de oever, terwijl hij ervoor zorgde dat de hengel niet in de struiken verstrikt raakte. Het was niet mogelijk de lijn nog verder te laten vieren. Ik was bang dat hij zou breken. Tom rende helemaal tot aan de waterrand en liep toen de rivier in. Die was daar dieper dan hij had verwacht en hij plonsde tot aan zijn knieën in het troebele water.

'Pas op!' gilde ik.

De lijn veranderde van richting en kwam recht op hem af. Tom hield de hengel zo hoog als hij kon, maar toch kon hij de lijn haast niet strak houden. Even leek het of de vis hem te lijf wilde gaan, maar toen gooide hij zich opnieuw om, terug de rivier in. Tom rende het water weer uit om hem te kunnen volgen.

Deze keer sprong de forel hoog boven het water uit, zodra hij het eind van de lijn had bereikt. De vis leek wel een meter lang. Hij glansde als spiegelend zilver en leek bespat met druppels inkt. De flanken schitterden roze en goud en groen. Het was de mooiste vis die ik ooit had gezien. Zo te zien had het modderige water geen smetje achtergelaten. Zijn staart sloeg als een waaier heen en weer en hij danste bijna de hele inham over voor hij weer in het water terugviel.

'Raak hem niet kwijt,' zei Joe, helemaal zonder stotteren.

De forel begon stroomafwaarts te zwemmen en Tom ging op-

nieuw het water in. Met de hengel hoog boven zijn hoofd trok hij
de vis langzamerhand naar de zandbank. Hij hoopte dat hij de vis
daar op het zand zou kunnen trekken om hem te grijpen.

'Grote genade,' zei Joe, toen de vis in het ondiepe water goed
zichtbaar werd.

'Alstublieft, Heer, zorg dat hij hem vangt,' bad ik zonder erbij na
te denken.

De reusachtige regenboog verzamelde echter al zijn krachten en
schoot terug naar diep water. De lijn siste en schuimde als een
gloeiend stuk ijzerdraad dat in de rivier is gevallen. *Ziiiit* deed hij,
en toen nog eens *ziiit*. Tom waadde tot aan zijn oksels de rivier in
en hield de hengel nog steeds zo hoog als hij kon.

'Je moet hem uitputten,' riep Joe.

'Pas op dat hij de haak niet uitspuugt,' zei David.

De forel was echter nog lang niet uitgeput. Hij trok Tom langs
de oeverlijn tot voorbij de zandbank aan de monding van de kreek.
En nog verder joeg hij, door de ondiepte daarachter, met Tom
struikelend over de grote rotsblokken achter zich aan. Tom had zijn
hoed verloren en hij was nat tot aan zijn hals.

Eindelijk draaide de vis weer om en nu ging het stroomopwaarts.
Ik weet niet wie er op dat moment vermoeider was, de vis of Tom.
Tom was buiten adem en kon alleen nog maar strompelen. De forel
dacht zeker dat de kreek een goede kans bood op ontsnapping,
want hij zwom in de richting van de waaier van slib aan de kreek-
monding en schoot daar het ondiepe water in. Tom rukte aan de
hengel en trok de vis naar de zanderige oever. De vis spartelde hevig
in het nog geen tien centimeter diepe water en op dat moment liet
Tom zich erbovenop vallen. Hij greep de vinnen met beide handen
beet en worstelde met het beest tot het flappen ophield. Toen Tom
weer overeind kwam, zag ik dat de vis bijna half zo lang was als hij-
zelf. Zowel hij als de regenboog zaten onder het zand. Tom stond
naar adem te happen, maar hij hield de vis omhoog alsof het een
kleinood van zilver en juwelen was, in plaats van een gewone vis.

Acht

Tot aan de geboorte van ons eerste kind ging alles gesmeerd. Zoals elk echtpaar hadden we natuurlijk wel onze strubbelingen en kibbelarijen. Tom was altijd zo zwijgzaam dat het mij in het begin nauwelijks opviel als hij liep te mokken, maar al gauw was ik zover dat ik het kon merken. Als hij kwaad was, kreeg hij iets straks over zich, alsof hij al zijn gevoelens en interesses binnenhield. Eigenlijk praatte hij in zo'n geval niet eens minder dan anders, maar hij straalde wel een bepaalde kilheid uit. Hij keek je niet in de ogen en gaf geen antwoord als je hem iets vroeg.

Het leukste van dergelijke ruzietjes is de verzoening. Nadat je elkaar een paar dagen met de nek hebt aangekeken en kwetsende dingen hebt gezegd, en nadat je misschien wel dagenlang vervuld van zelfmedelijden en wrok hebt rondgelopen, krijg je plotseling het gevoel dat de hele toestand vreselijk onbenullig is. Dan is het net of je opnieuw verliefd wordt. Ineens zie je weer de goede kanten van je man. Je neemt hem niet meer kwalijk wat hij heeft gezegd en gedaan. Je wilt hem weer aanraken en met hem samen zijn. Niets maakt de liefde zo intens als een bijgelegde ruzie. Het is of de energie van je boze bui in je bloed gaat zitten en daar wordt omgezet in genot en herontdekking. Iets dat groter is dan jijzelf neemt in het donker bezit van je, en je bent willoos overgeleverd aan de spanning van het onbekende.

Onze eerste baby werd geboren in de laatste zomer van de eeuw en ik gaf nog borstvoeding toen pa en ik in de lente daarna de opwekkingssamenkomsten begonnen te bezoeken die werden gehouden in een tent vlak bij Crossroads. Ik nodigde Tom uit om mee te gaan. De laatste keer dat ik een samenkomst had bezocht, was nog voor ons trouwen geweest. Nu Jewel was geboren, kwam de behoefte eraan weer terug. Tom wist wel dat ik vroeger naar heiligingsdiensten ging, maar misschien veronderstelde hij dat ik dat nu niet meer zou doen. Ik weet gewoon niet wat hij dacht. Ik wist alleen dat ik erheen móest. Lezen alleen was niet genoeg, het huwelijk was niet genoeg, mijn dagelijks werk was niet genoeg. Ik had de saamhorigheid van die bijeenkomsten nodig. In mij leefde een hunkering die door niets anders gestild kon worden.

'Dat is een heel eind voor een kerkdienst,' zei Tom. Hij had stoppels en dode takken staan verbranden bij de rivierarm en rook branderig.

'Het is geen kerkdienst,' zei ik. 'Het is een opwekkingssamenkomst.'

Hij zei verder niets, maar beloofde mee te gaan. Hij reed zelf de wagen en bond het paard vast aan een boom bij de tent. Er stonden daar misschien wel tien paarden in het bos vastgebonden. Het was een warme lenteavond; je kon de kruisboomkikkers horen kwaken bij de kreek.

De voorganger deze keer was Billy John Jarvis, afkomstig uit Dark Corner, een streek in South Carolina waar de voorgangers even dik gezaaid waren als de opstandelingen. Velen waren in hun jonge jaren ook opstandeling geweest en daarna tot inkeer gekomen. Ik had wel eens van voorganger Jarvis gehoord. Hij had een streng gezicht en een vrijmoedige blik waaraan niet veel ontsnapte. Zijn speciale gave was het spreken in tongen en de uitleg ervan.

Joe en Lily waren ook gekomen en in de kleine, met kerosinelampen verlichte tent stonden wel vijftig mensen. Het had voor mij altijd iets magisch, dat je midden in het bos een plaats van aanbidding kon creëren, alleen maar door een tent of een houten bouwsel neer te zetten met een altaar erin. Zo zag je maar dat de Geest alomtegenwoordig was.

In het begin was de stem van Billy John zacht en onzeker. Om volume te maken moest hij, net als de meeste mannen, hoger of lager spreken dan normaal. Zijn spreektempo maakte dat iele geluid echter meer dan goed. Het kostte me een paar seconden om aan zijn razendsnelle manier van praten gewend te raken en ik denk dat sommige ouderen en hardhorenden grote moeite hadden hem te volgen. Toch merkte ik meteen dat hij een begaafd prediker was. Hij had precies het goede ritme te pakken en zijn stem had de juiste toonhoogte. Bovendien laste hij steeds op het goede moment een pauze in om de mensen even op het vervolg te laten wachten. Na een paar zinnen was het gejuich en het amengeroep niet meer van de lucht. Iedereen werd meegesleept.

'Ik vraagjulliekennenjullie mijn Jezus wel? Ik vraagjulliezijnjullie hier vanavond gekomen om meer over Hem te leren? Mijn vrienden, ik vraagjulliehebbenjullieweet van de verlossing? Ik ben gekomen om jullie het volle evangelie te prediken-nuh. Ik vraag je vanavond heb je mijn Jezus al ontmoet-tuh? Hebjaleensinzijn liefdevol gelaat gekeken-nuh? Ikzegje het zijn tijden vol verdrukking en moeiten. Ik zeg kies vandaag voor een leven vol vrede en liefde. De keus is aan jou!'

Het zweet liep langs zijn rode gezicht. Door het glinsterende vocht leek zijn blik nog eens zo doordringend. Onder het spreken hief hij zijn rechterhand. Hij zwaaide er niet mee en wees ook niet echt omhoog naar de hemel, maar het wekte wel de indruk dat hij in contact stond met het onzichtbare, zoals de arm van een tram contact maakt met de bovenleiding. Onophoudelijk liep hij voor de luisterende menigte heen en weer.

'Ikzegje de Heer wil dat wij vol zijn van vreugde, en in tongen spreken-nuh, in tongen van mensen en engelen. Ikzegje de Geest is hier vanavond in ons midden-nuh.'

'Amen, amen!' klonk het overal en 'Zo is het, broeders!' Een grote vrouw in een witte jurk stond op en begon ter plekke heen en weer te zwaaien. Het was Tildy Tankersley. Ze stond nog niet echt te schokken, maar haar hoofd zwiepte van links naar rechts alsof ze aan het zwemmen was. Met gesloten ogen begon ze te zingen, alsof ze antwoord gaf op de woorden van de voorganger. Na een paar seconden drong het tot me door dat ze geen woorden voortbracht, maar alleen klanken, iets als 'ari ai ari aiai ieie.'

De voorganger zweeg even, strekte zijn arm over haar uit en zei:

'Kinderen, er is vanavond een boodschap voor ons. Onze lieve zuster geeft ons het teken dat de Heer met ons is-suh. Ik versta haar boodschap zo dat de Heer van plan is hier in de gemeente van Crossroads grote dingen te doen-nuh, als wij maar in Hem geloven-nuh. Dat jij, en jij, en jij alleen maar de banden van het vlees hoeven te verbreken en Hem prijzen-nuh. Nu sta je op de drempel van het leven door de Geest, van een leven vol tekenen en wonderen, en alles wat je moet doen is je hand uitsteken naar wat je hier wordt aangeboden en het aangrijpen-nuh. Alleen zo treed je het rijk van vreugde binnen-nuh. Niemand anders kan die stap voor je zetten-nuh, net zoals een ander niet voor jou geboren kan worden.'

Te midden van het gejuich dat hierop volgde, ging een tweede vrouw staan; ook zij begon in tongen te spreken. Haar mond bracht geluid voort, maar zelf leek ze staande te slapen. Haar boodschap werd door de voorganger vertaald als een laatste waarschuwing aan de verstokte drinkebroer Burt Jones om zijn leven te beteren voor de dag des oordeels zou aanbreken. Ook een van de andere aanwezigen, niet bij name genoemd, werd gewaarschuwd voor het dreigende hellevuur. In de schaduwen stond Lily op. Ze keek recht naar de voorganger, terwijl ze met een hoog piepstemmetje begon te kwetteren. Daarop drong de voorganger zich door de mensenmassa heen, tot hij pal voor haar stond.

'De Heer zegt dat hier vanavond iemand is-suh, die te lang zonder de Geest heeft geleefd en lauw is geworden-nuh. Ze moet haar leven opnieuw aan de Heer wijden-nuh, anders zal de Geest zich van haar afkeren-nuh.'

Voorganger Jarvis keek me recht aan en ik wist dat hij mij bedoelde. Ik voelde me helemaal naakt en mijn botten verbleekten onder zijn schroeiende blik. Mijn vuile, zondige hart lag open voor ieders oog. Er ging een pijnscheut door mijn hele lichaam en mijn hart leek uit mijn borst te springen. Ik moest wel in beweging komen om me van die zware last te bevrijden. Ik kon mijn eigen zwarte zondigheid niet langer verdragen. Ik zag nu in dat ik de gemeenschap met de Geest had verwaarloosd. Ik had geprobeerd de lofprijzing te vervangen door het huwelijk en allerlei menselijke dingen, door boeken en zelfs door hard werken. Ik had het beste van mijzelf, dat wat me de grootste voldoening schonk, verwaarloosd. Ik was iets verloren en ik moest en zou het terugvinden. Ik moest mezelf verliezen om mezelf te kunnen behouden.

Met de kleine Jewel in mijn armen begon ik te schreeuwen. Ik liep tussen de mensen door en riep: 'Jezus, ik geef mijn leven aan U. Neem het aan, het behoort U toe.' Ik geloof dat ik daar midden in de menigte een soort zwierig dansje deed. Op een gegeven moment was ik over de met zaagsel bestrooide vloer helemaal naar voren gelopen, zonder dat ik het zelf in de gaten had gehad. De baby had ik nog steeds bij me. Jewel was wakker geworden en had het op een krijsen gezet, maar ik hoorde het nauwelijks. Uit mijn borsten liep melk. Mijn jurk werd van voren drijfnat, maar ik sloeg er geen acht op.

Pas toen ik vooraan in de tent was beland en me omdraaide, zag ik hoe Tom naar me keek. Ik was van top tot teen vervuld van de heerlijke gloed van de Geest en had het gevoel dat ik boven mijn eigen leven zweefde. Maar Tom zag er verschrikt en angstig uit. Hij kwam ook naar voren, nam Jewel van me over en trok me aan mijn pols mee naar buiten, het donker in, naar de wagen.

Ik had nog nooit iemand zo kwaad gezien als Tom nu was. Hij duwde me de bok op, en bleef zelf beneden staan met de baby op de arm. Hij was zo woedend dat hij volgens mij niet eens meer kon praten. Stampvoetend liep hij om de wagen heen. We moesten op pa en Joe en Lily wachten, en het preken en schreeuwen ging maar door.

Ik was te beduusd om iets te kunnen zeggen. Ik had me zo bevrijd en vol verrukking gevoeld op het moment waarop Tom Jewel van me afpakte en me meetrok het donker in. Mijn geest leek helemaal leeg, zo confuus was ik.

'Als je dan zo nodig jezelf voor schut wilt zetten, en mij erbij,' zei Tom ten slotte, 'hoef je nog niet de baby de stuipen op het lijf te jagen.'

Jewel brulde nog steeds, maar ze vertraagde al een beetje, zoals dat gaat met een baby wanneer het ergste huilen voorbij is. Tom wiegde haar en praatte tegen haar en wandelde met haar heen en weer tussen de paarden. En dat terwijl ik altijd had gedacht dat mannen niet met baby's konden omgaan! Mannen vinden kleine kinderen leuk, maar dat ze de gave hadden om baby's te sussen was nieuw voor me.

'Meegaan naar een dienst heeft nog nooit een baby kwaad gedaan,' zei ik.

'Als je maar weet dat deze baby voor het laatst is geweest,' zei Tom.

'Pas maar op dat je de onvergeeflijke zonde niet begaat,' zei ik. Ik was flink bezweet en zat te rillen in de koele avondlucht.

'Als er iemand moet oppassen, ben jij het wel,' zei Tom.

De paarden waren onrustig. Ze huiverden en hinnikten en rukten aan hun tuig. De kruisboomkikkers in de kreek leken de voorganger te antwoorden.

Toen pa naar buiten kwam, zei hij geen woord tegen Tom. Zelfs Joe en Lily klommen zwijgend in de wagen. Jewel was eindelijk in slaap gevallen en Tom gaf haar aan mij voor hij zelf de leidsels nam. Stilletjes reden we door de donkere nacht. Het was alsof er een zwart gordijn over ons was neergedaald. De melk in mijn jurk begon te verzuren; ik rook het.

De volgende dag waren we allebei nog steeds nijdig. Voorheen waren ons gemopper en onze boze buien niet meer dan kleinigheden, te vergelijken met bijensteken die op een gegeven moment zo lelijk kunnen jeuken. Dit leek meer op koud vergif dat door onze aderen joeg en alles doordrenkte. Ik heb geen idee waar zulk vergif vandaan komt. Volgens mij was Tom er even verbaasd over als ikzelf. We begonnen op elkaar te vitten en maakten zelfs wrede opmerkingen over en weer. We leken allebei andere mensen geworden. Wat Tom tijdens de samenkomst had gezien, maakte dat hij ook in andere opzichten zijn twijfels over mij kreeg. Zijn vertrouwen in mij lag in duigen. Het leek wel of hij dacht dat ik gek was.

'Het is gewoon heidens gedoe,' zei hij onder het eten.

'De Heer prijzen kun je niet heidens noemen,' zei ik.

'Bij ons thuis moesten we er niks van hebben,' zei hij.

'Dan waren jullie te beklagen,' zei ik.

'Bewaar je medelijden maar voor jezelf,' zei hij.

Ik haalde net een maïsbrood uit de oven en zette het blik met een klap ondersteboven op een bord. Het brood gleed eruit, dampend en knapperig.

'Zulke samenkomsten worden niet voor niks alleen in het don-

ker gehouden,' zei Tom. 'Ze kunnen het daglicht niet verdragen.'
Ik probeerde me te herinneren of ik wel eens overdag naar een heiligingsdienst was geweest. Ik wist bijna zeker van wel.

'De mensen moeten overdag toch werken,' zei ik. Het was natuurlijk omdat Tom altijd zo vroeg naar bed ging, dat hij avondsamenkomsten niet goedkeurde, dacht ik bij mezelf. Rond acht uur kreeg hij slaap. Zijn grote slaapbehoefte leek mij nu een bewijs van zijn domheid.

'Je gaat er niet meer heen,' zei hij nu.

'Dat maak ik zelf wel uit,' zei ik.

'Dat bewijst dan meteen hoe zondig het is,' zei hij.

'Alleen voor mensen die verblind zijn,' zei ik.

'In de Bijbel staat dat een vrouw haar man moet eren en gehoorzamen.'

'Niet als die man verblind is door werelds denken en hebzucht.'

'Hebzucht?'

Ik merkte dat ik te ver was gegaan, maar het was te laat om terug te krabbelen. Diep vanbinnen zat iets dat me voortdreef, iets wat ik niet begreep. 'Inderdaad, hebzucht,' zei ik. 'Je wou gewoon deze boerderij hebben.'

'Van mij mag je haar houden, vrome zot die je d'r bent,' zei Tom, zo laag dat zijn stem het bijna begaf. Hij stond op van tafel en liet zijn pap voor de helft staan. En pap met boter was nog wel zo'n beetje zijn lievelingskostje. Hij ging naar buiten zonder de deur achter zich dicht te doen.

Woede is een van de heerlijkste gevoelens die er bestaan. Daarom wordt hij ook zo vaak gekoesterd en gevoed en blijft hij heel lang in de herinnering voortleven. Woede scherpt je inzicht en kleurt de manier waarop je de dingen ziet. Het is de gezichtshoek van waaruit je de dingen het duidelijkst ziet. Jewel begon te huilen en ik moest haar uit bed halen. Ik was zo kwaad dat ik gewoon geen zin had om haar te voeden. Ik nam mezelf voor dat Tom een kwaaie aan mij zou hebben als hij zo nodig zijn poot stijf moest houden. Het vooruitzicht van een flinke ruzie maakte me bang en opgewonden tegelijk. Ik zei tegen mezelf dat hij nog lelijk op zijn neus zou kijken, als hij besloot het te laten aankomen op een krachtmeting tussen zijn wil en scherpzinnigheid en de mijne. Ik was zo over mijn toeren dat het een paar minuten duurde voor ik rustig genoeg was om de baby aan te leggen.

Tijdens mijn bezigheden in en om het huis bedacht ik wat ik tegen Tom zou zeggen zodra hij terugkwam van het land. Ik verzon van alles en verwierp het dan weer, en zo ging het de hele dag door. Soms nam ik me voor tegen hem te zeggen dat het eigenlijk niet kon: ruziemaken over iets goeds en heiligs, en dat we het, afgezien van die tentsamenkomsten, tot nu toe toch over alles eens waren geweest. Dan wilde ik er ook meteen bij zeggen dat hij helemaal niet hebzuchtig was, en dat ik juist blij was dat hij door met mij te trouwen de boerderij had gekregen.

Maar dan golfde de woede opnieuw door me heen en terwijl ik de vloer rond de open haard aanveegde, wilde ik het wel in zijn gezicht schreeuwen: 'Wie denk je wel dat je bent, dat je mij wilt verbieden om naar de tentsamenkomsten te gaan?' Wacht maar tot hij thuiskwam voor het eten! Dan zou ik zeggen dat hij het zelf maar moest weten, als greppels graven en houtblokken klieven en met de kippen op stok gaan genoeg voor hem was. Ik had in mijn leven wel wat beters te doen dan me af te beulen voor een paar onnozele centen.

Maar Tom kwam helemaal niet thuis voor het eten. Pa en ik aten onze bonen en piepers met maïsbrood, maar het bord dat ik voor Tom had klaargezet, bleef leeg. Ik liet het voor hem staan toen ik de tafel ging afruimen, maar pas tegen melkenstijd kwam hij terug van het veld, greep de emmers van de achterveranda en liep regelrecht naar de stal.

Ik liet zijn bord op tafel staan, en de bonen en de piepers en het brood in de oven, en ging me omkleden voor de samenkomst. Ook pa trok zijn nette kleren aan. Tom was er nog steeds niet en dus wikkelde ik Jewel in haar warmste dekentje.

Pa ging buiten het paard voor de wagen spannen en net toen we op het punt stonden te vertrekken, kwam Tom terug uit de stal. Hij zette de schuimende emmers neer en liep naar de wagen toe. 'De baby blijft thuis,' zei hij. Ik hield Jewel dicht tegen me aan. Ze had een schoon mutsje op.

'Hier met dat kind,' zei Tom.

Na een korte aarzeling gaf ik hem de baby. Ik wilde haar niet aan het schrikken maken door een twistgesprek op touw te zetten.

De hele weg naar Crossroads kon ik de gedachte niet van me afzetten dat de baby zou krijsen zolang wij weg waren. Ze zou minstens een halfuur aan een stuk door huilen. Tom had geen andere keus dan haar te laten huilen, want hij moest de melk zeven en daarna de melkbussen naar de koelschuur brengen. Al die tijd dat hij de emmers met heet water omspoelde en zijn eten uit de oven haalde, zou Jewel liggen brullen.

Ik wist dat hij zijn opties op een rijtje zou zetten, terwijl hij met het schreeuwende kind heen en weer liep. Ik kende hem goed genoeg om te weten dat hij zou overwegen zowel pa als mij dood te schieten en dat dit hem met verbazing en afkeer jegens zichzelf zou vervullen. Hij zou de dominee kunnen vragen om te bemiddelen, maar dat zou niets uithalen. Ik wist zeker dat hij erover zou denken terug te gaan naar de boerderij van Lewis, of naar het westen te trekken, naar Iowa of Kansas of de graanvelden van Minnesota of zelfs naar Californië. Maar nee, het was niks voor hem om iets waaraan hij was begonnen, halverwege uit zijn handen te laten vallen, zijn boeltje te pakken en zijn heil te zoeken bij mensen die hij niet kende.

De boerderij en het kind vormden samen alles wat hij met zijn bijna veertig levensjaren het zijne kon noemen. Hij had geen andere keus dan te blijven en zijn werk te doen en de boerderij tot bloei te brengen. Al had hij er nog zo'n hekel aan, het was een kwestie van eigenbelang. Ik zag zijn gedachtegang precies voor me. Hij zou eieren voor zijn geld kiezen en een soort middenweg zoeken.

En inderdaad! Toen we laat in de avond terugkwamen, ontdekte ik dat hij niet in bed lag. Jewel lag in de wieg, maar Tom was nergens te bekennen. Ik pakte een lantaarn en klom naar de vliering, en daar lag hij. Met behulp van een pallet en een stapel quilts en dekens had hij een soort bed gefabriceerd waarop hij nu in diepe slaap verzonken lag. Ik geloof niet dat hij iets van onze thuiskomst gemerkt had.

In de weken daarna ontdekten we allebei ongekende bronnen van haat en boosaardigheid in onszelf. Voor de buitenwacht zag ons leven er nog min of meer hetzelfde uit. Maar we sliepen niet meer bij elkaar en raakten elkaar ook niet meer aan. We vonden nieuwe en gemene vormen van contact uit. Allebei leverden we alleen nog maar kritiek op alles wat de ander deed. In mijn ogen kon Tom geen goed meer doen. Als hij zich klaarmaakte voor de kerk liet ik hem net zo lang wachten tot het te laat was voor de zondagsschool. Ik deed mijn best om Jewel bij hem vandaan te houden, door ervoor te zorgen dat ze al sliep als hij klaar was met melken. Dan waarschuwde ik hem de baby niet wakker te maken.

'Dat was ik ook niet van plan,' zei hij.

'Het gebeurt vanzelf als jij met die zware schoenen het huis in stampt,' zei ik.

Tom maakte nog langere dagen op de akkers dan daarvoor. Meestal werkte hij in zijn eentje. Hij begon tegen het ochtendkrieken aan een klus en was vaak al bijna of helemaal klaar wanneer pa kwam aanzetten. In zijn eentje zette hij op de lage akker de maïsplantjes uit. Hij schoffelde en ploegde, en zaaide watermeloenen in de klei langs de rivier. De jonge scheuten beschermde hij tegen de vorst met behulp van jutezakken. Hij legde een paar extra hectares suikerriet aan en maakte de tuin twee keer zo groot. Tot drie keer toe wiedde hij de maïsakker voordat hij hem verder met rust liet. Ik had nog nooit een akker met zo weinig onkruid gezien. Hoe bozer hij werd, hoe harder hij werkte. Het leek wel of hij probeerde te bewijzen dat het land van hem was, dat hij het bezit ervan verdiende.

Hij wist ook dat hij mij niet beter kon bestrijden dan door hard te werken en resultaat te boeken. Ik kon boeken lezen en samenkomsten bezoeken en hem het bloed onder de nagels vandaan halen, maar ik kon niet verhinderen dat het hem voor de wind ging. Dat had hij al heel snel in de gaten. Wat hij moest doen was werken en winst maken. En dus teelde hij enorme watermeloenen bij de rivier en hield hij de maïs zo zorgvuldig bij dat de akker erbij lag als een siertuin.

Het extra aangeplante suikerriet leverde hem achthonderd liter melassestroop op. Halverwege de maand november had hij voor de hele winter brandhout gezaagd en opgeslagen. Hij verkocht melasse aan de buren, en ook brandhout. Hij verkocht watermeloenen en appels en cider. Ik kon niks doen om hem dat harde werken te beletten. Het was zijn manier om gloeiende kolen op mijn hoofd te stapelen.

Van het verdiende geld kocht Tom prikkeldraad, de nieuwste variant die aan elke knoop vier stekels heeft, om daarmee alle houten omheiningen te vervangen. Hij maakte een begin met de ontginning van een nieuw stuk grond in de vallei. Sinds de oorlog had de familie Peace geen nieuwe grond meer ontgonnen.

Het maakte me woedend om hem zo aan het werk te zien. Het viel ook iedereen op. De mensen zeiden dat het aan hem te danken was dat de boerderij van Peace weer iets opleverde. Ze zeiden dat pa zijn levensonderhoud aan hem te danken had. Tijdens het avondeten zei Tom nooit een stom woord. Soms viel hij in zijn stoel in slaap, en klom dan naderhand naar de vliering als pa en ik bij het vuur zaten te praten. Als Jewel nog wakker was, speelde hij een poosje met haar.

Toen het lente begon te worden, kwam er een einde aan de samenkomsten, maar over de hele streek bleef nog lang een soort glans hangen. De Geest was duidelijk aanwezig en zelfs de bergen leken licht te geven. Het was een echte opwekking geweest; het kerkbezoek was duidelijk toegenomen. Ik heb wel eens gehoord dat mensen de aanwezigheid van de Geest meteen voelen als ze ergens komen waar een grote opwekking heeft plaatsgehad. Het is alsof er zegen rust op elk uur en elke minuut. De ochtenden zijn anders, de dauw is zuiver en sprankelend. Ondanks mijn onenigheid met Tom ging ik met een licht hart door de dagen, in de wetenschap dat ik 's avonds naar een samenkomst zou gaan. Voor mij waren alleen die samenkomsten vol aanbidding en lofprijzing van belang, de rest deed er niet toe. Lofprijzing was het doel van alles. Het was net zoiets als verliefd worden op iedereen, als getrouwd zijn met de hele wereld. Niets reinigt een mens vanbinnen zo grondig als juichen en in tongen spreken. Je voelt je ineens zo schoon en open als een poel vol bronwater. Op sommige ochtenden ging ik van pure blijdschap een wandeling maken langs de rivier.

Als kinderen speelden Florrie en ik vaak bij de rivier. Soms maakten we een mandje klaar om te gaan picknicken op de rotsen in de ondiepe gedeelten. We namen gekookte eieren mee en koekjes en appels, en aten die op de rotsblokken in het water op. De snelle stroming was zo opwindend en hoe vaak we er ook al geweest waren, toch stonden we telkens weer versteld van het gebrul van het water.

Als ik alleen was, liep ik graag langs de stille inhammen van de rivier achter ons land, en vandaar het bos in richting Cabin Creek. Dat geslenter langs de oevers, waar het water traag en groen was, maakte me altijd weer rustig. In de herfst dwarrelden de bladeren in de rivier. Dor en droog als ze waren, leken ze boven het water te zweven. Hier en daar zat de oeverwand vol schrammen: de glijsporen van de muskusrat. In de bossen langs de rivier was het zo donker als in een kelder.

Pa had verteld dat de indianen de rivier in hun eigen taal de Groene Rivier noemden, en dat de blanken die naam hadden overgenomen. We woonden zo dicht bij de oorsprong van de rivier dat die hier nog niet breder was dan een kreek. De rivier ontsprong uit een bron acht mijl verderop naar het westen en kronkelde daarna door een langgerekte vallei. Ter hoogte van de ondiepte perste hij zich door een smalle bergkloof.

Volgens pa liep de rivier nog ongeveer honderd mijl verder naar het oosten door. Bij Green River Cove had het water al een grote snelheid. Vandaar stroomde het langs de bergen omlaag naar de laagvlakte. Pa zei dat zijn betovergrootvader, degene die bij Cowpens en bij Kings Mountain had gevochten, woonde op de plaats waar de Groene Rivier in de Brede Rivier vloeide. In de tijd dat die streek gekoloniseerd werd, woonden er nog indianen in de bergen.

Soms ging ik aan de rivieroever naar het water zitten kijken. Het water in de inhammen had een glanzend groene huid en rimpelde als zachte lippen om de drijvende takjes heen. Boven diepe kuilen golfde het in kringetjes rond en op ondiepe plekken, waar het water helder was, zag je de belletjes van de stekelbaarsjes alle kanten uit sputteren.

Ik keek naar de stroomversnellingen, waar de rivier zich tegen zichzelf keerde. Vlak langs de oever gleden schuimkoppen en takjes stroomopwaarts, soms met grote vaart en dan weer langzaam en ronddraaiend, tot ze opnieuw door de hoofdstroming werden gegrepen. Op sommige plaatsen raakte het water gevangen in een draaikolk, waarin het uren en uren achtereen kon blijven cirkelen.

Als ik het pad langs de rivier volgde, kon ik de aarde onder mij voelen beven door het geweld van het water. Bij de ondiepte trilde de oeverwand van het geraas, alsof er een vuur onder gestookt werd. Het pad maakte daar een bocht, liep door een laurierbosje heen en klom dan omhoog naar een steile klifwand. Aan de andere kant daarvan schuimde het water en de aanblik ervan deed me altijd weer huiveren.

Aan beide kanten van de ondiepte rezen de bergen steil omhoog. Van onderaf gezien leken de hellingen zwart. Langs het water stonden dennen en coniferen die omhoogwezen naar de hemel. Ook tussen de rotsen op de bergflanken stonden overal dennen. De puntige bomen gaven de klifranden een gekartelde en gepiekte aanblik.

In de zomer lag hier wel eens een lange slang te zonnen op de rotsen. De slang had bijna dezelfde kleur als het water. Als je te dichtbij kwam, gleed hij als een dun stroompje weg in een spleet.

De dag waarop mijn liefde voor de ondiepte werd geboren, stond ik met mijn voeten in het water, onder een groot, overhangend rotsblok. Het water leek iets tegen me te zeggen, net of het een bijbeltekst aanhaalde of een gedicht opzei. De rivier zoog hevig en krachtig aan mijn voeten. Het wateroppervlak was net een grote verzameling losse puzzelstukjes die werd uitgezocht en gesorteerd, en daarna opnieuw door elkaar gesmeten.

Ik keek naar de grote coniferen die langs de berghelling omhoog reikten. Als ik tussen de toppen van de bomen aan de voet van de berg door keek, kon ik de dennen hoger op de helling zien, zelfs de dennen boven op de klifrand. Net op dat moment dreef er een wolk voorbij. Het was maar een klein wolkje aan een verder heldere hemel, maar het was zo wit als sneeuw. En ik kreeg het gevoel dat ik langs de ladder van bomen regelrecht in de hemel kon kijken.

Dat was het moment waarop het bijbelgedeelte over de hemelvaart me in gedachten kwam. 'En nadat Hij dit gesproken had, werd Hij opgenomen, terwijl zij het zagen, en een wolk onttrok Hem aan hun ogen. En toen zij naar de hemel staarden, terwijl Hij henenvoer, zie, twee mannen in witte klederen stonden bij hen, die ook zeiden: "Galileese mannen, wat staat gij daar en ziet op naar de hemel?"'

Vooral de woorden 'werd Hij opgenomen, terwijl zij het zagen, en een wolk onttrok Hem aan hun ogen' raakten me diep. Het was alsof ik hier naar die ene wolk stond te kijken. De wolk verscheen net boven de rand van de bergwand, aan het puntje van een grote varen die met zijn wortels in de rivier stond. Ik hoefde me maar even uit te rekken en ik zou die wolk kunnen aanraken, zo leek het wel. Alle bomen wezen erheen. De hemel rond de wolk was blauw en strekte zich eindeloos ver naar alle kanten uit.

Om mij heen en boven mij leek de lucht bezield, alsof er overal verborgen werelden waren. 'Hij werd opgenomen, terwijl zij het zagen en een wolk onttrok Hem aan hun ogen,' zei ik hardop. De woorden fonkelden als het water van de rivier. Ze spoten op als een fontein en de glanzende waterzuil tilde me op tot boven de coniferen en de dennen, tot boven de kliffen en de bomen boven op de rotswand. Ik zweefde hoog boven de rivier, lichter dan een gedachte, en het land onder mij werd schimmig. De bergen waren niet meer dan een schemering, golven van schaduw. De wolk dreef eenzaam en verblindend, witheet en zoet, als tot poedersuiker gestold licht. De hemel was zo fel dat je in een peilloos diep zwart gat leek te kijken. Ik voelde me wegzinken in een stralende afgrond.

'Hij werd opgenomen, terwijl zij het zagen en een wolk onttrok Hem aan hun ogen,' zei ik nog eens. Terwijl ik terugliep langs het water zei ik die woorden steeds opnieuw. De bossen langs de oever waren veranderd. Ze hadden een diepere glans; en de rivier herhaalde de woorden als een gedicht dat hij maar niet kon vergeten.

In mijn jonge jaren overkwam het me regelmatig dat ik volledig in de ban raakte van een woord, een uitdrukking, een bepaald beeld of een bepaalde zin. Pa had ooit in Augusta een grote encyclopedie gekocht, toen hij daar was om honing en ham te venten. Bij tijd en wijlen deed ik niets liever dan lezen in dat dikke boekwerk, en dan maakte ik lijstjes van woorden en feiten. Soms haakte een bepaald gedeelte zich vast in mijn gedachten. De klankkleur en de onbekendheid van een woord riepen een gevoel op en dan zocht ik in pa's andere boeken of ik het soms nog ergens tegenkwam. Zo'n naam of uitdrukking had een soort lieflijkheid die me bijbleef. Ik moest het gewoon telkens weer zeggen, zonder dat ik het uit mijn hoofd kreeg. Ik nam de catalogus van de Amerikaanse Boekenclub door, op zoek naar meer boeken over het onderwerp. De lieflijkheid ervan liet me niet los, niet tijdens het koken en poetsen, niet onderweg naar de brievenbus of tijdens een doorwaakte nacht.

Op een keer werd ik gegrepen door de beschrijving van de verheerlijking op de berg in het Evangelie van Marcus: '… en zijn kleederen begonnen te stralen, schitterend wit als sneeuw.' De woorden schoten me telkens weer te binnen, met de bijzondere klank die woorden kunnen hebben als je ze voor het eerst hoort. Misschien kwam het doordat ik een verband legde tussen het woord 'stralen' en de zuiverheid van sneeuw. Wekenlang herhaalde ik de woorden voor mijzelf. In de evangeliën zocht en vond ik andere beschrijvingen van dezelfde gebeurtenis, maar geen van die woordpatronen had op mij een soortgelijk effect. Langzamerhand verloor de uitdrukking aan kracht en ik citeerde haar steeds minder. Maar nog steeds kan ik van die zin genieten als hij me weer te binnen schiet, zoals iets waarvan je veel hebt gehouden in je geheugen voortleeft. De woorden hadden een zachtblauwe glans. Maar hoe de uitdrukking 'wit als sneeuw' in mijn gedachten blauw kon worden, weet ik niet meer.

Weer een andere keer werd mijn belangstelling gewekt voor alles wat met Egypte te maken had. Dat kwam door een afbeelding van de piramiden, die ik in een tijdschrift had zien staan. Ik las alles wat los en vast zat over de sphinx, over mummies en hiërogliefen. Egypte kwam me voor als een uitgestrekt koninkrijk waar diepe stilte heerste. Ik las over de rivier, over de vogels en over de lichamen van de farao's die met olie en specerijen werden gebalsemd. Ik mijmerde over het feit dat ze de zon aanbaden en de aarde beschouwden als een god die elk jaar stierf en uit wiens borst het volgend voorjaar nieuwe gewassen en bloemen groeiden. Ze dachten dat de farao en de zon en de wet van het land een en dezelfde waren. Dit Egypte leek in niets op het Egypte uit de Bijbel.

Als je maar lang genoeg wacht, lost alles zich uiteindelijk vanzelf op. Een maand nadat Billy John Jarvis was teruggekeerd naar South Carolina waren we wel weer eens toe aan een samenkomst. Joe organiseerde er een bij hem thuis. We zaten bij elkaar, zongen gezangen en baden samen, maar zonder voorganger wilde het echte vuur maar niet komen. Als familie en buren onder elkaar kwamen we gewoon niet op gang. Daar was toch echt een kracht van buitenaf voor nodig. En zo hernam het leven zijn gewone loop.

Op een avond merkte ik dat ik tijdens het eten vaker naar Tom keek dan ik lange tijd had gedaan. Meestal keken we straal langs elkaar heen. Ik zei nog niets tegen hem, maar kon mijn ogen niet afhouden van zijn gespierde schouders en zijn stevige nek. En het leek wel of hij ook weer vaker naar mij keek. Telkens als onze blikken elkaar kruisten, keek hij gauw een andere kant op, en anders ik. Al maanden hadden we niet met elkaar gesproken, behalve over onbeduidende dingen. Zijn gezicht was al rood van de wind, maar onder het eten leek het steeds roder te worden.

Later zat hij bij het vuur, terwijl pa de krant las. Zelf keek Tom de krant zelden of nooit in. Het bleef bij af en toe koppensnellen of bij het lezen van een artikel over de prijzen van landbouwproducten in een van de bladen waarop we geabonneerd waren. Na een dag hard werken en een stevig maal viel het hem zwaar zijn aandacht te bepalen bij gebeurtenissen ver weg.

'Als er iets van belang gebeurt, hoor ik het wel van jullie,' zei hij eens, en ik denk dat hij daar gelijk in had. Als er nieuws was over Cuba of de Filippijnen, bespraken we dat altijd met elkaar. Toen de president was doodgeschoten, hoorde pa het in de winkel en bij zijn thuiskomst vertelde hij het ons. Pas de volgende dag lazen we het in de krant, want die was altijd een dag te laat.

'Als er nou eens een krant bestond die het weer van morgen kon voorspellen...' zei pa ooit.

Ik zag Tom zijn schoenen uitdoen en bij de haard zetten. Dat deed hij elke avond, omdat hij meende dat ze door de warmte van het dovende vuur beter zouden drogen. Aangezien het vuur gedurende de nacht uitging, waren zijn schoenen de volgende ochtend koud, maar ik denk dat het voor hem de meest voor de hand liggende plaats was om zijn schoenen neer te zetten. Ze stonken altijd een beetje. Als ik met Jewel in de schommelstoel bij het vuur ging zitten om haar te wiegen, zette ik ze vaak ergens anders neer, maar voor ik naar bed ging, zette ik ze altijd weer terug.

Ik nam een lamp mee naar de slaapkamer en ging voor de spiegel mijn haar staan borstelen. Jewel sliep al. Met langzame slagen haalde ik de borstel door mijn lange haren. De deur stond half open en Tom moest erlangs om bij de ladder naar de vliering te komen. Ik maakte de bovenste twee of drie knoopjes van mijn jurk los.

In het voorbijgaan keek Tom naar binnen. Meestal was hij zo laat niet meer op. Ik draaide me niet om, maar keek naar hem in de spiegel. Hij is mijn man, dacht ik. Hij is míjn man. We zijn één vlees. We kunnen samen God dienen door vruchtbaar te zijn en ons te vermenigvuldigen. En alle bitterheid die tussen ons was opgebouwd, begon weg te smelten. Er was niets meer dat me bij hem vandaan kon houden. Hij zette een stap over de drempel en ik ging hem tegemoet. Hij sloot de deur en knoopte mijn jurk verder open. Ik liet de borstel vallen en blies de lamp uit. Die nacht was onze eigenlijke huwelijksnacht.

Terwijl ik zo met Tom in het donker lag, kwamen me allerlei gedeelten uit het Hooglied voor de geest, die ik net de vorige dag in de Bijbel had gelezen. Ik lag te draaien en te kronkelen en ondertussen klonk het in mijn gedachten: 'Ontwaak, noordenwind, en kom, zuidenwind, doorwaai mijn hof, opdat zijn balsemgeuren stromen! Mijn geliefde kome tot zijn hof en ete daarvan de kostelijke vrucht.'

En later, terwijl we elkaar beminden, hoorde ik een stem zeggen: 'Van mijn geliefde ben ik, en naar mij gaat zijn begeerte uit.' Ik was mezelf en ik was waar ik hoorde te zijn; het was hetzelfde gevoel dat ik altijd bij de opwekkingssamenkomsten had. En het ging door me heen dat de opwinding van de liefde bijna identiek is aan de vervulling met de Geest en ook aan de genotvolle huivering van de afzondering bij de rivier, maar hoe dat mogelijk was, begreep ik niet. Het bleef een geheimenis.

Ons tweede kind, een zoon, werd geboren in 1902. Ik noemde hem Moody, naar de beroemde evangelist. Ik was bang dat Tom bezwaar zou maken, maar dat deed hij niet. Hij stond welwillend tegenover alles wat ik voorstelde. Het leek wel of we helemaal overnieuw waren begonnen. Het leek wel of we alles weer voor het eerst deden, maar deze keer goed en beter. We begonnen meer en meer elkaars goede kanten te ontdekken.

Dat jaar had ik het veel te druk met de kinderen en het huishouden om naar opwekkingssamenkomsten te gaan. Zoals ik al zei, leek het ware vuur van de opwekking uit de streek verdwenen. Joe en pa zetten nog graag een boom op over de heiligingsdiensten en over de predikers van wie ze boeken en traktaten aan het lezen waren. Als Tom niet in de buurt was, nam ik wel eens een poosje deel aan het gesprek. We leken echter wel een stelletje hoogbejaarde opwekkingsveteranen, zoals we daar bij de haard zaten te babbelen, en sentimentele herinneringen ophaalden aan vroeger tijden en vergane glorie. De laatste opwekking lag nog maar ruim een jaar achter ons, maar het voelde al als iets uit een ver verleden.

'Voorganger De Haan zegt dat je de staat van genade niet meer kunt verliezen als je de doop met vuur hebt ontvangen,' zei pa. 'Bij een samenkomst van hem in Atlanta zijn zevenhonderd mensen met vuur gedoopt.'

'Het is h-h-h-hetzelfde als de heiliging,' meende Joe.

'Zij die de vuurdoop hebben ontvangen zijn de heiligen, zegt De Haan.'

'Heiligen bestaan niet,' zei ik. 'Ik heb er tenminste nog nooit een ontmoet.'

Zonder het met zoveel woorden tegen elkaar te zeggen, besloten Tom en ik het verleden te laten rusten. Ik denk dat de pinkstersamenkomsten gewoon geen rol van betekenis speelden, zolang ze maar geen onderwerp van gesprek waren. Ik praatte er nooit meer met hem over. Ik voelde me als een jong meisje dat voor het eerst verliefd is, maar dan een beetje wijzer en oplettender.

Die zomer, waarin ik de baby borstvoeding gaf, en ook in de oogstmaanden daarna, toen we flink wat extra dollars verdienden met de verkoop van cider en melasse, brandhout en appels, was het leven beter dan ooit. Ik zag nu in hoe onwetend ik voor die tijd was geweest. In het eerste jaar van ons samenleven was alles nog nieuw en daarom ging het ook wat onhandig. Hoe onhandig, besefte ik pas toen ik er achteraf op terugkeek.

Die herfst bereikten we in onze liefde een heel nieuw niveau. Steeds vaker wisselden we onze vaste gewoonten af met nieuwe ontdekkingen. Terwijl Jewel en de baby sliepen, maakten wij bij wijze van spreken lange wandelingen in bed. Voorheen was onze liefde vooral iets lichamelijks geweest, waar onze persoonlijkheid maar zijdelings bij betrokken was. Nu ontmoetten we elkaar pas echt, in ieder geval af en toe, als de mensen die we waren. Tom was sterk en volhardend, zijn oog altijd gericht op het doel, op de langdurige arbeid die verricht moest worden. Ik was meer onberekenbaar, nu eens hartstochtelijk, dan weer ingetogen, soms zo wild en opgewonden dat ik niet meer kon denken en me er later ook weinig van herinnerde.

Het was echter vooral de fijngevoeligheid voor de stemmingen en de bedoelingen van de ander die het verschil met vroeger zo levensgroot maakte, meer nog dan de ongekende volheid van onze hernieuwde overgave aan elkaar. Het was alsof we een extra zintuig hadden ontwikkeld voor wat de ander dacht en voelde. Daardoor wisten we precies wat we moesten doen, zelfs al zouden we van tevoren nooit op dat idee zijn gekomen. Het leek wel of we in een andere bedeling waren beland.

Het kerstfeest van dat jaar was het mooiste dat ik ooit heb meegemaakt. Een week voor Kerst klommen we de weideheuvel op, achter de Rots van de Zonsondergang, en verzamelden daar hulst en takken van de trosvlier om tegen de schoorsteenmantel te hangen. Tom nam pa's geweer mee en schoot uit een boom bij de rivier een bos maretak naar beneden. Bij de afrastering die boven de bron langsliep, hakten we een ceder om, die ik versierde met slingers van gekleurd papier en popcorn. Het hele huis geurde naar het cederhout en naar de dennentakken boven de schouw. Dennengeur doet me altijd denken aan de specerijen en de parfums van de wijzen, en aan engelen in een met sterren bezaaide nacht. Met Kerst is het net of deze gebroken wereld even wordt opgetild naar de eeuwigheid. Van kaarslicht en kerstliederen en kerstgeuren word je stil en opgewonden tegelijk. Het huis ruikt naar kaneel en nootmuskaat. Nee, dat ene kerstfeest vergeet ik nooit meer.

'Thuis vierden we het kerstfeest eigenlijk nooit,' zei Tom. 'We hadden er geen geld voor en ik denk dat ma ook niet zo'n zin meer had in feestvieren, toen pa na de oorlog niet meer terugkwam.' Het was het langste verhaal dat hij ooit over zijn familie heeft verteld. Als je hem er wel eens naar vroeg, gaf hij nooit antwoord.

Negen

ort na Nieuwjaar werd er een pondeninzameling aangekondigd voor de familie Bright, die vlak bij de doorwaadbare plaats woonde. Het was een groot gezin, dat zich pas een paar jaar geleden in de streek had gevestigd. Ze leken altijd ziekelijk en de hongerdood nabij. Het was het soort mensen dat altijd pech heeft. Wat ze ook proberen of door wie ze ook worden geholpen, ze gaan er nooit eens op vooruit. De afgelopen herfst had er tyfus in het gezin geheerst. Drie van de kinderen hadden de ziekte gekregen en de moeder was er zelfs aan overleden.

De dominee had de gemeente op de hoogte gesteld van de ellendige toestand waarin het gezin zich bevond. We spraken af dat de gemeente zich op de eerste zondagmiddag van het nieuwe jaar voor de pondeninzameling zou verzamelen bij hun huis. Iedereen zou een pond van het een of ander meebrengen: koffie, suiker, thee of boter. Tom was van plan een vierliterblik melassestroop af te staan en hij wilde het zelf gaan brengen, omdat hij mij en de kinderen niet in de buurt wilde hebben van een plek waar tyfus had geheerst. Ik stond er echter op om ook te gaan, met drie grote potten jam van wilde druiven. Hij zei niets, maar ging naar buiten om het paard in te spannen. Zodra hij daarmee klaar was, kwam ik ook naar buiten, met een mand aan de ene arm en een doos onder de andere.

'Wat heb je daar allemaal bij je?' vroeg Tom.

'Die mensen zitten in de ellende en ik wil hen helpen,' zei ik.

In de mand zaten een aantal potten met ingemaakte vruchten en jam, een cake, een blik koffie en twintig eieren. De doos had ik volgepakt met dekens en kussenslopen, en met kleren die ik al jaren niet had gedragen, voor de oudste dochter. Tom wierp een blik in de doos.

'We kunnen toch niet alles geven,' zei hij. 'Het is geen familie of zo.'

'Zij hebben het harder nodig dan wij,' zei ik.

'Het zal net lijken of we ons iets verbeelden,' zei hij.

'Ik ga wel door de achterdeur, dan ziet niemand het,' zei ik.

'Dan ga ik niet,' zei Tom. 'Ik vertik het om de rijke dwaas uit te hangen.'

Hij stampte het huis in en kwam er niet meer uit. Ik wachtte een paar minuten en ging toen pa vragen of hij wilde rijden. Tom zat bij de haard met Jewel op schoot. Hij was zo boos dat hij strak in de vlammen bleef staren.

Dat was nog maar het begin van de trammelant. De volgende dag vertelde Florrie hem dat ik het gezin Bright vijftien dollar had gegeven. Het was net iets voor Florrie om dat tegen hem te zeggen. Al was ze mijn zus, ze had nooit een goed woord voor me over. We konden af en toe best eensgezind samenwerken, zoals toen we nog jong waren, maar meestal kon ik geen goed bij haar doen. Ze had iets tegen de opwekkingssamenkomsten en ze had ook iets tegen Joe en Lily.

Toch zat ze ernaast wat betreft het geld. Het was niet van Tom; van de vijftien dollar waren er tien van mijzelf en vijf van pa. Ik had de dollars nog voor mijn huwelijk zelf verdiend door eieren aan de man te brengen en een kalf aan Jimmy Jenkins te verkopen. Het geld bewaarde ik onder in mijn sieradenkistje, zonder dat Tom er iets van wist. Ik besloot dat ik hem ook nu niet wijzer zou maken. Als hij dan zo gierig wilde zijn en buiten mij om alles voor zoete koek slikte wat Florrie maar zei, verdiende hij het niet te weten hoe de vork in de steel zat.

Nu was het gekke dat Tom even gul kon zijn als ieder ander, als je het hem maar op de juiste manier vroeg. In alle mensen huist een vrijgevige geest, ze moeten alleen de kans krijgen. Mensen vinden het heerlijk om anderen te helpen. Er is niets zo fijn als een ander iets geven, en dat komt doordat we op die manier onze angsten overwinnen. Door samen te delen voelen we ons sterk, en zeker van onze plaats in de gemeenschap.

Om een voorbeeld te geven: ik heb met eigen ogen gezien wat er gebeurde toen Ida Jenkins Tom op de akker kwam opzoeken. Het was oktober en we waren piepers aan het rooien. Het was algemeen bekend dat Ida het zwaar had sinds Jimmy aan de pokken was bezweken. Ik haalde de piepers met de riek uit de grond en maakte ze schoon, en Tom zette de volgeladen manden op de wagen.

Voorzichtig liep Ida tussen de grove kluiten door, de ogen half dichtgeknepen tegen de zon. Ze loenste altijd al een beetje en naarmate ze ouder werd, leek dat alleen maar erger te worden. 'Tom,' zei ze, 'kan ik een emmer piepers van je kopen?'

Tom hees net met moeite een mand op de wagen en zijn gezicht was rood. 'Nee,' zei hij, 'ik verkoop jou niet één emmer piepers.'

Ik schoot al rechtop om hem uit te foeteren, maar op zijn gezicht brak een brede grijns door.

'Maar ik zal je vier emmers geven voor niks,' zei hij toen.

En ik kon zien hoe hij daarvan genoot en hoe ingenomen hij was met zichzelf. Dat hij zomaar piepers kon weggeven aan iemand die erom verlegen zat, gaf hem een gevoel van geluk en zorgeloosheid.

De woede over wat ik de familie Bright had gegeven, was nog maar het begin van Toms kwaaie bui. Hij maakte opnieuw een bed op de vliering op en in huis zei hij bijna niets meer. Meestal bleef hij uit de buurt. Zelfs bij koud weer werkte hij in de stal of in de schuur, en anders ging hij in het bos dennennaalden rapen, die hij gebruikte als een soort ligstro voor de koeien. Hij deed net of het me in de bol geslagen was en hij me dus niet langer kon vertrouwen. Hij deed alsof het mij om zijn geld te doen was, alsof ik eropuit was hem te raken op zijn gevoeligste plek.

De eerste weken van het nieuwe jaar verliepen, afgezien van Moody's huilbuien, in een ijzige stilte. Als Tom erbij was, zei pa ook niet veel meer. Joe en Lily kwamen niet vaak. Wanneer Florrie op bezoek was, stond haar mond niet stil, maar omgekeerd had ik haar niet veel te vertellen. Soms wipte ze eerst de stal binnen en stond daar dan lange tijd met Tom te kletsen, voordat ze het huis inkwam. Eind februari werd duidelijk dat ik weer in verwachting was.

Dat voorjaar begon Joe bescheiden gebedssamenkomsten te beleggen en ik was elke keer van de partij, tot het moment waarop ik moest bevallen. Het was geen gelukkige zwangerschap. Tijdens de vorige twee was ik innig tevreden en vervuld van een geheimzinnige vreugde, maar tijdens deze derde zwangerschap koesterde ik alleen maar wrok. Ik bedacht dat als ik Tom kon kwetsen door geld weg te geven, ik evengoed nog meer weg kon geven dan ik al had gedaan. Ik leek niet in staat tot ook maar één gelukkige gedachte. Zelfs lezen kon me deze maanden niet boeien.

Een reizend voorganger en gebedsgenezer deed onze streek aan. Hij logeerde bij Joe en Lily, maar vanwege het koude weer was het niet mogelijk om grote bijeenkomsten te organiseren. Ik liep de heuvel over om de huissamenkomsten te bezoeken die in plaats daarvan werden gehouden. De naam van de voorganger was Worley en hij kwam uit de omgeving van Pickens. Het was duidelijk dat hij weinig meer bezat dan de kleren die hij droeg en die waren ook nog eens tot op de draad versleten. Zonder samenkomsten had hij geen inkomen. Ik maakte twee overhemden voor hem en ook een paar zakdoeken. Als ik de stof had gehad, zou ik ook een kostuum voor hem hebben genaaid, maar in plaats daarvan gaf ik hem wat geld: tien dollar van het spaargeld onder mijn sieraden. Het was het bedrag dat ik voor de Kerst van pa had gekregen en ik had Tom nooit verteld hoeveel het was.

Uiteraard ging Florrie het onmiddellijk aan Tom vertellen, zoals ik al verwacht had. Volgens mij kwam hij er na nog geen twee dagen achter. Florrie had het van Lily gehoord en ze moet speciaal zijn langsgekomen om het aan Tom over te brieven. Voor Tom was het de ergste belediging tot nu toe en deels was het ook zo bedoeld. Ik denk dat hij, met twee kinderen en een derde op komst, de verantwoordelijkheid zwaar op zich voelde drukken; alle mannen maken zich zorgen in zo'n situatie. Het was nog winter, de zorg voor de boerderij rustte op zijn schouders, en wie kon zeggen welke moeilijkheden de toekomst brengen zou?

'Je bent in staat alles wat we hebben te vergooien aan de eerste de beste religieuze klaploper die voorbijkomt,' zei hij. Hij had zijn tanden op elkaar geklemd en siste de woorden bijna. 'Je zult ons nog te gronde richten.'

'Je bent al te gronde gericht door je eigen hebzucht,' zei ik.

We begonnen afzonderlijk naar de kerk te gaan. Ik ging met pa en de kinderen mee, en hield dat de rest van de zwangerschap vol. Tom sliep al vanaf het begin van het jaar op de vliering, en stond lang voor mij op. Doordeweeks was hij al op het land als ik nog wakker moest worden. Op zondag kleedde hij zich direct na het melken om en ging in zijn eentje naar de kerk.

Met pa had hij steeds minder van doen, en met Joe ook. Toen we net getrouwd waren, werkten hij en zijn zwager altijd samen, zoals bij het oogsten van de maïs of het bouwen van een nieuwe schuur. Joe was de sterkste man uit de omgeving, en hoewel hij stotterde als hij opgewonden was of als er vreemden bij waren, was hij met zijn harde stem en goedlachsheid even praatziek als pa. Net als ik las hij graag, godsdienstige traktaten en pamfletten, tijdschriften en geschiedenisboeken, en onder het werken praatte hij over het gelezene. Hij wist meer van de voorgeschiedenis van onze buren en van onze familie dan wie ook.

Hoe meer Joe praatte, hoe harder hij werkte en Tom leek zijn gebabbel nooit een probleem te vinden. Terwijl hij gaten groef om palen in te slaan, of een boomstam in stukken zaagde, praatte Joe aan één stuk door over Darwin en over de evolutie. Alleen iemand die zo sterk was als Joe had voldoende adem tot zijn beschikking om op volle snelheid te praten en te werken tegelijk.

'De mens stamt niet van de apen af,' zei hij en hij gaf een ruk aan de trekzaag.

'Wat je zegt,' zei Tom en hij rukte de zaag weer terug.

'Als we van de apen afstammen, waarom hebben we dan geen staart?' vroeg Joe.

Tom gromde een beetje; hij hoefde geen antwoord te geven.

'Ik heb gehoord dat Darwin in de tropen een of andere ziekte heeft opgelopen,' zei Joe. 'En sinds die tijd had hij ze niet meer allemaal op een rijtje.' Steeds sneller en sneller trok hij. Hij werkte zich helemaal in het zweet en Tom moest zijn uiterste best doen om hem bij te houden.

'Ik heb wel eens mensen gezien die sprekend op apen leken,' zei Joe.

'Ik ook,' zei Tom.

'En ook mensen die zich als apen gedroegen,' zei Joe en trok de zaag weer naar zich toe. De tanden beten nu diep in het hout en bleven af en toe klem zitten. Het trekken ging steeds zwaarder.

'Leg er eens een blok onder,' zei Tom.

Joe schoof een stuk hout dat al gezaagd was onder het blok om het te ondersteunen.

'M-m-m-misschien stammen de apen wel van de mensen af,' zei hij. 'Dat waren dan vast mensen die nooit naar de kerk gingen en niks voor een ander overhadden. Ze geloofden h-h-h-helemaal nergens in en ten slotte kregen ze een vacht en een staart en gingen in de bomen wonen. Misschien stammen apen wel van p-p-p-politici af.' En terwijl de zaag door het hout heen brak en het blok een eind weg rolde, brulde Joe van het lachen.

Op zondagochtend kon ik Joe soms horen bidden tussen het struikgewas op de heuvel. In de stilte droeg het geluid ver, hoewel ik maar een enkel los woord kon verstaan. Zijn stem werd luider en luider, tot hij bijna schreeuwde, en stierf dan weer weg. Dat was zijn gewone manier van bidden, ook in de kerk en tijdens samenkomsten. Hij bad ook altijd zo lang dat de dominee hem er maar zelden voor vroeg. Joe had altijd graag willen preken, en hij vond het heerlijk om tijdens bidstonden de leiding te nemen en dan aan het woord te zijn tot het de hoogste tijd was om naar huis te gaan. Sommige mensen zeiden dat ze het niet erg vonden, en dat hij nu eenmaal meer wist en meer te zeggen had dan een ander, maar dominee Jolly keurde het af en gaf hem nooit het woord. Volgens Florrie praatte hij in de kerk en op het land alleen maar zo veel omdat hij er thuis geen woord tussen kreeg. Lily was een non-stop kletsmajoor. Als Joe naar buiten ging om te bidden of te werken, stond hij bijna op springen van al die opgekropte gevoelens en gedachten, die smeekten om een uitweg. Waar hij was of wie erbij was, deed er dan niet meer toe.

Toen Joe en Lily voorganger Worley in huis hadden gehaald en ik hem geld had gegeven, leek Tom dat Joe kwalijk te nemen. Hij vroeg hem niet meer om hulp. Ik geloof niet dat ze woorden over de kwestie hebben gehad, maar ik zag hen nog maar zelden samen aan het werk. Als Joe pa kwam helpen, was Tom altijd ergens anders druk bezig. Tom was er handig in om te verdwijnen of domweg afwezig te zijn als hem dat uitkwam.

De weeën begonnen op een dag in juni. Tom was suikerriet aan het uitdunnen op de lage akker en ik stuurde pa naar hem toe met de boodschap dat hij Hilda Waters moest gaan roepen, die vroedvrouw was. Ik had gedacht dat ik nog minstens een maand te gaan had. Omdat het een beetje verlichting gaf als ik rechtop bleef staan, liep ik zolang de keuken op en neer.

Tom leek wel meer dan een uur nodig te hebben om Hilda te halen. Het duurde een eeuwigheid. Ik zei tegen mezelf dat ik niet eerder zou gaan liggen dan wanneer Hilda was gearriveerd. Als ik maar gewoon op de been bleef, zou de pijn niet zo erg worden, dacht ik. Ik had wel eens gehoord dat de indiaanse vrouwen voor de bevalling langs de rivier heen en weer liepen en dat ze hun kinderen baarden zonder hulp.

Steeds weer gingen mijn gedachten verlangend naar de Rots van de Zonsondergang. Al weken was ik niet aan die kant van de heuvel geweest. Als ik er nu kon komen en over de vallei naar de koele bergen in de verte kon kijken, zou ik me een stuk beter voelen. Ik pakte mijn hoed en trok mijn schoenen aan.

'Waar ga je heen?' vroeg pa. Hij zat op de veranda naar Jewel en Moody te kijken, die in het zand aan het spelen waren.

'Ik ga een eindje wandelen,' zei ik.

'Je blijft hier,' zei hij. Hij gaf bijna nooit bevelen, maar ik vermoed dat hij bang was.

'Zeg maar tegen Hilda en Tom dat ik het pad boven de stal langs heb genomen.'

'Mag ik mee?' vroeg Jewel, die naar me toe kwam rennen en mijn hand pakte.

'Nee, jij blijft hier,' zei ik.

De zon was zo fel dat hij me verblindde. Volgens mij is er geen feller zonlicht dan dat in juni. De lucht was net witverlicht stof. Alles leek in brand te staan. Het onkruid in de bermen was een groen vuur en de hemel een helderwitte vlam. In de verte brandden de bergen met een blauwe gloed.

Ik volgde het pad tot aan de rand van de boomgaard. Nog steeds dacht ik dat ik me wel beter zou voelen als ik maar eenmaal bij de rots was. Mijn botten voelden zo verzwakt dat ik zeker wist dat er iets mis zou gaan. Een kleine slang kronkelde als een sliertje olie over het pad en verdween in de berm. Ondanks de felle zon huiverde ik van de kou.

'Wie is daar?' hoorde ik iemand op de heuvel roepen. Ik bleef staan en legde mijn hand boven mijn ogen. De dennenbomen hoger op de heuvel bogen zich dreigend naar me toe, maar ik zag niemand. De bomen waren zo zwart dat ze net rechtopstaande schaduwen leken.

'Wie is daar?' klonk het weer.

De dennen waren glanzend zwart. Ik snapte niet hoe het mogelijk was dat iemand van tussen die bomen tegen mij praatte. Ik tuurde ingespannen of ik iemand zag, maar er waren daar alleen bomen met daarachter de vlammende hemel. De boomgaard leek te kantelen en ook de weide erachter was nog steiler dan anders. Was het misschien Joe die daar zat te bidden?

'Wie is daar?' werd er opnieuw geroepen. En toen fladderde er een kraai uit een van de hoogste dennen. Het was alleen maar een krassende kraai geweest - en ik maar denken dat iemand me riep! Ik probeerde om mezelf te lachen. Er zoemde een of ander zomerinsect langs mijn gezicht. Ik kon de zwakke windvlaag van de vleugelslag voelen.

De pijn sloeg weer toe, heel diep vanbinnen, als een gloeiend hete staaf die in mij werd geschoven. Ik zei tegen mezelf dat ik er wel doorheen zou komen, want had ik het al niet twee keer eerder doorstaan?

Maar ik was vergeten hoe erg weeën kunnen zijn. Zodra de pijn voorbij is, kun je je het eigenlijk al niet meer goed herinneren. Pijn heeft een bepaalde smaak, die je onmiddellijk weer vergeet. Ik had maar één gedachte: bij de rots zien te komen en daar uitrusten, dan zou alles goed zijn. Maar de pijn maakte zo'n lawaai, dat er geen ontkomen aan was. Binnen in mij krijsten miljoenen vogels en door mijn hoofd raasde een trein.

Toen de pijn een beetje zakte en ik weer opkeek, zag ik voor mij op het pad de hond. Het was een hond die ik nog nooit eerder had gezien. Niet echt een vuilnisbakkenras, ook geen rashond, maar een beetje ertussenin. Het beest had een kortharige, grijze vacht die de verkeerde kant op leek geborsteld. Ik probeerde te bedenken van wie hij kon zijn.

Ik zag ook dat hij niet goed meer kon lopen. Honden draven wel vaker zigzaggend, vooral als ze nog jong zijn, maar deze hond draafde niet; hij zwalkte van de ene kant van het pad naar de andere. Eerst dacht ik dat hij iets zocht, want zijn kop hing omlaag. Toen zag ik dat hij bij elke stap waggelde alsof hij elk moment kon omvallen.

De hond kwam dichterbij en zag me nu pas. Hij bleef staan. Behalve de pijnscheuten ging er ook nog een koude rilling door me heen, toen ik zijn tranende, omfloerste ogen zag. Er lag een koortsachtige glans in en in de ooghoeken kleefden korsten. Aan zijn bek hing een kwijlbaard. Dit was een dolle hond, er was geen twijfel over mogelijk. Hij keek naar me met een blik alsof hij scheel was en me niet goed in beeld kon krijgen.

'Bewaar mij, Heer,' bad ik. Ik wist heel goed dat een zwangere vrouw nooit een dolle hond in de ogen mocht kijken, want dat zou haar baby kunnen tekenen. Het was de duivel zelf die door die van koorts waanzinnige ogen naar je keek. Ik probeerde mijn blik af te wenden. Ik had de verhalen gehoord van vrouwen die een dolle hond hadden gezien en kinderen baarden die blind waren of aan toevallen leden. En ik had zelfs gehoord van een zo'n baby die over zijn hele lijf behaard was, en jankte en blafte als een hond.

De hond bewoog zijn kop alsof hij probeerde vast te stellen waar ik stond. Als ik nu ging rennen, zou hij me zien. Daarom bleef ik doodstil staan, terwijl de hond gromde en kreunde van de vreselijke pijnen die hij leed. Dolle honden worden van binnenuit door de koorts verteerd omdat ze geen water kunnen drinken.

Ik besloot een piepklein stapje achteruit te doen in het gras om te zien of hij dat merkte. Heel voorzichtig tilde ik mijn linkervoet op, zo voorzichtig dat hij niet eens leek te bewegen. De grassprietjes bibberden een beetje en ik stond weer roerloos. Daarna schoof ik mijn rechtervoet een stukje naar achteren, zo langzaam dat er nog geen huivering door het gras en het onkruid ging. Ik probeerde te bedenken wat ik moest doen als de hond me zou bespringen. Moest ik me omdraaien en het op een lopen proberen te zetten? Als ik de baby niet had gehad, had ik hem misschien voor kunnen blijven, maar nu was het risico te groot.

De hond was in de war. Hij probeerde iets te zien en een geur op te snuiven. Hij leed erge pijn. Nooit had ik zo'n geluid vol doodsangst gehoord. Ik meende dat ik nog wel zou kunnen wegrennen als ik maar eenmaal ver genoeg achteruitgeschuifeld was, maar dan moest ik wel alle aandacht bij de hond houden en bij elk afzonderlijk stapje dat ik deed. Als ik struikelde over een steen of een tak, was ik verloren en de baby ook.

De baby schopte en de pijn kwam terug, een gloeiend stuk ijzerdraad dat door me heen werd getrokken, prikkeldraad dat her en der stukjes vlees losscheurde. Ik wilde niets liever dan mij krom vooroverbuigen tegen de pijn, maar ik had het hart niet zelfs maar mijn handen in mijn onderrug te duwen om de druk te verlichten. Ik moest mijn aandacht verdelen tussen de pijn en de inspanning van het langzaam achteruitlopen. Bij iedere stap leek de pijn erger te worden.

Nooit van mijn leven had ik me zo ingespannen. Het zweet stroomde in mijn ogen en langs mijn rug. Mijn nek was kletsnat en mijn oksels dropen. Mijn haren plakten vochtig tegen mijn slapen en de zon brandde zo fel op mijn hoofd dat ik bang was dat mijn haar vlam zou vatten.

Voetje voor voetje schoof ik achteruit. De pijn dreunde in mijn oren. De hond zwaaide zijn kop heen en weer. Misschien probeerde hij erachter te komen waar ik gebleven was.

Ik stapte zo langzaam achteruit dat ik trilde van inspanning. Van tussen de grassen sloeg de hitte me in golven tegemoet, als stoom uit een wasketel. Graag had ik me in die duistere hitte laten vallen en me laten wegglijden in de slaap als in een koele schaduw. Alleen de slaap zou die luide pijn het zwijgen op kunnen leggen.

De hond dook in elkaar alsof hij op het punt stond zich naar voren te storten. Maar in plaats daarvan viel hij om en begon grommend te stuiptrekken. Daar lag hij, midden op het pad in een stuip. Ik waagde een grotere stap en toen nog een.

'Ga eens aan de kant,' hoorde ik iemand zeggen.

Ik draaide me om en liep de berm in. Een flits en een afschuwelijke knal, alsof de hemel in rook opging. Mijn oren tuitten ervan. Daar stond pa met zijn buks.

De hond schokte nog even na en lag toen stil. Uit een gat in zijn zij kwam een piepend geluid, en er liep bloed uit, natter en glanzender dan water kan zijn. Hij bewoog niet meer.

Pa was me achternagelopen om te kijken hoe het met me ging en zo had ook hij de hond op het pad gezien. Zonder geluid was hij teruggegaan om zijn geweer te halen. Het schot had me zo doen schrikken dat ik eventjes de pijn vergat, maar nu golfde die opnieuw door me heen. Ik vreesde dat ik geen seconde langer op mijn benen kon blijven staan.

'Ik ga vallen,' zei ik.

'Leun maar op mij,' zei pa.

Door het gras kwam Jewel aanrennen. 'Mama, mama!' riep ze.

'Ga naar huis en let op Moody,' zei ik en struikelde. Ik rook alleen nog de branderige geur van het kruit uit pa's geweer. De lucht hing vol rook en de hitte verergerde de stank.

'Ik moet even zitten,' zei ik. Als ik maar in het gras kon gaan zitten, ging de pijn wel weg!

'Je moet mee naar huis,' zei pa. 'Doorlopen.'

Ik hield me vast aan zijn arm en nam trage stappen. Pa was niet zo sterk en ik was bang dat ik hem omver zou trekken.

'Mama, wat is er?' vroeg Jewel.

'Ga naar Moody,' zei ik. Ik kon niet meer rechtop staan en moest voorovergebogen lopen. De pijn sloeg weer toe en deze keer leek hij me van achteren te bespringen. Als iemand een stroom gloeiende kolen in mij had gegoten, had de pijn niet erger kunnen zijn. Ik merkte dat ik begon te vallen, maar nog net op tijd vingen Toms sterke armen me op. Achter hem stond Hilda Waters.

Ik wil niet eens meer praten over de rest van die dag. Ik wil niet meer denken aan de pijn van die bevalling. De mensen die praten over de weeën van de eindtijd hebben het juiste woord gekozen. Ik heb nooit van mijn leven zo'n pijn gehad.

Zodra ze me in huis en in bed had, zette Hilda alle ketels die we hadden op het vuur. Ik denk dat ze tijdens een geboorte altijd kokend water moeten hebben om de baby en de moeder te kunnen wassen. Wie aan een bevalling denkt, ziet meteen een keuken vol stoom voor zich.

Ik denk dat pa Jewel en Moody heeft meegenomen naar de rivier. Misschien hadden ze wat koekjes bij zich voor een picknick. Ik had net de vorige dag suikerkoekjes gebakken. Ik voelde me te ellendig om te merken wat zich om mij heen afspeelde. Later bracht pa ze naar Florrie voor de nacht.

Toen de volgende wee toesloeg, keek Hilda op de klok. Ze wilde weten hoe snel de weeën elkaar opvolgden. 'Wanneer is het begonnen?' vroeg ze.

'Nu net,' zei ik.

'Nee, ik bedoel de eerste wee, vanochtend.'

'Rond acht uur.'

Hilda was een grote vrouw die al meer dan honderd baby's ter wereld had geholpen. Haar vader was de dorpssmid en vervoerde ook dagelijks de post van het station naar het postkantoor. Zijn dochter leek op hem. Ze had kracht in haar handen, als een man, en ook de voortvarendheid waarmee ze de zaken aanpakte, deed me aan een man denken. Toch was ze heel behoedzaam, als een kat met haar jongen.

'Draai eens op je zij,' zei ze.

Ik deed het en zij begon mijn rug te wrijven, langzaam en stevig. Dat hielp een beetje, totdat de pijn vanzelf wegzakte.

'Kan ik iets doen?' vroeg Tom vanaf de drempel.

'Wegblijven en het water warm houden,' snauwde Hilda.

Al binnen een minuut kromp ik in elkaar door de volgende wee. Ik wist nu al niet meer waar ik het zoeken moest en toch moest het ergste nog komen. Ik snapte niet meer hoe ik dit al twee keer eerder had kunnen doorstaan. Na het felle zonlicht was het akelig donker in de kamer. Langzamerhand raakten mijn ogen gewend aan de schemering en ik kon de toilettafel naast het bed weer onderscheiden. Daar lagen de handspiegel die van mama was geweest en een ijzeren haarborstel. Er stond een poederdoos met de bijbehorende poederdons en daarnaast een groen parfumflesje dat pa lang geleden voor me had meegebracht uit Greenville.

Een nieuwe pijnscheut krampte door mijn buik. Ik probeerde mijn blik op het parfumflesje gericht te houden. Als ik mijn aandacht op het parfum richtte, leidde dat misschien een beetje af. Het flesje stond half in een straal licht en zag eruit als een smaragd met een vlammetje erin. Ik had nog nooit zo'n felle kleur groen gezien. Het leek wel een likeur of een extract van de diepe waterpoelen langs de rivier, dik als olie. Ik stelde me voor dat het flesje een kalmerend middeltje bevatte, een soort groene pijnstiller.

'Persen!' beval Hilda. Ze drukte op mijn buik en ik perste van binnenuit mee, terwijl ik mezelf hoorde schreeuwen. 'Persen!' donderde ze opnieuw en ik perste. Maar ondertussen probeerde ik aan het groene licht in het flesje te blijven denken. Het flesje was zo klein dat er maar een paar druppeltjes in konden. Waarschijnlijk was het een proefmonster dat pa ergens had gekregen, een stevig afgesloten ijspegel vol groene olie.

'Vooruit, persen! Nog een keer!' riep Hilda. Weer drukte ze op mijn buik. Daarna liep ze haastig om het bed heen en keek tussen mijn benen. 'Nog even, nog even!' zei ze. 'Je moet nog iets meer je best doen.'

Ik probeerde aan de kracht van het groene parfum te denken, die de geur uit het flesje omhoog stuwde zodra je het opendeed. Ik probeerde te bedenken hoe iets dat zo kon opvlammen tegelijk zo rustgevend kon zijn. Het parfum geurde naar schaduw en drogende bloemen.

'Harder, harder!' schreeuwde Hilda, maar ik huilde dat ik niet meer kon.

'Natuurlijk kun je nog wel,' zei ze. 'Stel je niet aan.'

De pijn voelde ongezond, alsof er iets verkeerd was gegaan - alsof er iets in mij verstrikt zat en zich los probeerde te rukken.

'Ik kan niet meer,' zei ik nog eens.

'Dat soort praatjes wil ik niet horen,' zei ze.

Mijn eigen geschreeuw rees voor mij op als een wit scherm, een onafzienbaar laken. Ik probeerde me ervan af te keren door naar het flesje te kijken, dat terugkeek als een groen oog. Voor het raam zwaaide een boomtak heen en weer en het flesje knipoogde.

'Toe maar, toe maar!' zei Hilda.

Ik dacht dat ik zou sterven van de pijn. Vaag vroeg ik me af wat er dan zou gebeuren. Toen dacht ik ineens weer aan de duif waarover de indiaanse dokter me jaren geleden had verteld. Ik zag de duif hoog boven de vallei, met onder zich de warme, verwelkende grassen en de opstijgende hete lucht. Ik fluisterde in mezelf mijn geheime naam, telkens en telkens weer. De klank was even rustgevend en groen als het parfumflesje. En ik dacht ook aan het kruikje dat nog steeds in mijn linnenkast lag.

'Toe dan, toe dan,' zei Hilda.

Het was de ergste wee tot nu toe, maar tegelijk de laatste krachtsinspanning. De pijn zat tot achter mijn ogen, die brandden en staken. Het was de pijn van iets dat zich uitrekte. 'Jezus, help mij,' zei ik.

'Nog één keer, nog één keer!' zei Hilda.

Ik was leeg en uitgeput. Hilda nam de baby mee de kamer uit. Ik nam aan dat ze het kind in de keuken wilde gaan wassen. Tom had geen warm water naar de slaapkamer gebracht. Ik luisterde of ik de baby hoorde huilen, maar het bleef stil. Ik was zo moe dat ik in bed lag te zweven, opgelucht en koud. Ik rilde van top tot teen. Het groene flesje stond binnen handbereik en ik wilde het aanraken, alsof het een stukje groen suikergoed was. Er brandde nog altijd een lichtje in en ik wilde het met mijn vingers proeven.

Met een pan warm water kwam Hilda terug en ze begon me te wassen. Het voelde alsof ze mijn binnenste naar buiten trok. 'Oooh!' krijste ik.

'Sssst!' zei ze. 'Ik moet je schoonpoetsen, anders krijg je koorts.'

'Waar is de baby?' vroeg ik. Ik was zo moe dat ik nauwelijks kon denken.

'Stil nou,' zei ze. 'Je hebt rust nodig.'

Ze haalde de bebloede lakens van het bed, legde er schone voor in de plaats en bracht het vuile water weg. Ik verwachtte elk moment dat ze me de baby zou brengen.

'Wat is er mis met de baby?' vroeg ik.

'Sssst,' zei Hilda. Het was duidelijk dat ze wilde opschieten om snel naar huis te kunnen. Ze deed druk en kortaf.

Toen kwam Tom met gebogen hoofd de kamer in, alsof hij zijn best deed een nederige houding aan te nemen. Hilda liet ons alleen en deed de deur achter zich dicht. Tom knielde naast het bed. 'Ginny,' zei hij, 'de baby is dood. Ze is meteen na de geboorte gestorven.'

Ik was te moe om iets terug te zeggen. Na een poosje kwam hij weer overeind en klopte me op het hoofd. Nog lang stond hij daar voor hij eindelijk wegging. Ik kon gewoon niks bedenken om te zeggen. Toen hij weg was, keek ik opnieuw naar het parfumflesje, maar het zonlicht was er inmiddels afgegleden. Het had nu de diep donkergroene kleur van smaragd die sluimert in de schaduw.

Het was het eerste sterfgeval in onze familie sinds mama's dood. Toen ik later die dag wakker werd, voelde ik me helemaal leeg. Het was een traag en rustig gevoel. Ik denk dat een groot verdriet vaak met waardigheid gepaard gaat, alleen omdat je nu eenmaal niet meer weet wat je moet doen. Rond het overlijden van oude mensen hangt altijd een sfeer van ontzag en goedheid, maar na de dood van een kind is er niets dan kille afwezigheid.

In zijn eigen familie had Tom nooit een overlijden meegemaakt. Zijn pa was in de oorlog omgekomen als krijgsgevangene in het verre Illinois, toen Tom nog een baby was. Wat er met zijn pa was gebeurd, wisten ze alleen omdat een kameraad van hem, met wie hij samen in het kamp had gezeten, zijn gouden horloge en een uniformknoop was komen brengen. Volgens die kameraad was zijn pa voornamelijk van heimwee overleden, hoewel hij ook de koorts had gehad.

Begrafenissen brengen een familie weer nader tot elkaar. Dat is een ding dat zeker is. Zelfs mensen die met elkaar in onmin leven, dekken de twist na een sterfgeval even toe. Broers die elkaar anders met de nek aankijken, dragen samen de kist en zijn verplicht elkaar beleefd te behandelen. Begrafenissen zijn zo een gelegenheid om te vergeten en te gedenken tegelijk, om je weer eens deftig uit te dossen en te beseffen dat het leven kort is, maar tegelijk een erezaak.

Een begrafenis is iets waar een hele gemeenschap naar uitkijkt. De mensen leggen het werk neer en komen bij elkaar, zelfs al is het midden op de dag. Iedereen wil zien hoe de dode er in opgebaarde staat uitziet en in wat voor kist hij ligt; iedereen wil de liederen en de toespraken horen en zien hoe de familie zich houdt onder het verlies. Maar volgens mij is er niemand die uitkijkt naar de begrafenis van een baby. Er valt niets te roddelen en zelfs een dominee kan er niet veel over zeggen.

Ik was te zwak om de begrafenis bij te wonen. Ik voelde me leeg gespoeld en vuil tegelijk. Vanuit mijn bed luisterde ik naar het komen en gaan van de mensen. De meesten hadden iets bij zich, een gebraden kip, een taart of een mandje met broodjes. Sommigen stonden even met pa en Tom en Florrie te praten, en anderen zaten zelfs een poos bij de familie in de zitkamer. Ik hoorde Tom op het erf zagen en timmeren. Het duurde een volle minuut voor het tot me doordrong dat hij voor ons kleine meisje een kistje aan het maken was. Ze had nog niet eens een naam gekregen en nu gingen we haar al begraven.

Sommige mensen kwamen even bij mij om het hoekje kijken om te vragen hoe het met me ging. Myrtle Goins wilde weten of ze iets voor me kon doen.

'Nee, dank je,' zei ik. 'Maar bedankt voor het meeleven.'

'Als ik iets kan doen, moet je het zeggen,' zei ze.

'Je bent een lieverd,' zei ik.

Later hoorde ik haar in de keuken met Florrie praten. 'Heeft ze misschien te hard gewerkt?' vroeg Myrtle. 'Of zich te druk gemaakt? We weten allemaal dat Ginny werkt alsof er brand is. Hoe is Tom eronder?'

'Tom zegt niks,' zei Florrie.

'Gaat het wel goed tussen die twee?' vroeg Myrtle.

'Geen idee,' zei Florrie. 'Iedereen heeft zo zijn problemen.'

Uiteraard komen mensen ook naar begrafenissen om zelf opnieuw blij te kunnen zijn dat ze nog leven. Dat is alleen maar natuurlijk. Ik zou liegen als ik beweerde dat ik dat zelf nooit zo ervaren heb. Het is ook een goede zaak, want alle ruzies en ziekten en geldzorgen worden voor een korte tijd verdrongen door de verdrietige en tegelijk verzachtende werkelijkheid van de dood.

Aan deze dood was echter niets goeds te ontlenen en ik wist dat Tom dat net zo ervoer. Liggend in bed bedacht ik dat hij er de man niet naar was om te huilen en misbaar te maken en met zijn gevoelens te koop te lopen. Hij zou nooit zijn verdriet uitschreeuwen om daarna een nieuwe start te maken. In plaats daarvan zou hij zwijgend het kistje begraven en daarna de emmers halen om in de stal te gaan melken. Vervolgens zou hij het suikerriet verder uitdunnen. De stengels die hij al had gesnoeid zouden er verwelkt bij hangen, doodgebloed en vergeeld.

Toch leed Tom even erg onder dit schokkende gebeuren als ik, daar twijfelde ik niet aan. De band die de wereld bij elkaar hield, was een beetje losser geworden en we hadden gemerkt dat een mensenleven niet veel voorstelde. Zelfs het licht deugde niet meer; de dood van de baby had het vergiftigd. Die lege werkelijkheid had overal invloed op. Ik wist zeker dat Tom het ook zo zou voelen en ik kon hem op geen enkele manier dwingen erover te praten, of hem helpen. De dood van een baby leert je dingen over de wereld die je maar beter meteen weer kunt vergeten.

Terwijl ik daar zo lag, begreep ik ineens ook waarom Florrie en hij zo goed met elkaar konden opschieten. Florrie had niks van doen met opwekkingsbijeenkomsten en de kerk liet haar ook min of meer koud. Ze hield nog het meest van flink lol maken. Ik had haar wel horen lachen als ze met Tom aan het praten was, op de veranda of op het erf. Met mij lachte Tom nooit; blijkbaar had hij het bij mij niet echt naar zijn zin.

Ik weet niet of Tom die nacht wel naar bed is geweest. Misschien heeft hij de hele nacht bij het kistje gezeten, of in het donker op de veranda. Rond negen uur kwam hij even vragen of hij iets voor me kon doen en toen zag ik pas goed hoe hij veranderd was. Alle bitterheid was verdwenen en de verbijsterende en verdrietige gebeurtenis had hem nederig gemaakt. Toch bleef ik zwijgen. Ik kon nog steeds de juiste woorden niet vinden. Dit was het soort situatie waaraan hij de grootste hekel had: massa's mensen over de vloer die hij moest bedanken en tegen wie hij beleefd moest zijn. Zodra hij maar even de kans kreeg, glipte hij weg en bracht hij uren door in de voederstal en de wagenschuur.

De volgende dag kwam Florrie vlak voor de begrafenis binnen en kondigde aan dat ze me gezelschap kwam houden.

'Nee,' zei ik, 'je moet naar de dienst gaan, dan kun je een oogje op Jewel en Moody houden.'

'Maar dan lig jij hier helemaal alleen,' zei ze.

'Maak je over mij maar geen zorgen,' zei ik.

Het kwam door het bloedverlies dat ik zo kalm bleef. Als je veel bloed hebt verloren, wil je alleen nog maar slapen. Ik was zo veel kwijtgeraakt dat de koorts er vanzelf uit gebloed moet zijn. Ik dobberde in mijn bed als op een zacht vlot. Toen iedereen vertrokken was, was het zo stil in huis dat ik de planken kon horen kraken van de warmte. In de hoekjes en overal in de dakspanten kreunden de spijkers. In de stilte hoorde ik zelfs de lucht bonzen, als in een grote schelp.

Voor een vliegenplaag was het nog te vroeg in de zomer, maar in het gras onder het raam snorden de juni-insecten. Bijen vlogen zoemend van het ene klavertje naar het andere. Het klonk warm daarbuiten. Het huis kraakte alsof het gebakken werd.

Hier binnen was het koel en schemerig. Voor mijn gevoel lag ik op de bodem van een hoge ruimte, zoiets als de schacht van een waterput. De koelte vouwde zich om me heen en ik rilde. De lucht was kil, alsof hij van een bergtop omlaag was gestroomd. Ik begon te huiveren, want in de lucht om mij heen leek iets te bewegen, al zag ik niets.

Om mezelf een beetje te warmen, probeerde ik in gedachten de kerkdienst en de wandeling naar de begraafplaats mee te maken. Ik wist dat het warm zou zijn in de kerk, wanneer het kistje op de tafel voor het altaar werd gezet. De dominee zou spreken over Gods ondoorgrondelijke wegen en over berusting in zijn wil. Iedereen zou zitten zweten en de vrouwen zouden zichzelf koelte toewuiven.

Terwijl ze het kistje naar het kerkhof droegen, zou het zonlicht onbarmhartig neerbeuken op het grind, op de grassen en de struiken. De berg aarde naast het grafje zou hardrood glanzen. De kluiten en korrels waren al droog. In de verblindende gloed glinsterde het dennenhout van het kistje als suiker.

In de bomen rond de begraafplaats zaten kraaien. Altijd zaten er kraaien op die heuvel, in de dennenbomen en op de rand van het klif. Krassend zouden ze weg fladderen over de vallei, in de richting van Cabin Creek en Buzzard Rock.

Weer bewoog er iets, maar ik zag niks. Het is waar dat het licht maar zwak was, maar daaraan waren mijn ogen inmiddels wel gewend. Er ademde iets, vlakbij. Er was beroering in de lucht, maar ik kon niet zien wat het was.

'Wat is daar?' vroeg ik hardop.

Het ging de kamer rond en kwam steeds dichterbij. Ik hoorde niks, maar ik wist dat het er was. Ik kon het voelen, zoals je iemands aanwezigheid in het donker kunt voelen. Maar te zien was er niets.

'Wie is daar?' vroeg ik.

Ik vroeg me af of het de geest van de baby kon zijn, die terugkwam omdat ze geen naam had gekregen. Zonder naam kon ze de aarde niet verlaten, ze moest een naam hebben om de hemel binnen te kunnen gaan.

'We zullen je Alice noemen,' zei ik, maar tegelijk voelde ik me onnozel. Er was helemaal niets hier, en ik was zo moe dat ik mijn ogen bijna niet open kon houden. Ik probeerde te denken aan het zingen van de mensen op die zonnige heuvel. Staande aan het graf zongen ze 'Beautiful, beautiful Zion' en 'By Jordan's Stormy Banks'. De echo van hun stemmen zou terugkaatsen van de bomen op de helling. De mensen zouden bloemen leggen op de naakte aarde en nog een poosje napraten in de zon, voordat ze de heuvel weer afliepen. Ze zouden Tom op zijn rug kloppen en even een hand op zijn arm leggen. Ze zouden Moody optillen en Jewel in haar wangetje knijpen.

Het ongrijpbare ging de kamer door en kwam in een van de hoeken tot rust, als een onderstebovenhangende vleermuis, of een slang in zijn hol. Ik voelde dat het naar me keek met een blik die mijn gedachten peilde. Het was een gat in de lucht, een kille leegte die alles in zich opzoog.

'Wat moet je?' vroeg ik, maar uiteraard kwam er geen antwoord.

'Ga weg,' zei ik, want ik begreep nu dat het niet de geest van de baby kon zijn. Wat het ook was, het had niks goeds in de zin.

Weer bewoog het. Het beroerde een van de gordijnen, ging opnieuw de kamer door en bracht de kleren in de linnenkast in beweging. Het was een briesje dat alles liet wapperen.

'Pas op dat je niks omgooit,' zei ik. Ik stak mijn hand uit naar de toilettafel, maar het was al te laat. Het parfumflesje viel met een bons om. Ik zette het weer overeind. Het dopje zat er nog stevig op. Weer viel het om. Ik zette het weer overeind. Mijn hand beefde.

Ik probeerde te zien wat het was. Het voelde als een schaduw, maar dan een die je niet kon zien. Het leek de adem van een slang, een leegte die warmte van buiten in zich op moest zuigen. Het was een heldere zwartheid die alle kleur en warmte, alle gevoelens en gedachten wilde uitlogen.

'Ga weg!' zei ik en sloeg ernaar.

Als een vleermuis zwierde het nader en toen weer weg. En daarna werd het rustig in de kamer. In het hele huis was geen ander geluid meer te horen dan het tikken van de klok in de kamer naast de mijne. Ik schatte dat het zo langzamerhand tijd was dat pa en Tom en de kinderen van de begrafenis zouden terugkomen. Ik luisterde of ik hun voetstappen al op de weg kon horen. Ik wist dat de keukentafel afgeladen vol stond met schalen eten die door de buren waren afgeleverd. Ik rook de ham en de kip, de sla en de geglaceerde zoete aardappelen. Alleen bij de gedachte aan al dat eten werd ik al misselijk.

Het was nu zo stil in de kamer dat ik meende dat wat het ook was, verdwenen was. Buiten lawaaiden de insecten. En toen ademde er plotseling iets dicht bij mijn oor. Ik draaide met een ruk mijn hoofd opzij en sloeg in de lucht om het te verjagen, maar ik had net zo goed kunnen proberen om de wind met mijn vingers tegen te houden. De duisternis sloeg naar mijn hoofd met tangen en klauwen.

'Nee!' gilde ik.

Een net van ijzerdraad werd over me heen geworpen en strak aangetrokken. Het draad was koud en scherp als scheermesjes. 'Nee!' gilde ik weer.

'Wat is er?' vroeg Tom. Hij stond op de drempel. Hij zag er bezweet uit en zijn gezicht was rood van de zon. Zijn overhemdkraag zat strak en was vochtig van het zweet.

'Kom eens bij me,' zei ik.

Hij kwam bij het bed staan en ik pakte zijn hand. Het was een grote hand, ruw en vereelt. De knokkels waren gezwollen van al het harde werken. 'Wat ben ik blij dat je er bent,' zei ik.

Tien

Zoals ik al eerder vertelde, kon ik meer van Lily hebben dan Tom en Florrie. Niet dat ik nou zo goed met haar kon opschieten, maar ik meende dat ik haar een beetje begreep en als je begrip voor iemand hebt, ben je ook eerder bereid de tweede mijl mee te gaan. Misschien was ik wel bij voorbaat geneigd haar alles te vergeven, juist omdat Florrie haar niet kon uitstaan en Tom haar niet mocht. Ik weet het niet, je komt in families wel meer rare dingen tegen. Misschien was het alleen uit christelijke naastenliefde dat ik haar het voordeel van de twijfel gaf. Ik hoop het maar. Ik zal de eerste zijn om toe te geven dat Lily het nogal hoog in de bol had en dat ze zich vreselijk kon aanstellen, maar die dommigheid hoorde gewoon bij haar karakter.

Op een keer, het was vlak na Jewels geboorte, had Tom op de berghelling drie grote manden vol perziken geplukt. Op zondag beloofde Florrie me dat ze de volgende dag zou komen helpen met schillen en inmaken. Lily hoorde dat en zei meteen: 'Ik wil ook wel komen helpen, Ginny.' Ze zorgde er wel voor dat pa het hoorde. Nooit liet ze een kans voorbijgaan om hem ervan te doordringen wat een knappe, aardige, liefhebbende schoondochter hij had.

'Die ouwe keuken is veel te klein om met z'n drieën in te werken,' zei Florrie glimlachend.

'O, nou, als mijn hulp dan niet nodig is,' zei Lily.

'Het zou juist fijn zijn als je ons wilde helpen, Lily,' zei ik. Nu stond iedereen bij de kerk mee te luisteren.

'Ik heb echt zin om voor pa een paar potten lekkere perziken te maken,' zei Lily en ze gaf pa een arm.

De volgende morgen kwam Florrie al vroeg de heuvel over en we hadden al een halve mand perziken geschild en gesneden voordat Lily kwam opdagen. Ik had een lap om mijn duim geknoopt om die te beschermen tegen het mes, en het vod was al doorweekt met vruchtensap.

'Sorry dat ik zo laat ben,' zei Lily, terwijl ze haar gele hoed afzette. Ze duwde haar kapsel in model. 'Ik heb een tijd naar mijn handtasje lopen zoeken. Ik moet het gisteren onderweg van de kerk naar huis verloren hebben.'

'Wat vreselijk, zeg,' zei Florrie en ze wiste het zweet van haar voorhoofd met de bovenkant van haar pols.

'Het gouden tientje dat ik van pa heb gekregen zat erin,' zei Lily. 'Maar het verlies van het geld vond ik niet eens het ergste. Het ging me meer om mijn oorhangers en mijn zilveren kammetje en de foto van mijn moeder.'

'Dat geld stelt inderdaad niks voor,' zei Florrie.

'Heb je hier ook een schort?' vroeg Lily. 'Dit is een oude jurk, niet meer dan een vod, maar ik krijg er toch liever geen vlekken in. Je krijgt perziksap er zo moeilijk uit, vind je ook niet, Florrie?'

'Wat je zegt,' zei Florrie. Florrie en ik hadden allebei ons oudste kloffie aan. Lily droeg de wit met gele jurk waarin ze altijd naar bidstonden ging.

Lily knoopte het schort om dat ik haar gaf en ging naast de mand zitten. Ze pakte een perzik en begon die zo ver mogelijk van haar lichaam af te schillen. Het werd een brede schil met nog een flinke laag zoet vruchtvlees eraan.

'Je kunt beter wat dunner schillen,' zei Florrie, die een perzik in haar handen liet rondtollen. Er kronkelde een prachtige krul in de emmer.

'O, ja, ik dacht er even niet aan,' zei Lily blozend.

'Heb je het nog teruggevonden?' vroeg ik.

'Wat?'

'Je handtasje.'

'Toen ik merkte dat het weg was, zei ik tegen Joe dat we de weg terug moesten volgen om te zoeken, maar hij zei dat iemand anders het vast al gevonden had.'

'Stond je naam erin?' vroeg ik.

Lily schilde de perzik verder af en sneed hem in schijfjes die ze in de pan liet vallen. Ook de pit kwam in de pan terecht. 'Hè, wat onhandig van me,' zei ze.

'Misschien geeft de pit er een extra lekker smaakje aan,' zei Florrie.

'Nee, mijn naam stond er niet in,' zei Lily, 'maar iedereen in de vallei zou die oorhangers herkennen als de mijne.'

'Vast en zeker,' zei Florrie.

Florrie en ik waren nu klaar met de eerste mand en begonnen aan de volgende, terwijl Lily nog druk bezig was met haar tweede perzik. Ze had haar gezicht gepoederd en toen ze begon te zweten, depte ze de druppels weg met de rug van haar hand om haar make-up niet te bederven.

'Ik geloof dat ze je in een vormingsjaar niet leren hoe je perziken moet schillen,' zei Florrie.

'Dus je hebt je handtasje niet gevonden?' vroeg ik.

Lily sneed de tweede perzik doormidden en liet de helften in de pan vallen. Ik stond op om een nieuwe pan te gaan halen.

'Zal ik nog wat potten gaan spoelen, Ginny?' vroeg Florrie.

'Ik heb het grootste deel al gedaan,' zei ik. De schone potten stonden op het aanrecht klaar om met halve perziken gevuld te worden. De rest van de potten moest nog uit de kelder gehaald en uitgekookt worden. Ik zette nog een ketel water op het vuur.

'Ik zei tegen Joe,' zei Lily, 'ik zeg: ga buiten eens zoeken langs de weg die we gisteren van de kerk vandaan naar huis hebben genomen. Hij wilde tegensputteren, maar ik zei dat hij meteen moest gaan. Als de handtas er nog lag, was er misschien een kans dat Joe hem vond voordat een of andere venter of vreemde ermee vandoor ging.'

'Het is maar goed dat mannen altijd doen wat ze gezegd wordt,' zei Florrie.

'Als jij eens met vullen begon?' zei ik tegen haar. Ik wilde haar bij Lily uit de buurt hebben, en durfde Lily het vullen niet toe te vertrouwen. Halve perziken kneuzen gemakkelijk. Ze moeten in de potten voor ze bruin worden, als ze nog stevig en geel zijn. Daarom is het wecken van perziken zo'n klus. Je moet zo'n beetje alles tegelijk doen.

'Heb je wel genoeg hout binnengehaald?' vroeg Florrie.

'Tom heeft de kist vanochtend helemaal gevuld,' zei ik en wees op de stampvolle houtkist. Als ze eenmaal druk aan het werk was, gedroeg Florrie zich altijd als de oudere zus. Ze probeerde de baas te spelen, zelfs hier in mijn huis en mijn keuken.

'Heb je de siroop al gemaakt?' vroeg ze.

'Dat doe ik terwijl jij de potten vult,' zei ik.

'Maar wie schilt er dan ondertussen?' vroeg ze.

'We kunnen allemaal weer schillen zodra de eerste lading op het fornuis staat,' zei ik.

Plotseling begon Jewel in de slaapkamer te huilen. Ik droogde mijn handen, haalde haar haastig uit bed en ging naast het fornuis zitten voeden.

'Ginny, heb je de deksels klaarliggen?' vroeg Florrie.

'In de doos daar op tafel,' zei ik.

'Ik zie de rubberen ringen nergens,' zei Florrie.

'Die liggen in de la,' zei ik. 'Tom heeft ze zaterdag gehaald.'

'Tom is het soort man waar je wat aan hebt,' zei Florrie.

'Dat is maar goed ook,' zei ik.

'En als hij iets doet, doet hij het goed,' ging Florrie verder.

Met Jewel aan de borst kon ik niet veel doen, maar ik kon nog net bij de la om er een doos met afsluitringen uit te pakken. De ketel begon te dampen.

'Heb je de weckketels al klaar?' vroeg Florrie.

'Ze staan op de veranda,' zei ik.

'We hebben nog water nodig om erin te doen,' zei Florrie.

'Tom heeft vanmorgen drie emmers klaargezet,' zei ik.

'Nog een extra emmer zou geen kwaad kunnen,' zei Florrie.

'Volgens mij hebben we geen emmers meer,' zei ik. 'Of we moeten de melkemmer nemen.'

'Ik kan altijd nog de po uitspoelen,' zei Florrie.

'Doe niet zo walgelijk,' zei Lily. 'Ik word misselijk, hoor!'

'Ik ook,' zei Florrie.

Door de warmte viel Jewel al tijdens het voeden weer in slaap. Ik legde haar tegen mijn schouder tot ze een boer liet en bracht haar toen weer naar bed. Zodra ik terugkwam, pakte ik een steelpan van de plank, schonk er een halve liter perziksap in, voegde water en een half kopje bruine suiker toe en bracht het geheel al roerend aan de kook.

'Zie ik nou goed dat je bruine suiker in de siroop doet?' vroeg Lily.

'Het versterkt de smaak een beetje,' zei ik.

'Ik gebruik alleen witte suiker,' zei Lily. 'Ik heb de siroop graag helder en licht.'

Florrie sloeg haar ogen ten hemel en ging de weckketels halen. Het waren twee grote, koperen, rechthoekige ketels die pa in Greenville had gekocht, vlak nadat hij en mama waren getrouwd.

'Zal ik even helpen?' vroeg ik.

'Ach, ik kan alleen mijn rug breken,' zei Florrie.

De keuken stond vol waterdamp en stoom van de hete siroop. Het was er al zo warm en nu begon het ook steeds vochtiger te worden. Het is een aspect van het inmaken waar ik een hekel aan heb: de hitte die het veroorzaakt. Vuur in het fornuis, de keuken vol stoom, en alles doordrenkt van perziksap: je krijgt het gevoel dat je zult verdrinken in je eigen zweet. Er vallen schillen op de vloer, waar ze vervolgens worden vertrapt. Na een poosje is de hele vloer bedekt met perzikendrab, die naar alle kanten wordt uitgelopen en overal aan vastkleeft. Aan het eind van de dag moet je de vloer schoonschrapen en daarna dweilen. Door de hitte raakt al die pulp vermengd met zweet en zo wordt het één zilte, vettige prut. Geen wonder dat Florrie maar al te graag naar de koelschuur liep voor extra water, en daarna naar de kelder voor meer potten.

'Dit zijn echt mooie perziken,' zei Lily.

'De bomen staan er ook veel beter bij, sinds Tom ze heeft gesnoeid,' zei ik. 'Dat was nog nooit eerder gebeurd.'

'Iedereen heeft zo zijn gave,' zei Lily. 'Dat staat ook in de Bijbel. Iedereen heeft een gave en is verplicht die te ontwikkelen.'

'Dan moet je wel weten welke gave je hebt,' zei ik.

Florrie kwam binnen met een mand vol potten. Ze zette ze een voor een op het aanrecht en begon ze schoon te schrobben met een flessenborstel.

'Sommige mensen zijn goed in muziek en anderen in de prediking. En er zijn ook mensen die willen preken zonder dat ze er de gave voor hebben. Maar de Heer weet altijd wat Hij doet,' zei Lily.

'Sommige mensen zijn goed in kletsen,' zei Florrie. Ze keerde een pot om, die gorgelend leegliep in de gootsteen.

'Heeft David vorige week nog in Mount Olivet gepreekt?' vroeg Lily.

'Hij was er te zwak voor,' zei Florrie. 'Hij had een lelijke blafhoest.'

'Het is toch wel jammer dat hij geen eigen gemeente kan krijgen,' zei Lily. 'En dat terwijl hij zo goed is in ziekenbezoek en zo ijverig studeert.'

'Wie zegt dat hij geen eigen gemeente kan krijgen?' vroeg Florrie. Ze greep een theedoek en begon de potten af te drogen.

'Ik zeg alleen dat het fijn zou zijn als het hem lukte,' zei Lily.

'Hij krijgt er wel een zodra hij zijn verkoudheid te boven is.'

'Heb je je handtasje nou nog gevonden?' vroeg ik aan Lily. Ik sloot de potten die Florrie gevuld had af met de rubberen ringen en de deksels en plaatste ze in de kookketel.

'O, die lag onder een stapeltje kleren,' zei Lily. 'Zodra Joe de deur uit was, raapte ik wat kleren van de slaapkamervloer en toen vond ik hem onder mijn petticoat.'

'Gelukkig maar,' zei Florrie.

Het is me wel eens opgevallen dat mensen die met elkaar samenwerken na verloop van tijd aardiger tegen elkaar worden. Als je samen zit te zweten en te zwoegen, ga je je vanzelf een team voelen. Zelfs Lily en Florrie werden gedurende het werk van die ochtend langzamerhand vriendelijker.

'Ik hoorde dat Bertha Lindsay weer zwanger is,' zei Lily nadat we de eerste ketel op het vuur hadden gezet en waren gaan zitten om de tweede mand verder leeg te schillen. Lily had in haar eentje een tiental perziken geschild en gesneden. Florrie en ik pakten onze mesjes en gingen weer aan de slag.

'De hoeveelste is het, de achtste?' vroeg ik.

'Ik snap niet hoe ze het voor elkaar krijgt,' zei Florrie, 'ook al snap ik heel goed hoe ze het voor elkaar krijgt.'

'Ik kijk er meneer Lindsay op aan, haar niet,' zei Lily.

'Er zijn er twee voor nodig, hoor,' zei Florrie. 'Dat heb ik ten-minste wel eens gehoord.'

Ik schoot in de lach en Lily ook. Florrie kon soms zo geestig uit de hoek komen dat je vanzelf milder gestemd werd.

'Maar wat kan een vrouw er nou tegen doen?' vroeg Lily.

'Er zijn allerlei manieren om geen kinderen te krijgen,' zei Flor-rie. 'Als een vrouw niet wil, hoeft het niet.'

'Florrie!' zei Lily. 'Ik sta versteld van je.'

'Ze zou apart kunnen gaan slapen,' zei ik en pakte de volgende perzik.

'Welke vrouw wil er nu apart slapen?' zei Florrie.

'Eentje die al acht kinderen heeft,' zei Lily.

'Sommige vrouwen willen graag acht kinderen,' zei ik. 'Ze willen een groot gezin dat mee kan helpen op de boerderij.'

'Wees vruchtbaar en word talrijk,' zei Florrie. 'Dat staat in de Bijbel.' Vliegensvlug ontdeed ze de volgende perzik van zijn schil. Het sap droop van haar vingers en de schil viel in een krul op de schillenberg.

'Mijn oma had zo veel kinderen dat haar binnenste ervan los was gaan zitten,' vertelde Lily. 'Ze lag gewoon aan flarden. Als ze ging staan, rolde haar baarmoeder eruit.'

'Dat verhaal ken ik al,' zei Florrie.

'Kon ze niet geopereerd worden?' vroeg ik.

'In die tijd kon je nergens heen voor een operatie,' zei Lily. 'Ze moest er gewoon mee leren leven. Misschien had ze geopereerd kunnen worden als ze naar Baltimore of zo was gegaan. Maar toen ik nog een klein meisje was, zat ze al onafgebroken in haar stoel bij het vuur. Ik heb nooit anders meegemaakt dan dat ze bij de haard een beetje zat te breien of een pijpje te roken, als er niemand in de buurt was voor een praatje.'

'De vrouw moet met smart kinderen baren,' zei ik.

'En ook nog de maandelijkse ellende doorstaan,' zei Lily. 'En ze moet doen wat de man zegt.'

'Welnee,' zei Florrie.

'In de Bijbel staat van wel,' zei Lily. Het was erg grappig om haar zo te horen redeneren, want ze had Joe al onder de duim lang voor-dat ze getrouwd waren. Florrie sloeg haar ogen weer ten hemel.

'De Bijbel zegt dat de vrouw haar man moet behagen,' zei Lily.

'Dat is iets heel anders,' zei Florrie met een grijns. 'Daar hoeft ze niet onder te lijden.'

'Maar als het nu iets onnatuurlijks is?' vroeg Lily.

'Het is maar wat je onnatuurlijk noemt,' zei Florrie. Ze haalde haar onderarm langs haar voorhoofd. Onder haar oksels was haar jurk drijfnat.

'Nou, je weet wel, als een man van zijn vrouw iets onnatuurlijks eist,' zei Lily.

'Dat hangt van de mensen zelf af,' zei Florrie.

'Florrie!' zei ik.

'Een man kan niks bedenken wat niet allang door een vrouw is verzonnen,' zei Florrie. 'Zo denk ik er tenminste over.'

'Er bestaan vast mensen die tot alles in staat zijn,' zei Lily.

'Ach, iedereen doet zo ongeveer dezelfde dingen, als je het mij vraagt,' zei Florrie. 'Mensen zijn min of meer hetzelfde, het enige verschil is dat sommigen broodmager zijn en anderen dik, en weer anderen doen of ze beter zijn dan de rest.'

'Ik zou niet graag willen leven als een dier,' zei Lily en ze bloosde onder haar gezichtspoeder. 'Als mama buiten aan het werk was, droeg ze altijd handschoenen. Hoe hard ze ook moest werken, ze beschermde altijd haar handen.'

Ik herinnerde me dat pa ooit vertelde hoe Lily's moeder zelf met de os uit ploegen moest na de dood van haar man, toen de kinderen nog klein waren, maar ik zei niks.

'De huid van een vrouw is haar grootste bezit,' zei Lily. 'Dat zei mama altijd. Verzorg je huid goed, dan zal je man van je blijven houden. En jij kunt trots zijn op jezelf.'

'Ik heb dorst,' zei Florrie. 'Ik ben bijna helemaal uitgedroogd door al dat gezweet.' Ze stond op en droogde haar handen af aan een doek. Maar in plaats van naar de emmer op de veranda te lopen, ging ze naar de hoek waar pa zijn kruidendrankjes en tincturen bewaarde. Florrie was de enige vrouw die ik ooit als een man uit een kruik heb zien drinken. Ze trok de stop eraf, steunde de kruik met haar elleboog, nam een grote slok, kuchte en schraapte haar keel. Toen ze zich weer omdraaide, zag ik dat ze rood werd onder haar bruine huid.

'Op één been kun je niet lopen,' zei Florrie en ze beende naar de veranda voor een schep bronwater. Toen ze terugkwam, klopte ze op haar borst. 'Daar knap je van op,' zei ze. 'Helemaal.'

De whiskylucht die ze uitademde, mengde zich met de zoete geur van de perziken en de waterdamp uit de ketel.

'Heb jij geen dorst?' vroeg Florrie.

'Niet zo,' zei ik. Florrie zat me altijd te pesten met mijn drinkgedrag. Ik nam van tijd tot tijd wel eens een neutje, als ik verkouden was bijvoorbeeld, of als ik niet kon slapen, of als ik in een dip zat. Ik dronk nooit zoals zij, en ook niet in die hoeveelheden. Soms verstopte David de fles voor haar, maar meestal deed hij net of hij niks merkte.

'Ik ben tenminste niet schijnheilig,' zei Florrie.

'Niemand zei dat je dat was,' zei ik.

'Ik houd van een borrel op zijn tijd en dat mag iedereen weten ook,' zei Florrie.

'Een dronken vrouw is anders weerzinwekkend,' zei Lily. 'Een dronken man is al erg genoeg, maar een dronken vrouw is nog veel erger.'

'Ik heb nog nooit een dronken vrouw gezien,' zei Florrie.

'Het is geen prettig gezicht,' zei Lily. 'Ik ging altijd langs de weg staan kijken als Alma Bright terugkwam uit de stad. Dan was ze zo dronken dat ze liep te waggelen. Ik moest van mama binnenkomen, ik mocht dat niet zien.'

'Wat een bof dat je moeder je gered heeft,' zei Florrie.

'Ik heb gehoord dat Alma wel ergere dingen deed dan drinken,' zei ik.

'Ze moest de drank toch ergens van betalen,' zei Lily.

'Een vrouw die geld wil verdienen, heeft nu eenmaal niet veel mogelijkheden,' zei Florrie.

De geur van de perziken en van de whisky en van al dat zweet maakte mij ook dorstig. Ik wenste even dat Florrie en Lily er niet waren, zodat ik een slok uit de kruik kon nemen zonder dat iemand er last van had. Drinken is lang zo leuk niet als de mensen om je heen afkeurend staan te fronsen. Ik stond op en liep naar de veranda om water te drinken. 'Wil jij ook wat water?' vroeg ik aan Lily.

'Dat zou heerlijk zijn,' zei ze. Ik bracht haar een pollepel vol en zij veegde haar handen af aan haar schort voordat ze die van me aannam.

'De handdoek moet verschoond worden,' zei ik. 'Ik loop wel even naar de kast.'

Mijn linnengoed lag opgeslagen in de kast aan het andere eind van de gang en mijn eigen fles lag verborgen onder de lakens. Ik tastte tussen de koele, gevouwen stof. De fles was koeler dan het linnen. Ik schroefde de dop eraf en nam een teug. De whisky viel met kracht in mijn maag. Ik pakte een handdoek en liep haastig terug naar de keuken.

'Whisky is goed tegen misselijkheid,' zei Florrie. 'Daarom noemen ze het ook een medicijn.'

'Ik geloof graag dat het net zo werkt als medicijnen,' zei Lily, 'maar dat geldt vast niet voor het afschuwelijke bocht dat ze hier in de buurt stoken.'

'We zouden eens wat fijne cognac moeten bestellen,' zei Florrie.

'Ik heb horen vertellen dat je met whisky zelfs de tyfus kunt bestrijden,' zei Lily.

'Dat is nieuw voor mij,' zei ik.

'Iemand met tyfus wordt heus niet beter van whisky,' zei Florrie, 'maar het helpt wel om de koorts omlaag te brengen.'

'Hoe weet jij dat nou?' vroeg ik. Florrie had er een handje van verzinsels te vertellen. Ze kon verhalen uit haar duim zuigen en ze met zo veel overtuiging brengen dat je ze geloofde als waren ze het evangelie zelf.

'Heb je ooit iemand gekend die veel dronk en toch tyfus kreeg?' vroeg ze.

Ik dacht hard na. Het waren meestal kinderen en vrouwen die aan tyfus overleden. Ik kon me geen enkel geval herinneren waarbij de dode een veeldrinker was geweest.

De drank had me goed gedaan. Ik hoorde de kippen tokken in het kippenhok, zoals ze dat halverwege de ochtend altijd doen, wanneer de eieren gelegd zijn. Hun druktemakerij leek net een samenzang.

'Wij lijken ook wel een stel kippen,' zei ik.

'Waar slaat dat nou weer op,' zei Florrie. Ik begon te lachen, maar op hetzelfde moment hoorde ik Jewel huilen. Ik droogde mijn handen af en haastte me naar de slaapkamer.

Tegen de tijd dat ik Jewel weer in bed had en de tweede mand leeg was geschild, zat Lily flink op haar praatstoel. Ze was de ergste kletskous die ik ooit had ontmoet, en tijdens het werken was ze met haar tong sneller dan met haar handen. 'Ik vind het prettig als een man iets zinnigs te vertellen heeft,' zei ze toen we aan de laatste mand begonnen, nadat we de tweede ketel hadden gevuld en de eerste van het fornuis hadden getild en te koelen hadden gezet. 'Ik vind het prettig als een man enige beschaving heeft en boeken leest en daarover praat.'

'Een man wordt heus niet interessant van praten alleen,' zei Florrie.

'Het is moeilijk om een man aardig te vinden als hij nergens over mee weet te praten,' zei Lily.

'Elke man is anders,' zei ik.

'Elke vrouw ook,' zei Florrie.

'Nou, geef mij maar een man met algemene ontwikkeling,' zei Lily.

Ik voelde me opgelaten, want ik wist heel goed dat ze het over Tom had. Ik geloofde niet dat Tom verdediging nodig had, maar toch begon mijn bloed te koken. We moesten echter de inmaak door zien te komen zonder gekibbel. Ik zei tegen mezelf dat het geen zin had om ruzie met Lily te maken, ze was er gewoon te dom voor. 'Ik vind het prettig als een man weet wat hij doet en wat hij wil,' zei ik.

'Het belangrijkste van alles is de lofprijzing en daarom is het goed om een man te hebben die dat samen met jou wil doen,' zei Lily.

'Je hebt lofprijzing en lofprijzing,' zei Florrie.

'Wat bedoel je nou weer?' zei Lily. 'Ik heb het over de lofprijzing en de gemeenschap met de Heer en dat weet je best.'

'Voor sommige mensen kan het een vorm van lofprijzing zijn om thuis te blijven en naar de zonsondergang te kijken,' zei Florrie.

'Dat is heel iets anders dan naar de dienst gaan,' zei Lily.

'Waarom?' vroeg Florrie. 'Wat is het verschil tussen een doornstruik en een kapel van dennengroen?' Ze ging weer naar de plank met pa's drankjes. Deze keer hield ze de kruik veel langer aan de lippen en ze nam niet de moeite om daarna op de veranda een lepel water te gaan drinken.

'Wat een rare praatjes, zuster Florrie,' zei Lily. 'Als ik je niet beter kende, ging ik nog denken dat je een heiden was.'

'Ik ben ook een heiden,' zei Florrie lachend.

Lily keek naar haar handen en slaakte een gil. 'Ze zijn helemaal rimpelig van het vocht!' zei ze. 'Moet je zien. Helemaal bedorven. Ik zal ze moeten insmeren met zalf zodra ik thuiskom.'

'Je handen raken echt niet bedorven van perziksap, hoor,' zei Florrie.

'Ik vind het nogal wat, wat je net zei,' zei Lily tegen haar. 'Het idee, om de schoonheid van de natuur te vergelijken met het prijzen van de Heer!'

'Lofprijzing is het doel waarvoor de mensen op aarde zijn,' zei ik.

'Hoe weet je dat, Ginny?' vroeg Florrie.

'Omdat het in de Bijbel staat,' zei ik, al kon ik zo snel geen citaat bedenken.

'Er staat zoveel in de Bijbel,' zei Florrie.

'Ik sta paf,' zei Lily. 'Je doet net of je nergens in gelooft. Je praat echt als de eerste de beste heiden.'

'Het leven van een heiden zou wel eens veel interessanter kunnen zijn,' zei Florrie. 'Jullie komen bij elkaar alsof er een feestje is en je maakt er een gezellige boel van, alleen noem je het gewoon anders. Ik kan er het nut niet van inzien.'

'Ik ben echt ontzet,' zei Lily. Ze was opgehouden met schillen en zat nu werkeloos met de perzik in haar linkerhand en het mesje in haar rechter. Ik had spijt als haren op mijn hoofd dat ik haar met de inmaak had laten helpen.

'Waarom kunnen mensen niet gewoon goed leven, zonder al die poespas eromheen?' vroeg Florrie.

'We hebben elkaars steun nodig,' zei ik. 'We leren van elkaar en helpen elkaar de dingen te onthouden die we anders te gauw zouden vergeten.'

'Ik snap niet wat er zo leerzaam is aan gerollebol en brabbelpraat,' zei Florrie. 'Als je nou nog met een man in het hooi mocht rollen...' Florrie kon sneller schillen dan Lily en ik samen. In een ommezien had ze een perzik geschild en gesneden en voor de stukken goed en wel in de pan lagen, was ze al met de volgende bezig.

'Ik heb ooit gehoord dat lang geleden de jonge stelletjes in de lente naar de geploegde akkers gingen en daar hun kleren uittrokken,' zei ze toen. 'Dan rolden ze door de verse aarde om hem vruchtbaar te maken. Ze rolden het hele veld over en werden smerig van top tot teen. Zo zegenden ze het land, in de hoop dat dit een rijke oogst zou opleveren.'

'Zoiets heb ik nog nooit gehoord,' zei Lily.

'Als ze maar lang genoeg rolden, kregen ze waarschijnlijk nog een tweede oogst ook,' zei Florrie.

'Ik kan niet geloven dat mensen zich ooit zo ordinair hebben gedragen,' zei Lily.

'De mensen zullen altijd ordinair blijven,' zei Florrie. 'Dat hoop ik tenminste van harte.'

'O nee!' gilde Lily plotseling. Ze stak haar linkerhand uit en ik zag bloed aan haar vinger. 'Ik heb me gesneden,' zei ze. 'Mijn hand is bedorven.'

'Laat eens kijken,' zei ik. Er viel een druppel bloed tussen de perziken.

'Ik krijg geen adem meer,' zei Lily. 'Ik kan niet tegen bloed. Dan val ik flauw.'

'Steek eens uit,' zei ik.

Ze schudde haar hand heen en weer alsof er een spin op zat. 'Het prikt,' zei ze. 'Er komt perziksap in.'

Ik veegde mijn handen af en ging haastig een doekje halen. Daarbij stapte ik boven op de perzik die Lily had laten vallen en stampte die tot moes.

'Ik bloed!' zei Lily. 'Ik krijg geen lucht meer.'

Ik pakte haar hand beet om die stil te houden. Er viel een druppel bloed op haar jurk. 'Moet je zien,' zei ze. 'Die jurk kan ik weggooien.'

Toen ik eindelijk de kans kreeg om goed te kijken, zag ik dat het maar een klein sneetje was, misschien hooguit een centimeter lang en niet diep. Ik veegde het bloed weg.

'Je kunt er beter iets op doen,' zei Florrie. 'We zitten niet op kaakklem[1] te wachten.'

'Ik kan er wel een beetje whisky op smeren,' zei ik.

Lily stampvoette, waarbij haar ene voet midden in de schillen-

---

[1] De volkse term voor tetanus.

bak terechtkwam, maar of het van woede was of van pijn was me niet duidelijk.

'Hier,' zei Florrie en ze goot een drupje whisky op de snee. Lily gilde het uit en stampvoette als een klein meisje.

'Doet het zo'n pijn?' vroeg ik. 'Volgens mij is de snee niet diep.'

'Deze jurk is helemaal bedorven,' zei ze. 'En ik heb geen andere meer in deze tint of in dit patroon.'

'Die bloedvlekken gaan er wel uit,' zei Florrie. 'Je moet ze gewoon deppen met koud water.' Ze nam nog een slok uit de kruik.

Ik bond een strookje linnen om Lily's vingertopje. Het bloeden was opgehouden en het verbandje leek net een sjaaltje om iemands hoofd. 'Het is bijna tijd om het eten op te zetten,' zei ik. 'Over een uur zijn Tom en pa en Joe terug van het land.'

Aan het eind van die dag was ik helemaal uitgeput van mijn pogingen om de vrede tussen Florrie en Lily te bewaren. Ik nam me voor Lily nooit meer om hulp te vragen bij de weck, en ik heb me daaraan gehouden ook.

Elf

In de zomer van 1904 legden we de grootste moestuin aan die we
ooit hebben gehad. Ik merkte dat Tom het beroerd vond dat hij
mij zo weinig tot steun was geweest. Het is een feit dat ons
eigen verdriet verzacht wordt door de aandacht die we anderen
geven, en tot het moment waarop hij na de begrafenis op de rand
van mijn bed kwam zitten, had Tom niet veel bezorgdheid voor mij
aan de dag gelegd. Zodra hij mijn hand pakte en zich begon te be-
kommeren om mijn gebroken hart, ging hij zichzelf ook beter voelen. Ik merkte dat hij in mij het meisje terugvond waarmee hij
getrouwd was. En meteen begon de leegte die we allebei voelden te
verdwijnen.

In juli was ik weer bijna helemaal de oude en ik bedacht dat ik
mijn hernieuwde vriendschap met Tom het best kon tonen door
hem op het land te helpen. Elke dag ging ik met hem mee. Jewel en
Moody bleven thuis bij pa. Ik had altijd al mijn deel van het werk
buitenshuis gedaan, maar heel die warme zomer lang sloofde ik als
de eerste de beste dagloner. Er moest hard gewerkt worden en dat
was net wat ik nodig had. Zweten zuivert een mens. Als je verkouden bent of ziek dreigt te worden, kan flink zweten wonderen
doen. Ik wroette in de aarde, vlak naast Tom, en langzamerhand
werd ik van binnenuit gereinigd.

Niks maakt een vrouw zo gelukkig als de handen uit de mouwen
steken en gelijk op werken met haar man. Ik had geen schoenen

aan en de aarde zelf leek me te genezen. De warme grond trok alle venijn en alle wrok dwars door mijn voetzolen naar buiten.

Langs de rivier was de grond vochtig, zelfs in de warme, droge tijd. Werkend in het leem kon je de koelte van de rivier onder de toplaag voelen, en soms voelde je zelfs de beweging van de rivier als een polsslag, en dan hoorde je de fluistering en de zuiging van het stromende water over rotsen en in stroomversnellingen.

Tom had meer maïs en bonen en erwten en piepers en watermeloenen gezaaid dan ooit tevoren. Hij had opnieuw een stuk land ontgonnen, deze keer aan de andere kant van de vallei en hij had ook de terrassen in de boomgaard boven de stal beplant. Het leek wel of hij uit elke vierkante centimeter beschikbaar land een of ander gewas wist te winnen. We hadden sperziebonen en kousenband, flespompoenen en gewone pompoenen, tomaten en uien. Hij verbouwde twee keer zo veel suikerriet als het jaar daarvoor.

Iedere ochtend begonnen we direct na het ontbijt met wieden. We trokken het onkruid los van de stengels en de ranken. Het heeft iets opwindends om zo'n rij planten te ontdoen van jakobskruiskruid en brandnetels. Het moeilijkst is het om de blauwe winde uit de maïs te krijgen, want die slingert zich om de stengels heen en hecht zich stevig aan de blaadjes. Je moet de wortel van de rank zien te vinden en die afsnijden of uittrekken. Als je zo'n rij gewas hebt opgeschoond, heb je het gevoel dat je weer iets hebt geordend en opgelost. Je hebt tenminste íets nuttigs gedaan.

Verderop langs de rivier, aan de overkant van de doorwaadbare plaats, was een katoenfabriek gebouwd met een klein kunstmatig meertje erbij. Op die plek waren ze nu huizen aan het bouwen. Bij het meer kwam een waterkrachtcentrale die de molen draaiend moest houden en er werd gezegd dat de nieuwe huizen over elektriciteit en stromend water zouden beschikken. De mensen die op de fabriek werkten, hadden echter geen tijd om zelf groente te verbouwen of een tuin aan te leggen. Koeien en kippen houden ging ook niet. Daar had Tom een afzetmarkt ontdekt voor zijn cider en zijn brandhout. Hij vermoedde dat ook de arbeidersfamilies van de laagvlakte wel groente konden gebruiken.

Op een dag in juli laadde Tom onze koets vol met tuinerwten, verse maïs en bonen, tomaten en flespompoenen. Ook de piepers en de limabonen, die we bij het krieken van de dag hadden geoogst, nam hij mee. Voor melkenstijd had hij er al een halve werkdag opzitten. Halverwege de ochtend stond hij klaar om bij de nieuwe tweekamerwoningen van deur tot deur zijn waren te venten.

Zelf was ik de hele dag bezig met de was. Ik hing alles buiten op in de warme wind. Die avond barstte er een onweer los, zoals dat in juli wel vaker gebeurt, en ik had amper voldoende tijd om naar buiten te rennen en de was binnen te halen. Tom kwam pas later terug, helemaal doorweekt. Hij had geprobeerd Ouwe Dan onder een boom te laten schuilen, maar de wind joeg hem de regen alsnog in het gezicht. Druipend ging hij bij de haard zitten. Hij was zo nat als een poedel, maar hij voelde in zijn zakken en daar kwamen ze tevoorschijn: de kwartjes en de dubbeltjes die hij van de molenarbeiders had gekregen. Ik dacht even dat hij gek was geworden, zo verfomfaaid zag hij eruit. Ik had een vuur in de haard aangelegd om nog een paar handdoeken te drogen. Tom bukte zich en begon de munten te sorteren op de haardrand, een stapel dubbeltjes en een stapel kwartjes, een paar halve dollars, een paar centen en zelfs een zilveren dollar. Bij het licht van het vuur telde hij alles op. In totaal was het bijna tien dollar. Ik had hem nog nooit zo gelukkig zien kijken. Tom was er de man niet naar om zijn plezier te tonen, maar toen hij zijn verdienste van die dag uitrekende, kon hij zijn glimlach niet verbergen.

'Doe die natte kleren nou uit, anders word je nog ziek,' zei ik.

'Zo'n plensbui spoelt je juist lekker schoon,' zei hij. Het geld deed hij in het sigarenkistje dat hij als spaarpot gebruikte.

Ik was iemand die altijd bij vlagen werkte, maar die zomer ontdekte ik dat ik ook langere tijd achtereen bezig kon zijn. We stonden om vier of vijf uur op. Pa zat dan al aan tafel in zijn bijbel te lezen. Tegen de tijd dat Tom klaar was met melken, had ik het ontbijt op tafel. We dronken een paar koppen van de koffie die pa had gezet en vertrokken bij het eerste licht naar de akker. Elk onderdeel van het werk was me even dierbaar. Gedurende die zomer betrapte ik mezelf erop dat ik net zo begon te denken als Tom. Het gaat soms bijna vanzelf, dat een vrouw net zo gaat denken als haar man. In elke flespompoen zag ik zoveel cent, en in elke rij gewas zoveel kwartjes. Groene blaadjes veranderden voor mijn ogen in stuivers, gouden wortels en bladnerven in zilveren dollars. In elke kruimel aarde lag een belofte van geld verborgen.

Zo vroeg in de ochtend waren de komkommers nog koel als kruiken vol ijswater. Ik reikte tussen de natte bladeren en plukte de stevige bonen. De korst die de bodem bedekte begon open te breken onder de zwellende piepers. Elke pieper die we rooiden, droeg bij aan onze welstand. Tom had altijd al onze eieren via de winkel verkocht, maar daar kwamen nu de groenten nog bij. Het was allemaal zijn idee, en in heel zijn leven had pa nooit zo'n winst uit de boerderij gehaald.

Mijn gezicht en mijn armen werden bruin als die van een indiaan. Ik werd altijd al snel bruin, maar die zomer droeg ik zelfs geen strohoed. Florrie plaagde me met mijn donkere uiterlijk. 'Je ziet eruit als een boerenknecht,' zei ze. 'Pas maar op, straks wil Lily niet meer met je omgaan.'

De kracht in mijn armen en schouders keerde terug en ik hielp Tom met voertrekken en met de opslag van het maïsloof op de zolder van de schuur. In september hielp ik met het strippen van het suikerriet, terwijl Jewel en Moody speelden tussen de rietstengels.

Voederplukken wordt algemeen beschouwd als het beroerdste karwei dat er bestaat. Zo achter in augustus is het warm en stoffig op de akker. Eerst worden de toppen uit de maïsplanten gesneden en tot schoven samengebonden om te drogen. Daarna worden de bladeren van de steel geplukt, vlak onder de kolven. De hitte, het stof en het ruwe, schurende blad bezorgen je uitslag en als je niet oppast, grijp je in een zadelrups die op tien plaatsen tegelijk kan steken. Als je door een zadelrups te grazen wordt genomen, duurt het dagen voor de brand uit je hand is getrokken. Je kunt beter door tien horzels worden gestoken.

Nadat je twee handen vol blad hebt geplukt, bind je dat bij elkaar tot een bos door er een blad omheen te wikkelen en dat vervolgens door het bundeltje heen te trekken. Dat bosje prik je op een stok tot je er genoeg hebt om er een pak van te maken. Die pakken worden op de voerzolder opgeslagen om te drogen. De geur die dan in de schuur hangt, is nog zoeter dan die van tabak of thee. Dit bladvoer is te voedzaam en te zacht om aan de koeien te geven. De zoete onderbladeren van de maïs worden speciaal bewaard voor het paard.

Het werk in de brandende zon en onze gloeiende, zonverbrande huid wakkerden ons verlangen naar elkaar flink aan. Het was alsof de zomerse hitte in onze aderen en onze huid ging zitten als een soort koorts die in de nachtelijke uren door de liefde moest worden geblust. Ik had nog nooit met zo weinig slaap toegekund. Bij thuiskomst ging Tom eerst melken en daarna waste hij zich. Na het eten telde hij zijn geld. Op de haardrand lagen de munten te glanzen als vlammetjes en kleine gezichtjes. De biljetten kraakten wanneer hij er kleine boekjes van maakte. Ten slotte stopte hij al het geld weer terug in het sigarenkistje.

Onder het tellen bespraken we wat we nog moesten aanschaffen voor de winter, voor de kinderen en voor de boerderij. Jewel zou dat najaar voor het eerst naar school gaan en had nieuwe kleren nodig. 'Meisjes moeten er netter uitzien dan jongens,' zei Tom.

Zodra de kinderen sliepen, gingen Tom en ik zelf ook naar bed. Pa zat dan nog in de keuken te lezen en we probeerden hem niet te storen. Toen Locke een week met verlof thuis was, sliep hij op de bank en dus deden we heel zachtjes en voorzichtig, zodat het bed niet kraakte en hij ons gegrinnik niet kon horen.

Sommige nachten leken we allebei een ander mens, groter en sterker en beter, de mens die we graag zouden willen zijn. De voorafgaande dag was alleen maar een tijd van uitstel geweest, die de koorts verder had doen oplopen. Het leek wel of we niets fout konden doen. Waar we elkaar ook aanraakten, het was altijd precies de goede plek, en wanneer we ook pauzeerden, het was altijd precies op het juiste moment. Alles wat we daar in het donker deden, leidde tot iets nieuws en iets mooiers.

Als jong meisje had ik nooit gedacht dat een man van veertig tot zulke prestaties in staat zou zijn; een vrouw van vierendertig ook niet, trouwens. Tijdens ogenblikken van grote vreugde dacht ik wel eens dat alles wat ik in mijn leven had gevoeld onafwendbaar had geleid tot dit ene moment. Zelfs het juichen en dansen tijdens de samenkomsten was niet meer dan een voorbereiding geweest voor dit genot.

Ik zette zulke gedachten meteen uit mijn hoofd, want ze waren natuurlijk godslasterlijk. Ik voelde het misschien wel zo, maar ik wilde er niet zo over denken, laat staan het hardop zeggen. Zolang ik mijn gevoelens maar niet onder woorden bracht, bleven ze onschuldig. Als ik ze wegdrukte naar een uithoek van mijn gedachten, konden ze geen kwaad.

Ik zei ook tegen mezelf dat de lichamelijke liefde een vorm van aanbidding en lofprijzing was. Door de liefde nemen we actief deel aan Gods scheppingswerk.

Eén augustusnacht herinner ik me in het bijzonder. We hadden bonen geplukt en Tom had ze per mand verkocht aan de vrouwen van het dorp. Volgens mij had hij meer dan tien dollar verdiend. Onderweg naar huis brak de as van de wagen. Hoe dat kwam, weet ik niet. Misschien was hij versleten door al die extra vrachten. Tom stutte het wiel met een jong boompje tot hij thuis was. Een nieuwe as kostte tien dollar en dus had hij het gevoel dat al het werk van die dag voor niks was geweest.

Nu is me opgevallen dat de liefde geweldig is wanneer je je goed voelt, maar soms ook wanneer je een beetje down bent. Als je je wat somber voelt, verzet je je eerst tegen de liefde, maar daarna overkomt het je als een weldaad. Je lichaam neemt het over en geeft je alles terug wat je even kwijt was. Het lichaam heeft zijn eigen wijsheid en zijn eigen wil, en soms weet het beter dan jijzelf wat je het hardst nodig hebt.

Die avond zag ik dat Tom wel een oppepper kon gebruiken. Ik nam een uitgebreid bad in de tobbe in de slaapkamer, zodat ik helemaal zacht en rozig werd. Ik poederde mezelf en wreef mezelf in met eau de cologne. Toen ik klaar was, lag Tom al in bed. Ik wist dat hij moe was, en dat niets zo weldadig is als een diepe slaap wanneer je een tegenvaller of een slecht bericht moet verwerken. Ik denk eigenlijk dat hij al sliep toen ik de lamp uitblies en in bed stapte, maar zodra ik onder de lakens schoof, voelde ik hem wakker worden. Ik merkte het aan zijn bewegingen en aan het zachter worden van zijn ademhaling. Hij duwde zachtjes tegen me aan, net genoeg om zijn bedoeling duidelijk te maken. Het is raar hoeveel een mens kan zeggen met één zo'n duwtje.

Goed, ik ben niet van plan in details te treden. Het gaat anderen niks aan, wat getrouwde mensen met elkaar doen. Maar het was een nacht die ik nooit meer vergeet. In de bossen achter de boomgaard lawaaiden de sabelsprinkhanen. Op het erf zong een koor van krekels en zoetgevooisde veenmollen. Na de hitte van de dag kraakte en klopte het hele huis.

Ik vergat die nachtelijke geluiden al gauw. De tijd dijde uit en vermenigvuldigde zich. In het duister gloeiden paarse vlammen op. Kleurige flitsen schoten uit mijn vingertoppen en boorden zich diep in elk plekje dat ik aanraakte.

En er was zo veel tijd! Ieder ogenblik werd eindeloos gerekt. Onze lichamen waren als weidse landschappen en hoge bergen, en we hadden alle tijd van de wereld om ze te doorkruisen en te beklimmen. Er was geen haast bij, nooit geweest ook. We hadden jaren voor één enkele kus.

We konden overal geduldig op wachten. We hadden geen haast, omdat we wisten dat er een geschenk voor ons klaarlag. Ik dacht aan de bonen die we die dag hadden geplukt; je kon voelen dat ze er klaar voor waren, want rijpe bonen voelen stevig aan. Je vingers tasten naar de levenspuls van elke boon en daarna leg je ze een voor een in de mand.

Ik dacht aan Salomo. 'Van mijn geliefde ben ik, en naar mij gaat zijn begeerte uit,' fluisterde ik. Het waren precies de goede woorden in het donker. 'Ik ben een muur en mijn borsten zijn als torens; toen werd ik in zijn ogen als een die overgave aanbiedt,' zei ik.

Die nacht probeerden we een paar nieuwe dingen uit. Wat precies doet er niet toe, voor ons waren ze nieuw. We ontdekten allerlei nieuws in elkaar. Het was als het beklimmen van een prachtige berg, langs richels en holten. Je ploetert langs de helling omhoog en denkt dat je er bijna bent, maar zodra je boven bent, zie je dat de eigenlijke top nog een stuk hoger en verder ligt.

Al die lichaamsgeuren zijn zo opwindend - bezwete oksels, bezwete huid. De huid heeft zijn eigen smaken, hartig en zout; het zout van herinnering, van geestigheid en plezier, het zout waar je klaarwakker van wordt en het zout dat smaakt naar rotsen diep onder de grond.

'Tom,' zei ik. Ik praatte nooit veel tijdens de gemeenschap. Tot nu toe vond ik het prettiger om te zwijgen. 'Tom,' zei ik nog eens, 'dit is het mooiste wat er is, vind je niet?'

Hij zei niets. Hij wachtte op wat ik nog meer ging zeggen.

'Tom,' zei ik, 'intenser dan dit kan het niet worden.'

Het donker welfde zich als glooiende weideheuvels en diepe valleien, bekleed met bont en fluweel.

'Ik kan zien waar de hemel de aarde raakt,' zei ik, 'en hij is glad als melk.'

De aarde spuwde een regen van vonken, wervelend in het donker. De wind verspreidde ze tot aan de einden der aarde. Uit de bodem vloeide een warme Nijl, die ons meevoerde naar ongekende hoogten.

'Dit is de plek,' zei ik, 'denk je ook niet?'

Nog steeds zei Tom niets. Hij zei nooit een woord te veel. Het was mijn taak om iets tegen hem te zeggen.

'Dit is de plaats waar alles begint,' zei ik. 'Dit is het hart van de schepping.'

En toen zag ik Toms gezicht. Hoe dat kon in het pikkedonker, weet ik niet. Misschien bliksemde het buiten of passeerde er een meteoor. Maar ik zag zijn gezicht en zijn ogen keken recht in de mijne, alsof hij zag wat ik dacht en voelde. Alles wat van mij was, zag en voelde hij. Zelfs als hij helemaal stillag, voelde hij van mij elke bewegende centimeter.

'Tom!' zei ik. En toen merkte ik dat mijn woorden op een andere manier betekenis en inhoud kregen. De alledaagse woorden en zinnen maakten plaats voor een heiliger manier van spreken en ik besefte dat het tongentaal was. Het was voor het eerst dat ik buiten een samenkomst in tongen sprak. Wat ik zei, wist ik niet, maar ik begreep wel dat wat me overkwam een gave was. 'Tom!' zei ik weer en mijn stem vloog als een vogel en mijn tong jubelde hemelhoog. Ik zong het uit, terwijl ik hem omklemde, nauwelijks meer wetend wat ik deed. Ik bevond mij op een lange reis, langs rivieren en door ravijnen, door diepe dalen en over met bloemen bedekte bergen. Hier in het donker lag de hele wereld voor ons open.

Toen zag ik het doel waarnaar we op weg waren geweest. Als een kompasnaald zwenkte alles in één richting en richtte zich naar het oog van een duif, die hoog in een boom op de bergtop zat. Het oog was roerloos, als een rimpelloze regenplas. Het was het stille oog van de woedende orkaan die het leven is.

'Zo is het bedoeld,' zei ik.

Tom zei nog steeds niets.

'Dit is een heilige plaats,' zei ik. 'Ja toch?'

'Yeah,' zei Tom. Meer niet, maar het was genoeg.

Toen de avonden killer werden en we 's avonds bij het vuur zaten, las ik Tom wel eens voor, nadat hij zijn geld geteld had; uit de krant of uit een tijdschrift. Soms las ik zelfs een gedicht of iets uit de Bijbel. Hoewel hij nooit veel zei over wat ik las, vond hij het volgens mij wel leuk. Het nieuws bijhouden is een gewoonte als alle andere, en hoe meer je weet van wat er in de wereld gaande is, hoe meer je er van wilt weten. Zodra je de loop van een bepaalde gebeurtenis begint te volgen, wil je weten hoe het verdergaat.

In de Stille Oceaan vochten de Russen tegen de Japanners, die een van hun zeehavens hadden aangevallen. Ik kon de naam van de stad niet uitspreken en dus spelde ik hem: W-l-a-d-i-w-o-s-t-o-k.

'Wat is dat nou weer voor naam?' zei Tom.

'Het is Russisch, denk ik.'

'En wat gebeurde er toen?' Tom legde zijn kleingeld in het sigarenkistje en trok zijn schoenen uit. Op koude avonden warmde hij graag zijn voeten bij het haardvuur.

'Bijna de hele dag bombardeerden de Japanse oorlogsschepen de havenstad,' las ik voor uit de krant. 'Nog voor het donker werd, hadden alle Russen zich overgegeven en was de stad door Japanse troepen ingenomen. Alle inwoners, onder wie veel Amerikaanse burgers, werden krijgsgevangen gemaakt.'

Tom ontging geen woord van wat ik las. 'Wat is een burger?' vroeg Jewel, die bij hem op schoot gekropen was.

Toen ik hem een keer Longfellow voorlas, voelde Tom zich volgens mij een beetje opgelaten. Ik las een paar minuten uit *Hiawatha*, en eerst luisterde hij nog aandachtig. Ik denk dat hij genoot van de melodieuze taal, van het ritme en de herhalingen. Dus las ik door, en nog steeds leek hij een en al aandacht, maar toen zag ik hem plotseling knikkebollen. Ik hield op.

'Ga door,' zei hij en ging rechtop zitten.

'Moet ik verder lezen?'

'Tuurlijk,' zei hij.

Weer las ik een paar regels en weer begon hij te knikkebollen. Zijn kin viel op zijn borst en zijn ogen vielen dicht. Ik hield op met lezen. Meteen kwam hij weer tot leven.

'Nee, ga nou door,' zei hij.

'Het heeft geen zin om voor te lezen als jij in slaap valt,' zei ik. 'Zal ik iets anders lezen?'

'Nee hoor, dit is best,' zei hij.

Ik begon weer te lezen en voor ik het wist gingen zijn ogen weer dicht en knakte zijn hoofd voorover. Ik deed het boek dicht. 'Morgen zal ik wel iets anders lezen,' zei ik.

'Dat hoeft niet, hoor,' zei hij en hij hees zich overeind.

'Volgens mij ben je niet zo in indianen geïnteresseerd.'

'Het gaat helemaal niet over indianen,' zei hij.

'Hoe weet jij dat nou?'

'Indianen praten heel anders.'

'Hoe weet jij nou hoe indianen praten?'

'In elk geval niet zo, dat weet ik wel,' zei Tom.

Die winter raakte ik weer in verwachting. Het was de vierde keer, maar ik was doodsbang geworden door wat er met de vorige baby was gebeurd. Ik kon de gedachte niet van me afzetten dat ik iets verkeerd had gedaan, hoewel ik geen idee had wat dat kon zijn. Ik bedacht dat ik me misschien te veel had ingespannen in die hitte, of de verkeerde dingen had gegeten of me op de verkeerde manier over de wastobbe had gebogen. De mensen zeggen dat het drinken van sterke drank een ongeboren kleine kan schaden, maar ik had alleen zo nu en dan een borreltje genomen om mezelf te kalmeren. Na de geboorte van Moody was ik dat wat vaker gaan doen, zij het nou ook weer niet zo vaak. Pa had in zijn kabinet een kruikje whisky staan, bij al zijn kruiden en poeders. Soms kocht ik zelf een fles, die ik in mijn linnenkast verstopte. Alleen als ik me te druk had gemaakt, nam ik er iets van om weer tot rust te komen.

Bij het verstrijken van de winter en het naderen van de lente begon ik me steeds meer te ergeren aan kleine dingen. Ik kon er niet tegen als de kinderen lawaai of ruzie maakten. Het werkte me op de zenuwen als er eentje begon te huilen. Het maakte me razend als ik zag dat het rommelig was in huis of dat er een stapel was lag te wachten. Dan raakte ik uit mijn humeur en snauwde tegen pa en Tom. Als ik zag dat de kinderen zich vies maakten bij het spelen op het erf, schoot ik uit mijn slof. Nu Moody wat ouder werd, begon ik te merken dat je van jongens veel meer last hebt dan van meisjes. Hij klom overal bovenop en gooide altijd wel iets om. Hij vocht met Jewel en had driftbuien waarbij hij erop los sloeg. Vanaf dat hij twee was, speelde hij graag schietspelletjes. Hij is totaal anders dan Tom, dacht ik vaak, als hij weer van 'pangpang!' stond te gillen en deed of hij me doodschoot.

Wanneer het me allemaal te veel werd, ging ik naar de buitenplee tussen de grote coniferen aan de voet van de heuvel. Een zwangere vrouw moet toch al vaker dan gewoonlijk, omdat ze niet zo veel ruimte meer in haar buik heeft. Ik ontdekte echter dat het zo'n opluchting voor me was om even het huis uit te zijn, weg van alle drukte, dat ik elke keer een paar minuten langer bleef zitten. Op het toilet viel tenminste niemand me lastig. Steeds langer en langer stelde ik de terugkeer naar de keuken uit.

Het koele hout van de zitting voelde prettig aan tegen mijn blote huid. Het hout was glad gepolijst door twintig jaar gebruik en glansde als een in de was gezette vloer. De kou deed me huiveren, maar kalmeerde me ook. Waar ik zat, warmde het hout trouwens ook al gauw op.

Er was iets in die schemerige sfeer dat me ernstig stemde en tot bidden noopte. Het licht was er gedempt als in een kapel of een binnenkamer. Als het waaide, ruisten de coniferen tegen de wanden en tegen het dak. Door de kieren dwarrelden naalden omlaag die op de grond een tapijtje vormden.

Ik mijmerde erover dat op deze plaats aarde terugkeerde tot aarde, als een offer van dank voor wat de aarde ons geschonken had. Dit was een plaats van betaling en vergoeding. Ik mijmerde erover hoe belangrijk het was om een stille plek voor jezelf te hebben, een toevluchtsoord. We kunnen ons terugtrekken in ons eigen hoofd en vandaar naar buiten kijken, maar soms zien en horen we te veel. Het was fijn om een tweede schuilplaats te hebben om naartoe te gaan.

Als ik daar zat, voelde het bijna alsof ik zo buiten de tijd zou kunnen treden. Ik kon de stroom van seconden langs me heen laten gaan, terwijl ik zelf in die holte van stilte bleef. De ruimte was een grijs kristal waar ik in kon klimmen. Ik kon de kinderen horen schreeuwen en de koeien horen bulken, en ik hoorde de kraaien in de dennenbomen op de heuvel. Na een flinke regenbui hoorde ik zelfs de rivier murmelen. Maar bovenal kon ik mezelf horen denken.

En ik bedacht dat deze stilte, vergeleken bij de extase van een samenkomst, het andere uiterste was en tegelijk ook bijna hetzelfde. Om even uit de tijd te kunnen stappen en na te denken en herinneringen op te halen, was een bijzonder voorrecht, met een eigen heilig karakter.

Soms voelde ik me daar weer een klein meisje, en dan was het alsof ik niets te doen had. Ik fantaseerde dat ik geen man had om wie ik me zorgen moest maken, en dat ik alle tijd van de wereld had om naar samenkomsten te gaan en te lezen en te doen waar ik zin in had. Ik kon in het bos gaan spelen als ik dat wou, of naar de rivier afdalen en door de ondiepte waden, op zoek naar alikruiken en rivierkreeftjes.

In die sombere schemering voelde ik me dichter bij mijn gestorven moeder dan toen ik nog klein was. Ik kon me herinneren hoe zij ons bijbelverzen uit het hoofd liet leren. Ze had net zo'n gloeiende hekel aan de pinkstersamenkomsten als Tom. Ik bedacht hoe alle generaties met elkaar verbonden zijn en dezelfde dingen doen, zelfs als ze dat niet weten. Ik besefte dat we altijd op onze ouders lijken, ondanks onszelf, en dat onze kinderen weer net zo zullen zijn als wij. En daar kunnen we niets aan doen, hoe graag we het soms ook willen.

Toen ik daar weer eens zo zat, hoorde ik plotseling Moody brullen. Hij gilde moord en brand. Het geluid kwam van de kant van het kippenhok, aan de hoge rand van het erf.

'Mama, mama!' riep Jewel. Ze rende naar huis, in de veronderstelling dat ik in de keuken was. Door een kiertje zag ik haar de verandatrap opgaan. Tegen de tijd dat ik buiten stond, was Jewel het huis alweer uitgerend. 'Kom gauw,' zei ze, 'Moody is gevallen.'

'Waar dan?'

'Hij is van het erf gevallen.'

Ik rende langs het huis en keek aan het eind van het erf over de rand, en jawel hoor, daar lag Moody in het onkruid, ondersteboven, alsof hij een salto had willen maken en halverwege was blijven steken. Aan zijn jasje kleefden stokjes en blaadjes. Ik weet niet of hij geen adem meer kon krijgen, of dat hij van schrik niet meer op kon staan, maar het was duidelijk dat hij naar beneden gerold was en op zijn hoofd was terechtgekomen.

Toen ik hem optilde, puilden zijn ogen uit. Hij leek zelfs te geschrokken om te huilen. Zijn gezicht zat onder het zand en de viezigheid.

'Heb je je pijn gedaan?' vroeg ik.

Er ging een schok door hem heen, alsof hij weer zou gaan huilen. Ik betastte hem voorzichtig om te zien of hij iets gebroken had. Toen begon hij weer te brullen en daardoor wist ik dat hij verder ongedeerd was.

De baby die in juni werd geboren, was een jongen. Tom noemde hem Muir Ray, naar zijn baas op de boerderij van Lewis. Ik had Moody vernoemd naar mijn favoriete evangelist, en daarom, zei hij, wilde hij deze jongen vernoemen naar iemand die hij graag had gemogen. Ik maakte geen bezwaar, want ik vond het niet meer dan redelijk. De naam heb ik echter nooit zo mooi gevonden. Hij klonk me hard en donker in de oren. Ik wist dat het een Schotse naam was, en voor mij had hij een gierige, onvriendelijke bijklank.

Na die heerlijke nachten van de afgelopen zomer en herfst, en al ons harde werken op het land, zou je verwachten dat de nieuwe baby ons dichter bij elkaar had gebracht. Je zou verwachten dat Toms blijdschap om zijn tweede zoon een uitweg zou hebben gevonden in zijn gevoelens voor mij. Maar wat je verwacht, komt eigenlijk nooit uit.

De eerste tijd na de geboorte van Muir was Tom gewoon stil. Hij hield zich een beetje afzijdig en raakte me ook niet meer zo vaak aan als we samen waren. We hadden met elkaar geslapen tot ik in de zesde of zevende maand was, en toen had Tom zijn bed op zolder weer opgemaakt. Hij dwong zichzelf te verhuizen, zei hij, ter wille van de baby. Er is altijd een risico dat de baby of de moeder schade oploopt, had dokter Johns gezegd. Wij kwamen echter opnieuw tot de ontdekking dat de wederzijdse gevoelens van man en vrouw veranderen, zodra ze niet meer met elkaar slapen. Hoezeer ze ook hun best doen om geen ruzie te maken, het is niet meer hetzelfde. Volgens mij is al dat seksgedoe het voornaamste bindmiddel dat mensen bij elkaar houdt. Zo heeft de Heer ons nu eenmaal geschapen. Ik wist niet of ik de dokter eigenlijk wel geloofde. Ik merkte dat ik Tom soms even aankeek, voor hij naar de vliering klom. Maar hij was een man met een sterke wil en hij was hard voor zichzelf. Als ik kwaad op hem was, wilde ik het nooit toegeven, maar ik heb altijd geweten dat hij op zijn manier een man van eer was.

In de zomer na Muirs geboorte, de zomer van 1905, kreeg de familie Waters met tyfus te kampen. Ik zei tegen Hilda dat ze de kinderen die de ziekte niet hadden maar bij ons moest brengen. Ik wist dat mensen met tyfus absolute rust nodig hebben. Ze moeten in een stille, donkere kamer liggen, totdat de koorts wijkt. Het is erg moeilijk om ze te verplegen als er nog andere kinderen rondrennen.

Het was op een zaterdag dat ik dit tegen Hilda zei, en ik had het er niet met Tom over gehad. Hilda had geholpen bij de geboorte van al mijn kinderen en dit leek me wel het minste wat ik terug kon doen. Als mensen elkaar niet helpen, gebeurt er nooit eens iets goeds. Als vrouwen elkaar niet bijstaan, weet ik niet hoe deze wereld ooit haar kinderen groot moet brengen.

Omdat we geen bedden over hadden, moesten twee van de kinderen Waters bij Jewel in bed, en twee moesten er op een houten pallet op de vloer. Toen ik met de kinderen thuiskwam, zag ik al gauw dat Tom er kwaad om was. Ik denk nu ook wel dat ik het hem eerst had moeten vragen, maar daar was het al te laat voor. Dus werd ik ook boos. Als je denkt dat je het inderdaad niet helemaal goed hebt aangepakt, word je vaak extra boos.

'Ik wist niet dat we kostgangers zouden nemen,' zei Tom.

'Ik moest Hilda toch helpen,' zei ik.

'En onze eigen kinderen de tyfus laten krijgen, zeker,' zei hij.

'Zo krijg je helemaal geen tyfus,' zei ik.

'En hoe weet jij dat, dokter Powell?' zei hij.

Ik had gelezen dat mensen tyfus krijgen door vervuild water uit putten en bronnen, maar zeker wist ik het niet. Zo keerde onze oude woede terug en die was in elk geval wel besmettelijk. Zodra één van ons nijdig werd, was de ander het in een mum van tijd ook. Het was als een koorts die ons te pakken kreeg, even vertrouwd als een verkoudheid.

'Je hoeft niet zo kwaad te worden,' zei ik en ik probeerde iets te bedenken om de dreigende ruzie te sussen. 'Het is maar voor een paar dagen. De dokter zei dat ze uit de buurt moesten blijven.'

'En waarom moet dat dan in mijn huis?' vroeg hij.

'Het is jouw huis anders nog niet,' zei ik. Het was eruit voor ik er erg in had en eenmaal gezegd, viel het niet meer terug te nemen. 'Ik bedoel dat het mijn huis ook is, en dat van pa,' zei ik.

Tom was nu zo kwaad dat hij geen antwoord meer gaf. Hij liep de deur uit en kwam niet voor het avondeten terug. Na het melken zette hij de emmers op de veranda, zodat ik de melk kon afromen, en liep zelf het land weer in. Toen hij 's avonds laat terugkwam, klom hij regelrecht de ladder op naar de vliering.

Muir was pas twee maanden oud, toen we al geen woord meer tegen elkaar zeiden. Tom werkte nog steeds volgens hetzelfde rooster op de akker en in de tuin, maar dit jaar hielp ik niet mee. Elke dag reed hij een wagen vol producten naar het dorp en hij verdiende meer dan ooit. Maar hij telde zijn geld niet meer bij de haard. In plaats daarvan deed hij het in zijn sigarenkistje dat hij op de vliering bewaarde.

Twaalf

Omdat hij het zo druk had op het land en ik mijn handen vol had aan de baby, en omdat hij toch geld overhad, nam Tom Florrie in dienst om mij te helpen met wassen en schoonmaken.

In het verleden was Florrie ook zo nu en dan bijgesprongen en ik denk dat ze dat best weer voor niets had willen doen. Het voelde raar om je eigen zus te betalen voor haar werk. Waarschijnlijk vond Tom dat hij het haar alleen kon vragen als hij haar ook geld aanbood. Per slot van rekening had Florrie haar eigen huishouden en was David vaker wel ziek dan niet.

Ik had er echter flink de smoor over in dat Tom Florrie had gevraagd voor mij te werken en dat hij haar betaalde. Ik weet dat dit niet terecht was, maar toch voelde ik het zo. 'Ik heb Florrie ook voor niks geholpen,' zei ik. Het leek gewoon niet eerlijk, en daarom toonde ik minder waardering voor Florries werk dan ik had kunnen doen. Ik voelde me gekrenkt, alsof me werd verweten dat ik lui was of te traag van mijn bevalling herstelde.

De hele toestand was eens te meer merkwaardig, omdat Florrie volgens iedereen een huisvrouw van niks was. 'Je kunt groenten verbouwen op haar keukenvloer,' zeiden de vrouwen. Ze was dol op roddelen en tijdschriften lezen en dronk graag een borreltje. Ze had altijd een fles op voorraad in haar keukenkastje, voor cake en pudding, zei ze. De eerlijkheid gebiedt me te zeggen dat ze bij een ander wel flink aanpakte. Ik geef het niet graag toe, maar voor mij werkte ze vlug en grondig.

Tom betaalde Florrie een dollar per dag voor het schrobben en boenen, voor de was en voor het uitspoelen van de luiers bij de koelschuur. Volgens mij nam hij haar gewoon in dienst om mij de voet dwars te zetten, en ook omdat hij graag naar haar gebabbel luisterde. Florrie was altijd in voor een geintje en ze vond het heerlijk om over de opwekkingssamenkomsten te roddelen. Op een dag hoorde ik haar bij de waslijn met Tom praten. Ze was overhemden aan het ophangen en Tom, die onderweg was naar het weiland om het paard te vangen, was even blijven staan.

'Ik zeg het je maar eerlijk, Tom,' zei ze, 'ik heb totaal geen fiducie in dat opwekkingsgedoe. Laatst zat ik keurig netjes in de kerk, gaat zuster Lily ineens staan en begint luidkeels een getuigenis te geven. Ze hemelde zichzelf vreselijk op, alsof ze beter was dan de rest, en ze verweet alle anderen dat ze niet in de Geest waren zoals zij. Ik zeg tegen mezelf, ik zeg: we zullen eens zien in welke geest jij eigenlijk bent. Dus ik in de benen en toen ze naar me keek, lachte ik zo lief als ik maar kon. Zegt zij tegen de anderen: "Kijk, zuster Florrie is ook in de Geest." Terwijl ik juist aldoor zat te denken wat een schijnheilige trut ze eigenlijk was en dat ik haar voor geen cent vertrouwde.'

Hier staat mijn eigen zus achter mijn rug om met mijn man over onze samenkomsten te kletsen, dacht ik. Welke vrouw zou daar niet kwaad over zijn? Ik nam aan dat Tom er juist op uit was om mij nijdig te maken, zodat ik Florrie zou wegsturen. Dan had hij gewonnen, doordat het leek alsof hij aardig voor Florrie was en ik een kreng. Door zo suikerzoet tegen Tom te zijn, stak ze me een mes in de rug in mijn eigen huis. Ik zag echter ook wel in dat het mij in een kwaad daglicht zou stellen als ik het haar en Tom op die manier voor de voeten smeet. Bovendien had zij er dan weer een verhaal bij om rond te bazuinen.

In de herfst na Muirs geboorte was er een samenkomst in Mountain Valley, een klein dorpje vlak bij de plek waar Cabin Creek ontsprong. Ongeveer een mijl ten noorden van de plaats waar de kreek in de rivier stroomt, perst hij zich door een kloof vol coniferen en rotsblokken. In die tijd bevond zich daar de grootste watermolen in de wijde omtrek. Langs die kloof lag de vriendelijkste vallei die je ooit hebt gezien, genesteld als een wiegje tussen de omringende heuvels. De meeste mensen die daar woonden waren Raeburns en ze woonden er al toen het nog indianengebied was.

De groene kapel was neergezet door een Raeburn die was bekeerd door een prediker uit South Carolina. Hij had de samenkomst ook bij hem thuis kunnen houden, maar zijn vrouw, een zeer rechtlijnig baptist, dreigde iedereen neer te zullen schieten die met 'de pest van de opwekking' in haar buurt durfde te komen. Het gaf niet, want midden in het bos verliepen de samenkomsten toch altijd beter, zo omringd door bomen en overgeleverd aan de elementen. Binnen in een huis leek het of de Geest werd uitgedoofd door een teveel aan licht. Het samenzijn in de bossen had iets geheimzinnigs en mysterieus. In het lantaarnlicht kon je de aanwezigheid van de Geest gewoon voelen. Het was een goede manier om de hebzucht en de onenigheid van het dagelijks leven te ontvluchten.

Bij de eerste samenkomst nam ik de baby mee. Pa en ik reden met de wagen naar de vallei, samen met Joe en Lily. Het was al bijna twee jaar geleden dat ik voor het laatst naar een opwekkingsbijeenkomst was geweest. In mij leefde een hunkering die sterker en sterker werd. Het was een diep verlangen naar vreugde, naar lofprijzing en dankzegging. Het doel van ons leven was immers lofprijzing? Of Tom dat nu inzag of niet, de behoefte eraan viel niet te ontkennen. Terwijl de wagen in de invallende duisternis krakend omhoog klom, zei ik tegen mezelf: het leven is te kort om de taak waarvoor we geschapen zijn te veronachtzamen.

De kapel stond aan de rand van een dennenbosje, van de weg af gezien aan de overkant van het veld. Onder de mensen die buiten stonden, waren ook de jongens van Gibson die in de bergen woonden. Sommigen droegen een geweer en anderen hadden een pistool in hun broeksriem gestoken. Bij mijn weten waren de Gibsons nog nooit eerder naar een dienst gekomen. Toen ik nog een klein meisje was, had pa een grensconflict gehad met de Johnsons, waarbij de Gibsons de kant van de laatsten hadden gekozen. Er werd gezegd dat ze opstandelingen waren en paardendieven. Tijdens de Burgeroorlog hadden ze samen met de Johnsons een bende gevormd die er 's nachts op uittrok om mensen te beroven. Verbaasd vroeg ik me af of ze bekeerd konden zijn.

De meeste anderen waren trouwe pinkstergelovigen. Daar had je de oude Jim Wheeler, die een zwaaier was. Als hij vervuld raakte met de Geest, stond hij op en begon zijn arm rond te draaien als een molenwiek. Hij draaide en draaide tot het zweet hem uitbrak en je zijn arm alleen nog in een waas zag. Ook de kleine Ronnie Cartee was er, die bekendstond als een blaffer. Zodra de Geest hem aanraakte, rende hij naar buiten, greep een boom met twee handen beet en keek jankend omhoog, zoals een hond naar de maan huilt. Niemand wist waarom hij dat deed. Het was zijn manier om zijn vreugde te uiten. Zo had iedereen zijn eigen wijze van gelukkig zijn.

Achter in de kapel stond de tanige George Leland, die 'de kikker' werd genoemd, omdat hij overal overheen sprong als hij blij werd. Dan wipte hij over boomstronken en stoelen, en deed haasje-over met mensen die geknield lagen te bidden. Eén keer, het was in Cross Roads, was hij zelfs over de preekstoel gesprongen. Als je hem voor de dienst zo slungelig zag rondhangen, zou je niet zeggen dat hij zo veel pit had.

Ik wilde wel dat ik kon vertellen waar de preek die avond over ging, maar ik weet er niets meer van. Ik weet alleen nog dat de voorganger ons een hele tijd liet wachten. Al die tijd zaten we op de bankjes in die benauwde ruimte. De jongens buiten stonden te smoezen en te lachen, en dat klonk gewoon niet goed. Het leek wel of ze gekomen waren voor een kermis of een circusvoorstelling. Het maakte me een beetje bang.

Eindelijk kwamen Allen Raeburn en Ben MacBane uit het bos tevoorschijn, met een lantaarn in hun hand. Achter hen liep de voorganger. Het was een kleine man met een rood gezicht, en een grijs pak aan. Ben hing de lantaarn aan een paal en ging voor ons staan. Ik lette alleen op de voorganger om te zien wat er met hem gebeurde. Hij was op zijn knieën gevallen bij de ingang van de kapel en daar bleef hij zitten, met gesloten ogen.

'We zullen een lied aanheffen,' zei Ben. Nu was het altijd weer een genot om Ben te horen zingen. Zijn stem was zo zuiver dat hij uit een ver verleden leek te komen. Als je hem hoorde zingen, dacht je: zo hoort muziek te zijn. Alle andere stemmen waren er niet meer dan een zwakke echo van.

'Revive us again,' riep Ben en samen zongen we dat aloude opwekkingslied, waarbij Ben iedere regel voorzong. In mij rees een geluksgevoel, een intens genot uit het diepst van mijn ziel. Ik geloof dat mensen behoefte hebben aan voedsel en aan liefde, maar dat beide alleen maar een afspiegeling zijn van de behoefte aan goddelijke liefde. De mensen zijn op aarde om die liefde te ervaren en om God te prijzen. Nu ik die vreugde langzamerhand terugvond, merkte ik pas hoe erg ik die de afgelopen twee jaar gemist had.

Na 'Revive us again' zongen we 'Work, for the night is coming'. De vrouw van Reece uit het dorp en Tildy Tankersley stonden al te schreeuwen, maar toen het lied uit was, hield iedereen zijn mond weer. Allemaal keken we naar de voorganger, die nog steeds met gesloten ogen op zijn knieën lag. Hij leek in een soort trance te verkeren.

'Maak hem eens wakker,' zei een van de jongens binnensmonds en tussen de bomen werd gegrinnikt.

Langzaam kwam de voorganger overeind. Hij liep naar voren en ging bij de lantaarn staan. Daar strekte hij zijn armen uit en keek van links naar rechts. 'Ik geloof niet dat we met minder dan vreugde genoegen moeten nemen,' zei hij. 'We zijn op aarde om God te prijzen en vol blijdschap te zijn.'

'Amen,' zei Joe.

'Ik geloof dat we de verlosser kunnen leren kennen en blijdschap ervaren,' zei de voorganger. 'Volgens mij zijn we niet op aarde om in zak en as te zitten. We zijn niet geschapen om te jammeren en te klagen, of om te lasteren en te liegen. Ik geloof dat we hier op aarde zijn om het licht te zien en zelf een licht te worden.'

'Amen,' zei Joe weer en een paar andere mannen vielen hem bij.

Ik begon helemaal te gloeien. Een vlam van genot joeg door mijn botten en langs mijn ruggengraat. De boodschap stroomde als een fonkelende, warme wijn door mijn aderen en het was precies de boodschap die ik op dat moment moest horen.

'Het enige wat u tegenhoudt om de blijdschap in de Geest te ervaren, is zelfzucht en angst. Het enige wat u tegenhoudt bent uzelf.

De duivel wil niets liever dan dat u terugvalt in angst en zelfmedelijden. De duivel wil dat u zich ellendig en eenzaam voelt.'

'Amen,' zeiden Joe en de andere mannen. Vrouwen zeiden nooit 'amen' op wat een voorganger zei.

'U hoeft niet meer te doen dan de doop in uw hart te aanvaarden,' zei de voorganger. 'Het is een geschenk dat u alleen maar hoeft aan te nemen.'

Ergens in het donker liet iemand een luide boer. Tussen de bomen werd opnieuw gegrinnikt. De voorganger hield op en keek om zich heen. Hij tuurde in het donker en keek de hele kapel rond. Het duurde lang voor hij weer iets zei. 'Wee hun, die de Geest bespottelijk maken,' zei hij toen. 'God laat niet met zich spotten.'

'Amen,' zei Joe.

'Wie de Geest bespot, wacht hel en verdoemenis!'

'Hel en verdoemenis!' zei iemand in het donker.

'Wee de twijfelaars en de spotters en wee hun die de Geest op de proef stellen,' zei de voorganger.

'Amen, b-b-broeder,' zei Joe.

'Vanavond is er iemand onder ons die waarschijnlijk verdwaald is,' zei de voorganger. 'Iemand hier is haar vreugde en zekerheid kwijtgeraakt.' Hij zweeg en keek naar mij. Het was alsof hij mijn gedachten kon lezen. Er ging een rilling door me heen.

'Ik ben gekomen om je te vertellen dat het nog niet te laat is,' zei hij. 'De doop is beschikbaar voor iedereen die hem wil ontvangen.'

Ik voelde dat ik werd opgetild, alsof er een golf over me heen sloeg waarop ik werd meegevoerd. Ik keek de voorganger recht in de ogen en in mijn hoofd loeide een stormwind. Ik wist niet meer wat ik deed en tegelijk wist ik het heel goed, want het was me eerder overkomen. Ik zag mezelf omhoogvliegen in een zwarte windvlaag. Ik wist dat dit een klein voorproefje was van de heerlijkheid die voor iedereen bestemd is. Ik liet mezelf meevoeren op een vloed van woorden, wit als bergen en kornoeljebloesems.

'De Heer zegene je, mijn zuster, de Heer zegene je,' zei de voorganger. Hij stond pal voor me en ik voelde weer vaste grond onder mijn voeten. 'De Heer zegene je,' zei hij nog eens. 'Je hebt een boodschap voor ons allen ontvangen.'

Ik had de baby in mijn armen en ook deze keer was de voorkant van mijn jurk kletsnat van de melk. Als iemand die net uit een lange koortsdroom is ontwaakt, stond ik te wankelen op mijn benen. Ik voelde me zo zwak als een pasgeboren kind, alsof ik net een heel nieuw leven had gekregen. Pa hield me vast bij mijn elleboog en mijn schouder.

Op dat moment klonk er een knal alsof de hemel openspleet. Mijn eerste gedachte was dat het moment van de Opname was aangebroken en dat Jezus de hemelen openbrak. 'De Heer sta ons bij!' riep iemand.

Er volgde een tweede knal en nu wist ik dat het een geweerschot was. Iemand op de heuvelrug of ergens in het bos stond over de kapel heen te schieten. De kogels snorden als gitaarsnaren.

'Vrees niet,' zei de voorganger.

Weer klonk een schot en deze keer sloeg de kogel boven onze hoofden in. Dennennaalden en stukjes schors en splinters regenden op ons neer. Ik drukte Muir stijf tegen mijn borst en boog me over hem heen om hem te beschermen. Sommige mensen lieten zich in het zaagsel vallen en anderen begonnen naar de deur te kruipen.

Een groot aantal van de mannen had een pistool op zak. Ze moeten geweten hebben dat er trammelant op til was. Ze zwaaiden met hun wapens in het rond alsof ze niet wisten waar ze op moesten richten.

'Wie is dat daarbuiten?' brulde de voorganger.

'Niet schieten!' riep Ben MacBane.

Nu werd er van alle kanten geschoten. De kogels zoemden als horzels door de nacht. De lantaarn werd kapotgeschoten, maar de geweren bleven vuur spuwen. De hele nacht knalde uit elkaar. Je kon het brandende kruit ruiken. Muir zette een keel op.

'Wegwezen hier,' zei pa. We bukten zo diep we konden en werkten ons tussen de mensen door naar de uitgang. Niemand leek de deur geblokkeerd te hebben, maar het bos was overal vol vuurflitsen en knallen. Gebukt renden we het veld over naar de wagen, met Joe en Lily in ons kielzog.

Toen Tom van de schietpartij bij Mountain Valley hoorde, was hij kwader dan ooit tevoren. 'Je neemt de baby nooit meer mee,' zei hij.

'Een baby hoort bij zijn moeder,' zei ik.

'En een moeder hoort thuis bij haar man,' zei hij.

Toen we ons de tweede avond opmaakten om te vertrekken, kwam Tom van het land en tilde Muir uit de wagen. Ik rende erheen en stak mijn handen uit om hem terug te nemen. Een paar seconden keek ik Tom strak in de ogen, toen draaide ik me om en vertrok samen met pa.

'Je komt maar terug als je borsten op springen staan,' zei Tom.

Na die tweede avond veranderde er iets in Toms houding. Misschien kwam het doordat hij ouder werd, of doordat hij inmiddels helemaal gewend was aan de verbittering tussen ons. Het leek alsof hij zich in die zomer definitief van me afwendde en mij buitensloot. Ik wist dat hij me haatte omdat ik me zo liet gaan waar andere mensen bij waren, en omdat ik danste voor het oog van andere mannen. Hij voelde zich daardoor persoonlijk en in zijn diepste wezen verraden.

Heel die zomer en herfst werkte hij net zo hard als anders. Hij verwerkte het maïsblad tot veevoer, verkocht maïs en tomaten in het dorp en kookte melasse. Zo verdiende hij meer geld dan ooit en dat gebruikte hij om mij te dwarsbomen. Hij betaalde Florrie om te komen helpen met schoonmaken en hij betaalde Joe en David en de oudste jongens van Waters om mee te werken op de suikerrietakker. Ik had hem nog nooit zo hard zien werken, en was nog nooit zo volkomen door hem genegeerd.

Tom kwam altijd net van het land terug, vuil en moe, wanneer pa en ik op het punt stonden naar Mountain Valley te vertrekken. Dan hield hij Jewel en Moody bij zich op de veranda; de baby had hij in zijn armen. Soms maakte hij een stekelige opmerking, maar meestal keek hij alleen maar toe. Zijn stilzwijgen stak meer dan woorden konden doen. Ik geloof dat Tom een niveau van woede had bereikt waarbij hij de indruk wekte geduldig en verstandig te zijn, terwijl hij in feite alleen nog maar onverschillig was. IJver en geduld waren altijd al zijn sterkste kanten geweest, maar nu werden die eigenschappen extra gevoed door de haat. Hij liet de hele wereld zien hoe geduldig en zuinig hij was, terwijl zijn vrouw zichzelf tijdens de samenkomsten te schande zette en zijn zuurverdiende geld aan rondreizende predikers gaf.

Ik weet dat Florrie tegen hem gezegd heeft dat zij het zo zag, en dat ook de rest van de buurt het zo zag. Hij vond nieuwe voldoening in het feit dat Florrie aan zijn kant stond, en in het feit dat hij het vol kon houden. Hard werken was zijn manier om wraak te nemen.

Heel die zomer en herfst werkte Florrie bij ons in huis. Ze kwam bijna elke dag. Omdat ze thuis vrijwel nooit iets deed en zelf ook geen kinderen had, hield niets haar tegen om bij mij de deur plat te lopen. Ik weet dat ze het heerlijk vond om tussen Tom en mij te stoken. Vanaf dat we klein waren had ze me gepest met mijn leesgedrag en met allerlei religieuze dingen. Volgens haar deden de opwekkingssamenkomsten meer kwaad dan goed. Dat had ze van mama geleerd, toen ze nog klein was.

Ik probeerde mijn wrok jegens Florrie verborgen te houden. Het zou koren op haar molen zijn als ik dat niet deed. En ze was tenslotte mijn zus, en kwam elke dag speciaal om me te helpen. Het zou mij in een kwaad daglicht stellen als ik ruzie met haar zocht. Davids hoest werd steeds erger en ze had het loon dat Tom haar betaalde gewoon nodig. David had zwakke longen en moest altijd oppassen dat hij zich niet te erg inspande. De mensen zeiden dat hij tb had, maar Florrie en hij hielden stug vol dat het niet meer was dan een hardnekkige verkoudheid.

Ik zei tegen mezelf dat het niks te betekenen had dat Florrie met Tom stond te praten en te lachen zodra ze maar even de kans kreeg. Ze waren elkaars aangetrouwde broer en zus. Ze waren bijna van dezelfde leeftijd en maakten deel uit van dezelfde familie. En Florrie was een levendig persoontje. Ze had net zo veel pit als ik, alleen uitte zich dat bij haar niet in lezen of het bezoeken van samenkomsten. Door bepaalde gespreksonderwerpen te vermijden, konden we redelijk met elkaar opschieten. Mij vertelde ze zelden een mop en over geloof hadden we het eigenlijk nooit. Zo moest ik de vrede zien te bewaren.

Het viel me wel op dat Tom en Florrie zich altijd van elkaars aanwezigheid bewust waren. Florrie begon zich beter te kleden en stak haar haren op. Zij had nog steeds een goed figuur en kleur op haar wangen. Als je onder het eten even opkeek, kon het zomaar gebeuren dat je haar erop betrapte dat ze naar Tom zat te kijken.

Haar huid was donkerder dan die van mij, en ze had geen rimpels, ook al was ze ouder dan ik.

Eens hoorde ik haar buiten op de veranda met Tom praten. Ze dachten dat ik nog in de slaapkamer was, waar ik Muir voor zijn middagslaapje in bed had gelegd.

'Wat zwelt op van genot?' vroeg Florrie.

'Geen idee,' zei Tom.

'Een veelvraat!' zei Florrie en ze sloeg zich op haar schort van het lachen.

Op een dag was ik in de koelschuur een kan karnemelk gaan halen. Onderweg treuzelde ik een beetje om een bos kardinaalsbloemen te plukken. Tom was al terug van het land om zich te wassen en iets te eten, voor hij naar het dorp zou rijden. Florrie hing de was op tussen de rokerij en de koelschuur. Terwijl ik in de koelschuur bezig was, maakte zij haar werk af en ging het huis weer in.

Om de een of andere reden besloot ik de heuvel achter de koelschuur op te lopen en te kijken of daar onder de coniferen nog meer kardinaalsbloemen bloeiden. Vandaar liep ik nog een eindje verder, om de coniferen heen, en daardoor naderde ik het huis van de andere kant. Toen ik de veranda opstapte, hoorde ik hun stemmen in de keuken. Voor de dichte deur bleef ik staan. Ik kon hen zien door het keukenraam.

Tom stond zich af te sponzen bij een schaal water op tafel. Zijn overhemd hing open en hij had zijn broek losgeknoopt. Blijkbaar had hij net zijn gezicht ingezeept om zich te gaan scheren, toen hij door Florrie werd overvallen.

'Waar heeft Ginny haar blauwsel?' vroeg Florrie giechelend.

'In het kastje daar,' antwoordde Tom. Hij draaide zich om om haar het blauwsel aan te geven, terwijl hij met zijn ene hand zijn openhangende broek vasthield.

Florrie keek hem onderzoekend aan. 'Sommige vrouwen zijn dol op behaarde mannen,' zei ze, 'maar ik heb het liefst een sterke man, hoe dicht zijn vacht ook is.' En toen gaf ze hem een klap op zijn buik, recht op zijn navel. Het was iets wat ze vroeger vaak bij David deed, in de tijd dat ze nog verkering hadden.

Ik had het gevoel dat ik door de bliksem was getroffen, maar ik bleef staan om te zien wat er nu zou gebeuren. Mijn huid prikte en gloeide, alsof het zweet zich tevergeefs uit mijn poriën naar buiten probeerde te persen. Ik wilde niets meer zien, maar ik kon me niet verroeren.

Tom stak zijn linkerhand uit alsof hij die in Florries nek wilde leggen, maar hij bedacht zich. 'Ik ga maar weer verder met wassen,' zei hij lachend.

Ook Florrie begon te lachen en toen liep ze haastig de keuken uit.

Ik wachtte nog een paar seconden voor ik naar binnen ging. Omdat Tom en ik nooit meer tegen elkaar spraken, zei ik ook hier helemaal niets over. Na verloop van tijd probeerde ik het als een incident te beschouwen, waarbij zij hem per ongeluk - want dat was het - in de keuken had overvallen. Ik moest er niets achter zoeken. Wanneer mensen zo nauw samenwerken en zo dicht op elkaar leven, krijg je dat soort gênante voorvallen nou eenmaal. Ik probeerde het geluk van de samenkomsten vast te houden in mijn dagelijks leven. Wat hadden die samenkomsten voor nut, als de rest van mijn leven vol bitterheid was? Wat had ik aan een opwekking als die niet mijn hele bestaan doordrenkte?

Nadat die herfst het melasse koken achter de rug was, ging Tom verder met het opknappen van de boerderij. Al voor hij de maïs helemaal binnen had, begon hij met de verbreding van de weg. Daarbij werkte hij even hard als op het land of in de moestuin. Met een grote schop groef hij de steile wegkanten af en met het zand hoogde hij de buitenrand van de weg op. Na al die jaren van wagenverkeer over stenen en door kuilen was er van de weg niet meer dan een karrenspoor over en zelfs die sporen waren hier en daar door de regen weggespoeld.

Het eerste stuk van de weg volgde het oude wagenspoor dat regelrecht naar het gehuchtje voerde waar pa was opgegroeid. Dit pad was al bijna honderd jaar geleden met ploegen en sleeppannen uit de gele aarde uitgegraven. De zachte grond zat vol geulen waardoor het overtollige regenwater omlaag stroomde. Tom groef vanaf dat punt een greppel tot aan de bocht.

Op de plaats waar onze eigen weg uitkwam op Green River

Road bouwde Tom een nieuw toegangshek. We hadden daar altijd een koeiensluis van houten palen gehad en telkens als we daar langsreden moesten al die palen aan de kant en daarna weer teruggelegd worden. Het was een klusje waar ik een gruwelijke hekel aan had, vooral als bij regenachtig weer de palen nat en glibberig waren. Tom effende bij de ingang een groot stuk grond zodat de wagen er gemakkelijk kon keren. Nu leek het de toegang tot een deftig landgoed. Nooit liet hij tegenover mij of pa iets over zijn plannen los. Hij ging gewoon aan de slag.

Het hek zelf maakte hij van eikenhouten planken. Het was minstens drie meter breed en versterkt met dwarsbalken. Het hek scharnierde aan een paal van robiniahout en de ijzeren scharnieren werden door Tom met wagenvet ingesmeerd. Een smid uit de stad maakte een grendel die je van twee kanten kon bedienen. Een slot was er niet, maar je kon wel een ketting met een hangslot om de grendel bevestigen. Een kabel vanaf de top van de scharnierpaal hield het hek waterpas en maakte het zo licht in gebruik dat je het met je pink kon openduwen. Tom schilderde het hele geval donkergroen.

Ik sprak in deze weken geen woord tegen hem en mijn dagen waren meer dan gevuld met de zorg voor de baby, maar toch was ik wel geboeid door wat hij deed. Heel mijn leven lang was er nooit iets aan die weg gedaan, alleen waren af en toe de kuilen en geulen opgevuld. Het was verbazingwekkend hoeveel resultaat Tom boekte. Het oudste gedeelte van de weg moet het gemakkelijkst te vernieuwen zijn geweest. Hij hoefde alleen maar aan beide kanten een greppel te graven en het uitgegraven zand te gebruiken om de weg op te hogen. Voor de eerste vijftien meter bestond de grond uit harde, rode klei, maar daarna was de aarde geel en rul en vol kiezels. Hier glansde de grond van stukjes mica, waardoor de bodem glinsterde alsof er een spiegel in scherven was gevallen. Als je een schop de grond instak, kraakte het ervan. Op de plekken waar de sporen waren weggespoeld door de zomerregens, stortte Tom stenen die hij uit het weiland haalde. Hij wilde geen buizen kopen voor de waterafvoer en ging er vermoedelijk van uit dat de stenen ondergrond op den duur hetzelfde effect zou hebben, als hij tenminste de weg elke vier of vijf jaar vernieuwde.

Onder de grote populier groeiden esdoorns langs de greppel. Hier was de weg overdekt met zaadhuisjes die onder de wagenwielen werden verpletterd tot een gouden mat. Esdoorns verspreiden zich gemakkelijk en snel door een hele vallei, omdat ze zo veel zaden laten vallen.

In de bocht van de weg bij het oude gehucht was een waterbron en na een regenbui werd de grond hier drassig en modderig. Ik denk dat Tom hier meer grind gestort heeft dan waar dan ook. Hij schepte kiezels en zand uit de rivier en bracht het met de wagen naar de weg. In het weiland sloeg hij rotsblokken kapot met de voorhamer en de stukjes stampte hij in het wegdek. Volgens mij bedacht hij al werkend hoe hij de zaak moest aanpakken.

Toen ik op de eerste dag na de vakantie Jewel naar school bracht, liep ik voor het eerst over de vernieuwde weg en zag ik pas goed wat hij had bereikt. Jewel had haar nieuwe blauwe jas aan en ik droeg de baby op de arm. Moody bleef bij pa. Waar Tom de struiken had gerooid en de weg had geëffend en verbreed, kende ik de weg haast niet meer terug. Je kon nu over de vallei heen kijken, over de weilanden tot aan de kerk en de school. Zelfs de schoolbron was te zien, en ook de jongens die daar al aan het vechten waren.

Voorbij de bron liep de weg door stevige kleigrond, boven het aardbeienveld langs. Er was daar een plek waar de grond louter uit kiezels leek te bestaan. Ik dacht altijd dat de indianen daar hun pijlpunten hadden zitten maken. De bodem zat hier vol scherpe stukjes kwarts en leisteen. Ze moesten echt precies op die plek bezig zijn geweest. Veel van de stenen die Tom uitgroef, verspreidde hij over de lagere stukken van de weg en op het draai-erf bij het huis. Het graven in de klei was net zoiets als het snijden in koude boter. De klei voelde altijd koel aan en de bovenlaag smolt in de regen. Tom effende een stuk grond ter lengte van twee aangespannen wagens achter elkaar. Daarna maakte hij nog een hek vlak bij het huis en schilderde ook dat donkergroen. Ik zei er niets van, maar ik vond het net de ingang van het landgoed van een rijk man. Tom had er handigheid in om de dingen er goed uit te laten zien, niet protserig, maar degelijk en welvarend.

Dertien

De winter van 1905-1906 was een van de koudste die ik ooit had meegemaakt, met ook de meeste sneeuw. In de bergen hebben we meestal een poosje strenge vorst met een enkele sneeuwbui, maar dat duurt nooit lang. Een pak sneeuw van een hele nacht is vaak halverwege de dag al weggesmolten. Ligt de zuidzijde van een aardwal of heuvel er in de ochtend witbevroren bij, tegen de avond is er alleen nog een modderige brij over. Oude mensen vertelden dat de rivier in hun jonge jaren wel eens was dichtgevroren, zodat ze met de wagen over het ijs naar de molen konden rijden. Zelf had ik dat echter nooit gezien. Het is ook bekend dat oude mensen graag opsnijden over de barre tijd van hun jeugd. Ze vinden het leuk om te vertellen dat er wekenlang een pak sneeuw op de hekken lag, en dat de vorst zo diep in de grond zat dat de piepers later vol putten zaten. Dit jaar beweerden ze dat het 'weer net als vroeger' was.

Mijn hele leven lang had ik pa horen vertellen over 'koude vrijdag,' de dag waarop de zon zich niet liet zien en de kippen op stok bleven. Hij vertelde erbij dat er aan de watermolen een baard van ijs hing tot in de kreek en dat de haard bijna geen warmte meer gaf.

Die winter hadden we al sneeuw in december, toen Tom nog aan de weg bezig was. Gelukkig was het de volgende dag alweer weg en het hield hem dus niet langer dan een paar uur op. Maar begin januari sneeuwde het opnieuw, net nadat Tom de hekken had afgemaakt, en deze keer viel er wel vijf of zes centimeter. Door de strenge vorst veranderde het ook nog eens in een dikke ijslaag. De sneeuw sloot de bodem helemaal af en als je eroverheen liep, verkruimelde de bovenlaag als droog brood. In het weiland moesten de koeien voorzichtig lopen om te voorkomen dat ze uitgleden over de korst en ze hadden alleen nog wat grassprietjes te knabbelen die erbovenuit staken. Tom spreidde maïsloof voor hen langs de rand van de wei. De stapel ingekuilde maïsstengels was helemaal aan elkaar gevroren, zodat het moeilijk was om er iets uit te trekken.

Na een of twee dagen binnen zitten ging Tom weer aan het werk. Hij hield het binnen, waar ik aan het werk was, niet uit. De tijd overdag noemde hij 'kokstijd' en daarmee bedoelde hij dat in die uren alleen de kok binnenshuis hoorde te zijn. Waarschijnlijk had hij bedacht dat het verstandig zou zijn meer brandhout in huis te halen voor als het opnieuw begon te sneeuwen.

Joe kwam langs en vertelde dat hij zijn vallen maar met moeite kon bereiken vanwege al het ijs langs de rivier. Pa trok een extra trui aan onder zijn jas wanneer hij naar de weg liep om de post te halen. Elke keer dat de kinderen in de sneeuw gingen spelen, werden ze doornat en begonnen te hoesten. Ik moest hen dwingen om binnen te blijven. Moody speelde in die tijd veel cowboytje en indiaantje en hij bleef maar beweren dat er buiten boeven rondliepen. 'Kijk, mama, ze hebben zich verstopt achter de rokerij,' zei hij dan. 'Ik moet naar buiten om ze dood te schieten.'

'Jij blijft binnen,' zei ik. 'Jij schiet helemaal niemand dood en bovendien is het te koud buiten.'

'Maar als ze ons dan doodschieten?' vroeg Moody.

'Misschien vriezen de boeven wel dood,' zei ik.

Precies een week na de eerste sneeuwval stond ik vroeg op en ging naar de keuken. Pa zat aan tafel in zijn bijbel te lezen. Tom was al met de emmers naar de stal om te melken. Ik ging de achterveranda op om wat extra koffie te malen en zag een gloed aan de hemel, een zwak, bijna blauw waas, alsof er net achter de bergen een verlichte stad lag.

'Er hangt een licht aan de hemel,' zei ik tegen pa toen ik weer naar binnen ging.

'Sneeuwlicht,' zei pa.

'Wat is dat?' vroeg ik.

'Het is een soort toestand waarbij de lucht licht geeft, zoals bij het noorderlicht. Het veroorzaakt sneeuw.'

Ik had pa al mijn hele leven over sneeuwlicht horen vertellen, maar ik had er nooit in geloofd. Het leek me onzin dat een licht in de verte jou vertelde dat er sneeuw op komst was. Het was nog geen dag, maar donker was het ook niet meer. Terwijl ik de havermout stond te koken, stond ik gewoon te huiveren van die vreemde gloed daarbuiten. Toen Tom terugkwam van het melken en voeren, zag ik de eerste sneeuwvlokken tegen het raam kleven. Ik zat bij de tafel Muir te voeden. 'Het is wasdag,' zei ik. Op de veranda stond een mand met luiers die gewassen moesten worden.

'Als het sneeuwen doorzet, laat ik Florrie wel komen voor de was,' zei Tom.

'Nee, de was doe ik zelf,' zei ik.

'Nee, ik doe het wel,' zei Tom. Maar hij keek me niet aan. Ik zei verder niets meer. Ik wist dat hij meteen na het eten het paard naar de wei zou brengen. Zodra hij weg was, legde ik Muir in de wieg, haalde mijn sjaal en knoopte een hoofddoek om.

'Mag ik mee?' vroeg Moody.

'Jij blijft hier bij de haard,' zei ik.

'Ik wil tegen de boeven vechten,' zei hij.

'Jij blijft hier en je vecht maar tegen de kou,' zei ik.

'Moody heeft heel erg gejokt,' zei Jewel.

'Nietes,' zei Moody en gaf haar een klap.

Ik pakte lucifers, aanmaakhout en wat afgekloven maïskolven bij elkaar en ging naar buiten, naar de wastobbe. Om het vuur aan te krijgen moest ik de lucifer afschermen tegen de neerdwarrelende sneeuw. Ondanks dat doofde de eerste lucifer sissend uit, omdat er een sneeuwvlok op viel. Ik maakte een kommetje van mijn handen om het tweede vlammetje heen. Zodra het aanmaakhout vlam vatte, gooide ik er maïskolven op en daarna rende ik naar de houtschuur om brandhout te halen. Ik droeg een grote hoeveelheid naar de wastobbe en al gauw was het vuur lekker aan het knetteren.

Tegen de tijd dat ik de derde emmer water uit de koelschuur had gehaald, kwam Tom terug van de stal. Toen hij zag dat ik de wastobbe aan het vullen was, schreeuwde hij: 'Ik had gezegd dat ik de was zou doen.'

'Nee, die doe ik zelf,' zei ik en ging op pad voor de volgende emmer. Het spoor dat ik in de sneeuw had gemaakt was al glad van nieuwe sneeuw.

'Dan ga ik Florrie roepen,' zei hij.

'Je laat het, hoor!' zei ik. 'Die was doe ik.'

'Het wordt je dood nog, Ginny,' zei hij.

'Als het dan zo gevaarlijk is, waarom wil je er Florrie dan voor vragen?' zei ik. 'Vind je het dan niet erg als zij zich doodwerkt?'

'Je bent niet goed wijs, Ginny,' zei hij. Hij liep achter me aan naar de koelschuur en pakte me een van de emmers water af. Er plonsde iets over me heen. 'Nu zul je ook nog bevriezen,' zei hij.

We liepen terug naar het vuur en gooiden onze emmers leeg in de tobbe. Er sloeg al damp van het water af, en rook en stoom stegen als één kolom omhoog tussen de vallende vlokken. Ik had nog nooit zo'n dichte sneeuwval gezien. De lucht was vol witte bloesems en die vlokkenwarreling gaf je het gevoel dat je zelf ook zweefde. Ik kon het huis aan de andere kant van het erf nauwelijks meer zien. Ik gooide nog wat meer houtjes op het vuur.

'Het is hier buiten veel te koud voor jou,' zei Tom.

'En voor Florrie niet?' vroeg ik. Ik had mezelf voor mijn ruzies met Tom een kunstje eigen gemaakt dat altijd werkte. In plaats van kwaad te worden, gedroeg ik me kalm en opgewekt. Hij kon er niet tegen als ik stond te glimlachen terwijl hij razend was. Hij had het nodig dat ik ook nijdig werd.

'Ik zou me schamen als je ziek werd,' zei hij. 'Een vrouw die zelf haar baby voedt, moet zich in acht nemen.'

'Maar als Florrie ziek wordt, geeft dat niks?' zei ik glimlachend.

'Ik zou me schamen,' zei hij nog eens.

'Ik krijg er niks van, hoor,' zei ik zo opgewekt als ik maar kon.

Ik liep naar de veranda om de luiers te gaan halen, maar hij was me voor en pakte de mand. Even dacht ik dat hij de luiers buiten mijn bereik wilde houden, maar in plaats daarvan bracht hij het vrachtje haastig naar de wastafel. Hij zette de mand met een bons op het houten werkblad en liep toen weg zonder nog een woord te zeggen. De sneeuw viel nu zo dicht dat de vlokken me als muggen in de ogen staken en ik moest voortdurend de sneeuw van mijn wangen vegen.

De hele ochtend viel de sneeuw als stuifmeel en grote korrels suiker om mij heen. Ik stookte het vuur onder de tobbe en de rook had moeite met opstijgen. Af en toe blies een windvlaag me de rook in het gezicht. In de dampende tobbe schrobde ik luiers en kleren tot mijn handen en armen paars waren. Als ik maar hard genoeg werk, blijf ik wel warm, dacht ik.

De sneeuw viel recht omlaag en bereikte de grond onder de coniferen niet, maar de kleren die ik aan de lijn had gehangen, zaten eronder en begonnen te bevriezen. Eerst werden ze helemaal stijf, alsof ik te veel stijfsel had gebruikt, en daarna werden ze zo hard als een plank. Op de waslijn verzamelde zich een flinterdun laagje sneeuw.

Ik smeet de volgende lading luiers in het hete water en dacht: 'Dit is een lading waar Florrie afblijft. Ze is binnengedrongen in mijn huis, in mijn keuken, en ze zit met haar vingers aan mijn kleren, maar deze ene dag hoeft ze de heuvel niet over.' Terwijl ik met de stok door de kokende luiers roerde voelde ik me zo blij als een kind dat haar zin heeft gekregen. Ik denk dat ik ook een beetje door het dolle heen was van de sneeuw en van het gevoel van geborgenheid dat die me gaf.

Die witte wereld die overal om me heen ontstond leek ook mijn problemen te begraven en te verzachten, net zoals de greppels en de stoppels en de modderige wegen en de mesthoop bij de stal bedekt raakten met een zuiver witte vlokkendeken. Ik hing de meeste luiers op en bracht er een paar naar binnen om ze bij het vuur te laten drogen. Als het zo bleef sneeuwen, zou ik ze allemaal binnen moeten laten ontdooien en drogen, met tien tegelijk, bij de haard en bij het fornuis.

Binnen was het me veel te warm. Na de roes van het werk leek het huis donker en rokerig. Ik moest Muir voeden, maar was blij dat ik na een paar minuten weer naar buiten kon, de witte zuiverheid van de sneeuwstorm in.

Aan het eind van de dag ging ik weer naar buiten om nog wat meer kleren te halen. De lucht was helder en over de heuvel blies een gierend koude wind. In het weiland wervelde de sneeuw op in kolken en pluimen. De lucht wemelde van kristallen die glinsterden en wervelden in het laatste zonlicht. Voor mijn ogen veranderde alles in goud. Het licht en de wind maakten me duizelig.

Zodra ik de kleren binnen had opgeruimd, ging ik weer naar buiten om eieren te rapen. De sneeuw tussen de stal en het kippenhok lag er ongerept bij. De mesthoop lag te dampen van de warmte binnenin; de sneeuw aan de zijkanten zou binnen een dag weggesmolten zijn. De oude sneeuw op het lage dak van het kippenhok was bedekt met een nieuwe laag, als een laagjescake.

In de stal was het vreselijk donker. Vlug schepte ik een mand vol maïs. Door de kieren in het dak stroomde frisse lucht, maar toch hing overal de zwaarzoete geur van groenafval en maïskolven. Er trok een zwakte door me heen en ik had moeite met slikken. Op een holletje ging ik met de maïs naar het kippenhok. Ik strooide de korrels op de vloer en deed de eieren in de mand. Als je je hand in een nest stak, leek het net of je op zoek was naar geheimen. Bij een kip die op het nest zat, moest je je hand onder haar duwen en op de tast bepalen welk van de warme eieren van porselein was. Echte eieren waren zwaarder.

Plotseling moest ik niezen en de kippen begonnen van schrik te fladderen en te kakelen. De lucht was stoffig en hoe meer ze met hun vleugels sloegen, hoe erger het werd. Ik probeerde mijn adem in te houden, maar kreeg het te benauwd. Ik stelde me luizen en vlooien voor tussen het warrelende stof. De zoete geur van een kippenhok maakt een mens misselijk en bovendien zijn kippen zo warmbloedig dat het wel heel koud moet zijn, willen ze hun eigen hok niet warm kunnen stoken. Ik verzamelde negentien eieren in mijn mand en haastte me weer naar buiten.

Onderweg naar het huis werd ik door een duizeling overvallen. Mijn armen en benen deden pijn. Het is de lage temperatuur, zei ik tegen mezelf. Een kou als deze zuigt alle energie uit je weg. Ik hield mijn mouw voor mijn mond, maar op die manier zag ik niets meer en dus moest ik toch de ijskoude wind inademen. Ik gleed bijna uit op de gladde sneeuw en struikelde voortdurend.

Terwijl ik het eten opzette, voelde ik me warm en gloeierig. De kou had me erger uitgeput dan ik had beseft. Ik begon aan een karweitje en was meteen weer vergeten wat ik van plan was. Ik begon aan een zin en vroeg me later af of ik het wel echt gezegd had. Halverwege de maaltijd begonnen mijn botten pijn te doen. Ik verlangde naar mijn bed.

Ik probeerde Muir wat maïspap te voeren, maar de hand waarmee ik het lepeltje vasthield, beefde.

'Ben je ziek?' vroeg pa.

'Je gezicht is helemaal rood, mama,' zei Jewel.

Moody kwam naast me staan en trok aan mijn mouw. 'Ben je ziek, mama?'

'Welnee, ik ben niet ziek,' zei ik.

'Je ziet eruit of de boeven je neergeschoten hebben,' zei Moody.

Alles om me heen begon te draaien en ik was zelfs niet meer in staat de afwas te doen. Waar ik maar keek, leken de dingen te zwellen en te krimpen. Het lamplicht vlamde op en zakte weer in. Op een gegeven moment bracht Tom me naar bed.

Van de nacht die volgde herinner ik me niets meer, behalve het geluid van de wind die de zijkant van het huis teisterde. De storm leek de muren van het huis te grijpen en fijn te knijpen. Mijn raspende ademhaling werd een met de wind die om het huis joeg en door de dakspanten gilde. Het was de wind die me de adem benam. De lucht was donkerrood en brandde in mijn longen.

De volgende ochtend vroeg had ik goed in de gaten wat er gebeurde, al was ik nog zo ver heen. 'Jij gaat Florrie halen,' zei pa tegen Tom. 'Je zult haar hulp nodig hebben.'

De kinderen zaten op een kluitje bij het haardvuur. In de keuken hoorde ik Muir huilen. 'Pang! Pang!' schreeuwde Moody. Ik wilde opstaan, maar kon het niet. Het was allemaal te ver weg. Ik ademde glassplinters en scheermesjes.

'Hier, drink dit eens op,' hoorde ik iemand zeggen. Tom stond over me heen gebogen. Ik rook dat er whisky in het kopje zat. Hoe ik ook naar een slokje verlangde, ik draaide mijn mond opzij. Ik ademde te moeizaam om iets te kunnen drinken. Toch was ik helemaal uitgedroogd en had vreselijke dorst.

'Het is water met suiker en whisky erin,' zei Florrie, maar dat was misschien alweer later. 'Je vond whisky toch altijd zo lekker?'

'Ze heeft whisky nodig om op krachten te blijven,' zei pa.

Ik zag Jewel en Moody op de drempel staan en naar binnen gluren. Ze hadden in de keuken op een pallet geslapen.

'Waar is de baby?' vroeg ik.

'De baby is piekfijn in orde,' zei Florrie.

Voor mijn gevoel was het midden in de nacht toen dokter Johns langskwam. Hij pakte de whiskyfles en nam er een flinke slok uit. Zoals gewoonlijk moest hij even testen of de medicinale whisky wel goed genoeg was.

'Drink dit eens op, Ginny,' zei hij toen.

Ik nam een slok en mijn keel en borst leken in brand te vliegen. Zelf zonk ik weg als in een heet bad.

'Meer kunnen jullie niet doen,' zei dokter Johns.

In de keuken lag Muir te huilen. Het huis knapte van de kou; aan de noordkant krompen de planken. Ik wist dat er een groot vuur in de haard loeide, want ik kon de vlammen horen knetteren.

'Leg hete stenen in het bed om haar voeten warm te houden,' zei de dokter. 'En houd haar goed toegedekt, zelfs als ze ligt te zweten.'

Voor hij wegging, nam de dokter nog een slokje. Ik wist niet meer of het dag of nacht was. Door het raam kwam licht, maar dat kon net zo goed de maan zijn. Het schijnsel was feller dan lamplicht. Het leek of er iemand door het raam naar me keek, hoewel het licht van heel ver kwam.

Ik wist dat Tom en pa en soms Florrie in die koude dagen en nachten voortdurend het vuur aan de gang hielden. Om beurten zaten ze aan mijn bed, legden vochtige lappen op mijn voorhoofd en verversten de flanellen doeken op mijn borst.

'Waar is de baby?' vroeg ik.

'Geen zorgen over de baby,' zei Florrie. 'Ik heb hem pap gegeven en hij zit zo vol als een teek.'

Mijn bed dreef van het zweet en Florrie begon het beddengoed te verschonen. Ze rolde me eerst op mijn ene zij en daarna op mijn andere, om het natte laken onder mij uit te kunnen trekken en er een schoon exemplaar voor in de plaats te leggen. Ik rook het schone laken dat ik zelf nog had gewassen en bij de haard te drogen had gehangen. Maar meestal rook ik alleen de koorts. Het was een geur van zweren en ontstekingen, zoals een ontstoken, zwerende vinger ruikt, alleen kwam de geur nu van binnenuit. De geur zat in mijn adem.

Ik weet niet hoeveel dagen er zo voorbijgingen. Het kunnen er wel vijf of zes geweest zijn. Bij elke ademtocht leek mijn borstkas vol koekkruimels en knoedels te zitten. Mijn longen floten en rochelden. Ik vroeg me af waar dat gepiep vandaan kwam. Ergens stonden ketels water te koken.

Er werd een doek over mijn hoofd gegooid, het leek wel een laken dat mijn gezicht bedekte. Was ik gestorven zonder dat ik het zelf had gemerkt? Maar nee, dit was een ruwe lap met pillen eraan. Het was een handdoek.

'Diep inademen,' zei Tom en hij hield een kom onder mijn kin. De kom was vol stoom en onder die handdoek was het een en al stoom. Hij had zalf in het hete water gedaan, uit het blikje op de schoorsteenmantel, de zalf waarmee ik de borstjes van de kinderen altijd inwreef als ze verkouden waren. Het rook naar dennenhars en wijde luchten. De geur die zich in mijn keelholte en in mijn hoofd verspreidde, had iets zilverachtigs, iets spiritueels, maar het lukte me niet om mijn borstkas ermee te vullen.

'Diep inademen,' zei Tom.

Ik probeerde het, maar het was te moeilijk. Mijn borst zat vol en deed pijn. Ik kon alleen kort en snel achtereen naar adem happen.

'Diep inademen,' zei hij, maar ik kon het niet.

In die vochtige duisternis onder de handdoek kreeg ik de vreemdste gedachten. Het was of ik in een tent was. Het ging door me heen dat de dingen alleen werkten als je ze tegen elkaar wreef. Een man en een vrouw konden elkaar aanraken, dat was één ding, maar als die aanraking tot een streling werd, was het iets anders. Begeerte ontvlamt door wrijving. Ruwheid is even belangrijk als zachtheid. Het is de streling en het verzet tegen de streling, en de overwinning van dat verzet, waaruit het genot ontstaat. Ik had dat nog nooit eerder bedacht, maar in die drukkende duisternis kwam het tot me als het diepe geheimenis achter alle dingen.

'De weg is begraven,' zei ik tegen Tom.

'Wat zeg je?' Hij trok de handdoek weg en ik voelde de koude lucht.

'De nieuwe weg is begraven,' zei ik, maar hij kon me niet horen. Het leek wel alsof ik onder water praatte. Niets van wat ik zei, kwam er goed uit. Wat ik dacht, was dat het resultaat van zijn werk werd begraven door de wind en de sneeuw. De wind streek over de sneeuw, de sneeuw streek over de grond. Alles bood weerstand aan alles.

Toen Tom de handdoek van mijn gezicht haalde, stond het zweet in druppels zo groot als bosbessen op mijn voorhoofd. Ze rolden in mijn ogen en langs mijn slapen. Ik hijgde, en hapte nog steeds naar adem, maar ik kreeg geen lucht.

'Er zullen uien voor nodig zijn,' zei pa in de verte.

'Uien?' vroeg Tom.

'Ik heb het wel eens gezien toen ik nog een jongen was,' zei pa. 'Het enige waarmee je longkoorts kunt breken, is een uienkompres.'

Wat later rook ik gefruite uien en ik vroeg me af of Florrie soms gebakken lever met uien aan het klaarmaken was. Pa was er dol op, maar ik maakte het nooit, omdat het hele huis ernaar ging stinken. De uien roken aangebrand. Ik meende het gespetter en gespat van het vet in de pan te kunnen horen, maar dat was alleen mijn eigen schurende adem. Het hele huis rook naar in vet gesmoorde uien.

'Dit moet op je borst,' zei Tom. Hij trok de dekens weg en schoof mijn nachtjapon omhoog. Wat hij op mijn borst legde, leek nog het meest op een zak vol gloeiend hete appelmoes. Het was een platte zak, de damp sloeg eraf, en hij zag er nat en vettig uit. De zak was zo heet dat ik me eraan brandde. Ik begon te rillen, zoals je dat doet in een te heet bad. Ik denk dat te koud en te heet bijna hetzelfde gevoel geven. Je gaat ervan rillen en schudden, alsof je in de Geest bent.

Toen sloeg de stank me in het gezicht, alsof er een mand vol glibberige uienringen pal onder mijn neus werd geduwd. Ik heb wel eens gehoord dat ze vroeger uien gebruikten om de duivel te verjagen. Volgens mij is geen enkele demon bestand tegen de geur van halfgare, vette uien. De vetlucht en het gevoel van het vet op mijn huid waren erger dan de stank van de uien zelf.

'Drink hier eens wat van,' zei Florrie. Ze hield een kopje warme whisky met citroensap aan mijn lippen. Ik nam een slokje, alleen maar om voor heel even de uienstank te verdrijven. En toen nam ik nog een slokje.

Ik voelde het vet uit het kompres in mijn lijf trekken. Mijn huid opende zich en zoog de smaak van de uien in zich op. Mijn borst smolt van de hitte en de smerige lucht.

Plotseling verwijdde de kamer zich tot tien keer de normale grootte. De lucht werd van rubber, rekte zich uit en sprong weer terug. 'Houd het bed toch stil,' zei ik.

De kamer schommelde heen en weer en tolde tegelijk om me heen. De muren draaiden en krompen en bolden naar buiten. Het bed leek van een berg af te vallen. Er klonk een gebrul en de lucht was een grijze vlam.

'Houd het bed toch stil,' zei ik. Het bed was op rollers gezet en vloog nu over een betegelde vloer. De kamer werd een lange gang en ik schoot in vliegende vaart naar het einde.

Toen ontplofte er iets. Mijn borst en mijn keel barstten open en de whisky spoot in mijn mond en neus. Ik proefde citroensap, zuurder dan daarnet. Mijn neus brandde alsof ik er een klap op had gekregen en daarna onder water was geduwd. Mijn mond liep vol water en zure whisky.

Voor ik besefte wat er gebeurde, sperde ik mijn mond open en braakte over mijn kin en mijn kussens. De hete prut spoot over de lakens en de quilts. Ik kotste over het kompres en over mijn hele lijf. De troep kwam er met zo'n kracht uit, dat het de lucht in spoot en me in het gezicht spatte voor ik me kon afwenden. Het braaksel brandde in mijn neus en mijn ogen als citroensap.

Plotseling hield het ook weer op. Het koude zweet brak me uit. Ik was zo zwak dat ik mijn hoofd niet meer rechtop kon houden. Van voren was ik drijfnat van gefruite uien en kots.

'Ik zal je bed maar verschonen,' zei Florrie.

'Ooooh,' zei ik, en daar begon het weer. De aanval kwam van onderaf, alsof er iets loodzwaars omhooggeduwd werd. Het leek wel of ik doodgedrukt werd. Ik had wel eens gelezen dat ze heel vroeger heksen vermoordden door ze met rotsblokken te verpletteren. Datzelfde gevoel had ik nu ook, alsof ik doodgeperst werd.

Ik had niks meer over om op te geven, maar het kokhalzen ging maar door. Ik stikte bijna in kleine beetjes zuur water, in slierten slijm en gele fluimen gal. Zelfs het merg in mijn botten leek naar buiten te willen.

Florrie legde een koele hand op mijn voorhoofd. Dat deed mama ook altijd toen ik nog een klein meisje was en zelf deed ik het weer bij mijn kinderen als ze ziek waren. Het was het enige waardoor ik me beter ging voelen. Die hand op mijn voorhoofd kalmeerde me en bracht het kokhalzen tot rust.

Toen zag ik pas wat ik uitgespuugd had. Het was niet alleen

maar gal en whisky en citroensap, vermengd met speeksel. Er zaten ook klontjes en brokjes slijm tussen, geel en hard, opgehoest vanuit mijn borstkas. Ik zag slijmdraden en grote druppels gele en groene smurrie. Tom en Florrie haalden het kompres weg en verschoonden de lakens, en ondertussen viel ik in een koele, droomloze slaap.

Van de paar dagen die volgden weet ik niet veel meer. Al mijn herinneringen aan die week zijn vaag en verward. De herinneringen die ik nog wel heb, hebben allemaal te maken met het licht dat door het raam scheen. Het kwam naar binnen en stond manshoog aan mijn voeteneind. Urenlang stond het daar, voor het weer verdween. Dan was het een poosje weg, maar het kwam altijd weer terug en stond opnieuw lange tijd voor mij. Het was zo dichtbij dat ik er bijna bij kon met mijn voet, maar na verloop van tijd trok het zich terug bij het raam. Ik zag het urenlang bij het raam staan, tot het wegglipte achter de sneeuwlaag op de vensterbank en de ijsbloemen op de ruit. Het licht keek nog steeds naar mij, maar nu van verder weg. En ik bedacht dat het een engel moest zijn die over me waakte, een boodschapper van de Geest die me vertelde dat ik beter zou worden. De engel keek me recht aan en ik kreeg hetzelfde gevoel als wanneer ik in tongen sprak. Ik wist ook dat hij er altijd zou zijn, of ik hem nu zag of niet. Ik voelde me schuldig omdat ik tijdens mijn ziekte niet een keer had gebeden. Zelfs toen ik buiten zinnen was, had ik de Heer niet om hulp geroepen. Nu fluisterde ik een dankgebed.

Op een dag begon mijn hele lijf te kriebelen. Het was iets anders dan de jeuk die je krijgt als je voet slaapt; dat tintelt en prikt. Het leek meer op de jeuk van een genezende bijensteek of snee. Mijn hele lichaam was aangetast door de koorts en begon nu te herstellen. Het gevoel keerde erin terug en dus kreeg ik overal jeuk.

Ik was echter ook tot op het bot verzwakt, alsof ik bevroren was geweest en nu begon te ontdooien. Warmte oefende een onweerstaanbare aantrekkingskracht op me uit, het liefst lag ik in quilts en dekens gewikkeld. De koortsige hitte had me verlaten en nu probeerde ik alle warmte die ik nog in me had, vast te houden. Als er maar iemand tegen me aan wilde liggen, zou ik me wel beter voelen, dacht ik. Alle warmte leek uit de wereld weggesijpeld. Er was nog maar een piepklein vlammetje in me overgebleven, als een kaars die nog net niet uit was.

Op een ochtend zag ik dat het witte licht bij het raam veroorzaakt werd door ijs, en toen herinnerde ik me weer de sneeuw en de barre kou. Ik vroeg me af wat er met de was gebeurd was, en met de koeien in de wei. En hoe stond het met de houtvoorraad? En hoe zou het de kippen vergaan zijn? Al die vragen gingen door me heen, maar echt zorgen maakte ik me er niet over. Ik was gewoon nieuwsgierig naar wat er daarbuiten gebeurde. Af en toe voelde ik de wind tegen het huis duwen. Ik was echter te zwak om erover in te zitten en had het te koud om me druk te maken.

Om mij heen hing een geur van koorts en ziekte, een zoetige geur van half gaargekookt vlees dat uitdroogt op de huid. Ik hield een hand onder mijn neus en snoof. Die geur van afgestorven huid zou evengoed mijn eigen adem kunnen zijn. Mijn longen zaten nog steeds vol losse rommel die bij elke ademteug begon te rammelen alsof er knoedels ronddreven en tegen elkaar aan botsten. Ik begon te hoesten. Mijn borst deed nog pijn, maar ik had het niet meer zo benauwd.

Tom bracht me een zakdoek en zei: 'Hier, hoest daar maar in.' Ik spuugde de zakdoek vol slijmklonters. Sommige waren zo hard als broodkruimels.

Jewel en Moody stonden bij de deur te kijken.

'Jewel heeft me geduwd,' zei Moody.

'Nietes,' zei Jewel.

Ik wilde iets zeggen, maar kreeg opnieuw een hoestbui. Toen die over was, waren ze weg.

'Je hebt vijf dagen koorts gehad,' zei Florrie, toen ik weer een beetje op krachten kwam. 'Pas toen je gal en slijm had uitgekotst, week de koorts.' Ze bracht me een kom warme bouillon.

'Waar is Muir?' vroeg ik.

'Het gaat uitstekend met hem,' zei Florrie. 'Hij eet als een varken.'

'Hij heeft al die tijd geen borstvoeding gehad,' zei ik. Mijn borsten waren gevoelig en hingen slap.

'Hij is sinds donderdag van de borst af,' zei Florrie. Het klonk een beetje opschepperig, alsof het haar genoegen deed dat Muir gespeend was. Ik draaide mijn hoofd op het kussen van haar weg en zei tegen mezelf dat ik dankbaar moest zijn voor al haar hulp.

'Dit is de ergste kou sinds mensenheugenis,' zei pa toen hij later even langskwam. 'Dit land heeft nog nooit zo'n strenge winter meegemaakt.'

'Hoe koud is het eigenlijk geweest?' vroeg ik.

'Drie ochtenden achtereen tweeëntwintig graden onder nul, en een hele week lang onder het vriespunt.'

Ze hadden dag en nacht het vuur in de haard brandend gehouden en pannen met hete stenen onder mijn bed gezet. Voor sneeuw was het te koud geweest, maar toen het na een week weer ietsje warmer werd, begon het opnieuw te sneeuwen. De rivier was dichtgevroren en er lag zelfs ijs op de kreek. De bron dampte alsof hij in brand stond, zei pa. Overal waar de sneeuw een beetje smolt, vormde het smeltwater een vliesdunne ijslaag die de sneeuw eronder afsloot. Joe was twee keer komen aanlopen om te helpen extra brandhout naar binnen te brengen. Tom en de kinderen hadden in de woonkamer naast de haard geslapen, Jewel en Moody op een pallet en Muir in de wieg.

'Ik wil hem zien,' zei ik. Tom kwam terug met de baby en legde hem in mijn armen. Muir was gegroeid. Hij was zwaarder dan ik had verwacht. Hij was niet afgevallen doordat hij geen borstvoeding meer kreeg, maar hij rook wel anders. Volgens mij ruikt een baby die geen borstvoeding krijgt anders. Een moeder kan haar eigen melk ruiken in de adem van de baby.

Ik hield hem tegen me aan en hij ging onmiddellijk op zoek naar mijn borst. Hij was de borst dus nog niet helemaal ontwend. Maar ik had geen drup melk meer voor hem en toen ik hem wat hoger tegen me aan legde, jammerde hij alleen maar een beetje.

Terwijl ik Muir zo tegen me aan hield, overkwam me iets heel geks. Ik genoot van dat warme lijfje tegen me aan. Tijdens mijn koortsaanvallen was ik vergeten wat een heerlijk gevoel dat is. Als je ziek bent, word je zelf weer een kind en nu voelde ik me weer een moeder. Dankbaarheid golfde door me heen. Door zijn nachthemdje heen wreef ik Muir over zijn appelronde billetjes. Ik had het gevoel dat ik in dit kleine mannetje de hele mensheid en de hele wereld omhelsde. Ik kon zijn hartje voelen trillen als een klein diertje en zijn adem in mijn hals was zoet. Hij had net pap gehad.

'Dank U, Jezus,' zei ik. En weer bedacht ik dat ik tijdens mijn ziekte niet één keer had gebeden, en als ik het al had gedaan, dan wist ik er nu niets meer van. Nu mijn hoofd weer helder was deed de golf van dankbaarheid die me doorstroomde me de tranen in de ogen springen. 'Dank U, Jezus,' zei ik weer. En het kwam bij me op dat het licht bij het raam dat ik in mijn koorts had gezien, in feite de Geest was geweest die over me waakte. Ik was geen moment alleen geweest, hoe gemakzuchtig en vergeetachtig ik zelf ook was. Ik was omringd geweest door liefde en genade, al die tijd. Ik drukte Muir nog steviger tegen me aan.

Terwijl ik daar zo met hem zat, kon ik door de geopende deur via de gang in de woonkamer kijken en ook nog een stukje van de keuken zien, waar Tom en Florrie stonden te praten. Vanaf de haard, waar pa zat, waren ze net niet te zien. Het viel me op dat ze wel erg dicht bij elkaar stonden. Het was helemaal niet nodig dat volwassenen zo dicht bij elkaar stonden als ze even een praatje maakten. Mensen die met elkaar praten, bewaren altijd een zekere afstand, maar bij hen leek die maar een paar centimeter. Voor zover ik kon zien, raakten ze elkaar niet aan, ze stonden alleen maar dicht bij elkaar. En toen zag ik dat Florries hand omhoogging en zich op Toms arm legde, waar hij een paar seconden bleef rusten.

Het heeft niks te betekenen, zei ik tegen mezelf. Ze hebben samen hard gewerkt, toen ik ziek was. Ze hebben 's nachts bij me gewaakt en Florrie heeft mijn bed verschoond. Het is een zware tijd voor hen geweest.

Ik hield de baby nog dichter tegen me aan. Altijd heb ik een gloeiende hekel gehad aan de zonde van de afgunst. Ik heb gezien hoe die mensen tot waanzin drijft. Het begint met een klein beetje gekwetste ijdelheid, omdat iemand anders meer aandacht krijgt of een beetje knapper is, en voor je het weet is die ijdelheid omgeslagen in haat en zondige jaloezie. Ik had altijd gedacht dat ik nooit jaloers zou kunnen zijn. Na al die ruzies tussen Tom en mij leek het onmogelijk dat één zo'n blik of aanraking mij nog jaloers zou kunnen maken.

Toch was het een feit dat ik plotseling verstijfde van woede. Ik kon er niets aan doen. Misschien was ik nog te zwak om mezelf te beheersen. Als ik me goed gevoeld had, had ik ook wel geweten wat ik moest doen. Nu denk ik dat ik altijd al jaloers op Florrie ben geweest, omdat ze knapper en kleiner was dan ik, en omdat de jongens dol op haar waren, en omdat ze in het geniep zo veel dronk en daar altijd weer mee wegkwam.

Weer zei ik tegen mezelf dat er niets achter stak. Het gebeurt zo vaak dat twee mensen die in hetzelfde huis bezig zijn even met elkaar staan te praten. Maar diep in mijn hart leefde het gevoel dat Florrie misbruik maakte van de situatie. Ze profiteerde van mijn onenigheid met Tom, van onze meningsverschillen over het geloof. Tijdens mijn ziekte had zij het gezag over de kinderen en over mijn huis van me afgenomen.

Twintig minuten later kwam Florrie bedrijvig mijn slaapkamer binnenlopen. 'En, mevrouw Powell, voelt u zich al beter?' vroeg ze. Ze schoof de gordijnen een eindje open en het zonlicht sprong de kamer in. Ik gaf geen antwoord, maar bleef met de baby spelen.

'We dachten even dat je ons zou verlaten,' zei Florrie, terwijl ze de kopjes en de bordjes van het nachtkastje pakte. Bij het bed bleef ze staan.

'Ik heb je heus wel door,' zei ik. Het was eruit; ik kon niet meer terug.

'Wat bedoel je?' vroeg ze. Ze hield haar schort op en stapelde de kopjes en de schoteltjes erin. De onschuld zelve spelen was haar altijd al uitstekend afgegaan.

'Ik zie heus wel hoe je Tom probeert in te palmen,' zei ik. Ze keek op me neer met een blik of ik een klein kind was dat nodig een schone luier om moest.

'Je bent nog steeds ziek, geloof ik,' zei ze. 'Het is je in je bol geslagen.'

Op dat moment begon Muir te huilen en ik kreeg een hoestbui. Het was een hoest die uit een heel diepe bron leek op te borrelen. Ik rochelde zwaar en diep.

Florrie pakte de kopjes en de schoteltjes weer uit haar schort en zette ze terug op het nachtkastje. 'Ik neem Muir wel mee,' zei ze.

'Nee!' zei ik, maar mijn stem schoot uit in een volgende hoestbui. Ik was te zwak om te hoesten, maar ik kon het niet tegenhouden. De hoest kwam van onderuit mijn buik en deed mijn hele lichaam verkrampen. Ik had de kracht niet meer om Muir vast te houden en Florrie tilde hem uit mijn armen.

Nadat ik zo een paar minuten had gehoest, spuugde ik weer een stel harde klonten in de zakdoek. Het leek wel alsof alles wat ik ophoestte gaten in mijn borst achterliet. Toen het hoesten ophield, voelde ik me helemaal leeg en ik wilde niets liever dan met rust gelaten worden.

'Hier, drink dit maar op,' zei Florrie en ze hield een kopje onder mijn kin.

'Nee!' zei ik. Het was hetzelfde brouwsel van whisky en citroensap en warme honing dat ze me eerder had gegeven. De hele kamer stonk naar drank en de geur verspreidde zich door mijn borstkas.

'Het is goed voor je,' zei Florrie.

Ik nam een slokje en het leek wel alsof er een gloeiende ijzerdraad over mijn tong en door mijn slokdarm werd getrokken. De warmte trok in mijn buik en borst en ik voelde me een beetje sterker worden. Ik nam nog een slokje.

'Ginny, je bent altijd een idioot geweest, en dat zul je wel blijven ook,' zei Florrie.

Ik zei verder niets meer. Ik wilde niet meer praten voordat ik tijd had gehad om na te denken. Meer dan wat ook leek de gezoete whisky mijn borstkas te verruimen. Op dit moment leek whisky drinken het verstandigste wat ik kon doen en dus dronk ik alles op.

'Wil je wat maïspap met suiker?' vroeg Florrie.

'Nee,' zei ik en ik wendde mijn hoofd af.

Veertien

Later die avond, toen het al helemaal stil was in huis, kwam Tom met een lamp de slaapkamer in. 'Het sneeuwt weer,' zei hij. 'Vanmorgen zag ik sneeuwlicht en pa zei al dat het weer zou beginnen.'

Ik luisterde even en kon de vlokjes tegen het raam horen tinkelen. Het klonk alsof iemand fijn zand tegen het vensterglas gooide. Tom stond bij het bed met de lamp in zijn hand, alsof hij ergens op wachtte. Al eerder had hij de verwarmde stenen gebracht en die in pannen onder het bed gezet. De kamer begon een beetje op te warmen.

'Heb je het warm genoeg?' vroeg hij. Hij droeg het roodgeruite overhemd dat ik voor hem had besteld in St. Louis. Aan de hals was het open en in het lamplicht kleurde zijn flanellen ondergoed oranje.

'Is Florrie al weg?' vroeg ik.

'Al een hele tijd, ze is voor donker vertrokken,' zei hij.

Ik was vergeten hoe gespierd zijn nek was. Zijn schouders leken nog breder dan eerst. Hij had de laatste tijd vaak de bijl gehanteerd, en de trekzaag samen met Joe. Nu stond hij in al zijn forsheid en kracht in het lamplicht. De lamp wierp schaduwen achter hem. In de glazen kelk likte de vlam als een tong.

'Doe de deur eens dicht,' zei ik. 'Anders wordt iedereen nog wakker.'

Langzaam sloot Tom de deur. De blik waarmee hij naar de vloer staarde was zo plechtig als op een begrafenis.

Er vonkte iets in mijn binnenste. Ik was zo lang verkild geweest dat alle leven uit mijn lichaam leek geweken. Ik was vergeten hoe het was om het warm te hebben. Nu leek het of er ergens diep in mij een lucifer werd afgestreken. 'Zijn we al door ons brandhout heen?' vroeg ik.

'We hebben vandaag een boom omgehakt,' zei Tom. 'Op de weideheuvel.'

De sneeuw tinkelde en ritselde langs het raam. Ik zag daar niets anders dan een zwart gat met daarin de weerschijn van de lamp. Het was zo stil in huis dat ik het haardvuur in de kamer naast de onze kon horen knetteren.

'Slaapt de baby al?' vroeg ik.

'Al sinds het avondeten,' zei Tom.

'Dan kun je net zo goed zelf ook in bed komen,' zei ik.

Hij stond daar maar, alsof hij erover moest nadenken. Tom was er de man niet naar om iets overhaast te doen.

'Voel je je wel goed genoeg?' vroeg hij.

'Ik ben bijna helemaal beter,' zei ik.

Tom zette de lamp op het nachtkastje, maakte van zijn handen een kommetje om de kelk en blies de lamp uit.

De vonk die in mij was opgevlamd trok door mijn botten en mijn aderen. Het was maar een klein vlammetje, maar het drong door tot in de kleinste hoekjes, tot in de toppen van mijn vingers, mijn ellebogen, mijn tenen en mijn knieën toe. Verder gleed het licht, langs mijn benen omhoog, door mijn armen. Al mijn gewrichten ontwaakten uit een diepe slaap, zelfs plekken die ik vergeten was werden wakker.

Toen Tom ging liggen, wiebelde het bed krakend heen en weer. Al voor Muirs geboorte had ik hier alleen geslapen. De beddenveren trilden en schudden, alsof we in een stroomversnelling werden meegesleurd.

'Wat moeten we doen als het zo blijft sneeuwen?' vroeg ik.

'Nog meer hout hakken, denk ik,' zei Tom.

'Het vreet hout, zo'n open haard,' zei ik.

Als kleine, rennende voetjes in het donker tikte de sneeuw tegen het raam. De sneeuw klonk blauw, vond ik, blauw als een ster. Ik was zo verzwakt dat ik haast geen vin kon verroeren, en tegelijk voelde ik me wakker worden als uit een lange droom. Het was maar een droom, dacht ik. Er klonken stemmen in mijn tenen en handen, en de echo's joegen door me heen. Een deel van mij was in gesprek met een ander deel.

'Is de rivierarm dichtgevroren?' vroeg ik.

'Op de meeste plaatsen wel,' zei Tom. 'Op plaatsen met meer stroming zie je nog water.'

Uit de verte kwam een frisse geur aandrijven, die deed denken aan de paar minuten op de Rots van de Zonsondergang, als de hemel over de hele lengte licht gaf. Elke seconde had een smaak die ik was vergeten. Ik wist nog wel hoe kwaad ik op Tom was geweest, maar ik kon het gevoel niet meer precies terughalen.

'Hoelang blijft het nog sneeuwen?' vroeg ik.

'Het houdt nooit meer op,' zei Tom, maar hij zei het alsof het hem niet kon schelen. Wij zaten warm en veilig binnen; zelfs al sneeuwde het de hele winter, deren zou het ons niet.

'Is de krant nog gekomen?' vroeg ik.

'Twee keer. Ik heb ze voor je bewaard en op de schoorsteenmantel gelegd.'

De wind stortte zich op het huis, zodat het stond te schudden. Ik sloot mijn ogen en fantaseerde dat we op een brede rivier voeren. De wind duwde ons over de top van een reusachtige golf. Het huis zweefde op de stormwind in een diepblauw licht.

'Kun je wel ademhalen?' vroeg Tom.

'Ik ben een beetje kortademig,' zei ik.

'Je bent ook een hele tijd ziek geweest,' zei Tom.

'Als ik mijn kracht maar eenmaal terug heb, zal ik me een stuk beter voelen,' zei ik. Ik was zo kortademig dat zelfs fluisteren me moeite kostte.

Het bed voelde zo lang als een schip en mijn voeten onder de dekens waren mijlen en mijlen ver weg. De kamer rekte zich, als een gang of een tunnel. Het gevoel in mijn tenen en benen verlichtte de weg voor ons. Het licht scheen tot waar het duister eindigde.

Ik vroeg me af of de koorts soms weer terugkwam. Ik vroeg me af of het bed de tunnel in zou spoelen, dwars door de bergen en nog verder. Het bed was zo lang dat het de hemel raakte. Ik stelde me mijn adem voor als wervelende sterren in mijn hoofd, die uit mijn mond stroomden. Ik had mijn mond vol licht en ademde dat uit.

Nooit heb ik me zo ontspannen gevoeld als later die nacht. Zelfs na die hevige koorts was er nog een beetje melk in mijn borsten over, dat er in een straaltje uit liep en de lakens bevochtigde. Ik vloeide over van melk, ik dreef in melk. Ik herinnerde me de bijbelwoorden over een land van melk en honing. Ik bevond me in een schuimend opgeklopte rivier van melk en honing. Uit mijn poriën barstten geurige belletjes en heel die rivier spoelde door mij en over mij heen.

De volgende dag kwam ik even uit bed en zat een uurtje bij de haard. Muir zat bij me op schoot en Moody kwam bedeesd naar me toe. 'Jij was ziek,' zei hij.

'Ik was heel erg ziek,' zei ik.

'Ga je niet dood?' zei hij.

'Nee, ik ga niet dood.' Ik nam hem op schoot en sloeg mijn armen om hem en Muir heen. Jewel kwam er ook bij staan en leunde tegen mijn schouder. Ik was te zwak om veel meer te doen dan daar gewoon maar een beetje zitten. Maar ik voelde me zo rein alsof ik in kokend water gewassen was, en tegelijk was ik zo stijf als een doek uit de kookwas die bij het vuur is gedroogd.

Na een uur was ik zo moe dat ik weer naar bed moest. Mijn armen beefden en mijn benen deden pijn. Ik legde Muir neer en net toen ik wilde opstaan, kwam Florrie binnen. De koude lucht die samen met haar naar binnen stroomde, kreeg me aan de andere kant van de kamer te pakken.

'Ik zal je wel even helpen, Ginny,' zei ze.

'Niet nodig,' zei ik. Ik ging zo staan dat ze niet kon zien hoe ik stond te trillen. Het bloed trok weg uit mijn hoofd en de kamer werd wit.

'Het sneeuwt alweer,' zei Florrie. Er kleefden vlokken aan haar sjaal. Ze schudde ze af in het vuur. 'De afgelopen maand heeft het elke donderdag gesneeuwd.'

Ik begon naar de slaapkamer te lopen, met kleine pasjes om niet te struikelen.

'Ik help je wel even,' zei Florrie.

'Nee,' zei ik. Ik keerde me naar haar om en wilde nog meer zeggen, maar ik bedwong me. Als ik nu iets zou zeggen, zou dat precies het verkeerde zijn, dat wist ik wel. 'Bedankt voor al je hulp,' zei ik.

'Het is fijn om je weer uit bed te zien,' zei ze.

Tegen de tijd dat ik de slaapkamer bereikt had, was ik zo uitgeput dat ik me gewoon op bed liet vallen en met sjaal en al onder de dekens kroop. Ik rilde van top tot teen en had nog maar één wens: mezelf stijf in al die quilts te wikkelen en dan zo lang mogelijk doodstil te blijven liggen. Toen het rillen ophield, viel ik in slaap.

Die avond kwam Tom weer bij me. Ik was inmiddels weer uitgerust en doorgewarmd. Hij had een paar perziken uit blik bij zich en wat zwartebessensap. 'Er is vandaag tien centimeter sneeuw gevallen,' vertelde hij. 'Er ligt een dikke laag op alle takken en afrasteringen.'

Hij vertelde ook dat dennenbomen en coniferen knakten onder het gewicht van de sneeuwlaag, en dat de stal van de Lindsays eronder was bezweken. Joe's vallen waren bedekt met een dikke laag ijs; hij had er al een maand lang niet bij gekund. In de bossen lag de sneeuw trouwens zo hoog dat je lopend toch niet bij de vallen kon komen. Joe's vallenroute liep helemaal naar de oorsprong van de rivier en vandaar door de Flat Woods naar Transylvania County, waarna hij een bocht maakte richting South Carolina en Dark Corner. Als de bodem goed begaanbaar was, had hij al een hele dag nodig om zijn vallen langs te lopen.

'Ik heb vanmorgen weer sneeuwlicht gezien,' zei Tom.

In de weken die volgden waren de nachten het fijnst. Met Tom in één bed liggen verwarmde me beter dan wat dan ook. Dan vertelde hij me wat hij die dag had gedaan, dat hij bijvoorbeeld op het dak van de stal was geklommen en de sneeuw er af had geveegd, of dat hij door de voorraad blad en dennennaalden voor de koeienstal heen was. Al het hout op de veranda en in de houtschuur was nu op, en hij had op de weideheuvel nog twee extra bomen gekapt. In het donker praatte hij altijd gemakkelijker dan op klaarlichte dag.

Tijdens die nachten met Tom bedacht ik hoe rijk het was om getrouwd te zijn. Weer was het alsof de ander volkomen nieuw was en toch wisten we beter dan ooit hoe we elkaar konden laten genieten. Soms trok ik hem aan mijn borst alsof hij een van de kinderen was. Mijn verrukking en genot verbaasden hem. Ik had wel eens vrouwen horen beweren dat je beter niet kon laten merken hoe je ervan genoot, anders zou een man daar misbruik van maken, maar dat kon me niet schelen. Ik was zesendertig en voelde me weer een jong meisje. Als jong meisje zou ik nooit geloofd hebben dat mensen van middelbare leeftijd zich zo konden gedragen. Het kon me niet schelen hoeveel genot ik toonde.

De week erna sneeuwde het opnieuw, en de volgende ook. We hoorden van huizen in Saluda die door het gewicht van de sneeuw waren ingestort. Het grootste gevaar echter was brand. In de lange nachten raakten schoorstenen oververhit en verstopt met roet dat vlam vatte. Minstens drie huizen in de provincie brandden af, waaronder dat van de familie McCall in Cedar Springs. Een brandende schoorsteen raasde als een rijdende trein. Door de hitte barstte het metselwerk en dan spoten de vlammen over de zolder.

Toen ik genoeg hersteld was om weer een tijd op te kunnen zijn, zat ik bij de haard in de vlammen te turen. Ik meende dat ze misschien een boodschap voor me hadden, maar kon niet ontdekken welke.

Toen de temperatuur zo was opgelopen dat de dooi leek in te zetten, kwam de sneeuw voor de vijfde keer. Grote, natte vlokken dwarrelden neer tot er bijna vijftig verse centimeters bij waren gekomen. Alles wat ik door het raam had kunnen zien, werd met wit overdekt. De coniferen, gebogen onder hun zware vracht, zakten in elkaar of klapten dubbel. De toppen hingen er geknakt bij. Volgens Tom stond de koelschuur inmiddels tot aan de dakbalken in de sneeuw.

Op de tweede sneeuwdag kwam Florrie over om de was te doen op het fornuis. De stoom uit de kokende wasketel trok door het hele huis. Florrie hing de natte kleren aan een touw boven het fornuis, waardoor de lucht nog vochtiger werd. Al die nattigheid maakte me narrig.

We pakten Jewel en Moody warmpjes in, zodat ze buiten konden spelen. Door het keukenraam keek ik naar hen. Ze probeerden op een plank uit de schuur van de helling af te sleeën, maar de sneeuw was zo diep dat de plank erin wegzakte en bleef steken. Daarna maakten ze engelen op het erf door zich met uitgespreide armen plat op hun rug te laten vallen. Ze lieten zich van de helling rollen tot de sneeuw in dikke plakken aan hun kleren kleefde. Daardoor kwamen ze op het idee om een sneeuwpop te maken en Jewel begon meteen een grote bal te rollen. Alleen wilde ze Moody niet laten helpen en daar werd hij woedend om. Hij rende weg en bleef op een afstandje staan mokken, totdat Jewel de sneeuwman bijna af had. Nadat ze het hoofd op het lijf had gezet en stokjes, ging ze steentjes zoeken voor de ogen, en daarvan maakte Moody gebruik door de bovenste twee ballen eraf te slaan.

Toen Jewel zag wat hij gedaan had, greep ze een handvol sneeuw en peperde hem in. Moody probeerde haar een schop te geven, maar ze gooide nog meer sneeuw in zijn ogen en bracht zich toen met een sprong buiten zijn bereik. Toen begon hij tegen de ballen te schoppen die zij gerold had, en hij ging ermee door tot er alleen nog brij en vertrapte sneeuw van over was. Jewel duwde hem omver en schopte hem. Moody maakte geen schijn van kans en rende naar huis, druipnat en onder de sneeuw, zijn gezicht rood van kou en woede.

'Moody, kijk nou eens wat je doet,' zei Florrie en wees op de smeltende sneeuw die op de vloer droop. Voor ze met de was begon, had ze de vloer nog gedweild. Moody smeet zijn natte pet op de grond.

'O, nee!' zei Florrie en gaf hem een tik op zijn billen.

'Waag het niet mijn kinderen te slaan,' zei ik.

'Dat zal wel moeten als ik deze zwijnenstal schoon wil krijgen,' zei Florrie.

'Jij bent hier niet de baas in huis,' zei ik.

Florrie bleef midden in de kamer staan. Ze had een natte doek in haar hand en zette beide handen op de heupen. Moody stond te brullen. Ik stak mijn hand naar hem uit.

'Dat noem ik nog eens stank voor dank,' zei Florrie. 'Doe je hier een hele maand de was en de schoonmaak en dan krijg je dit naar je hoofd.'

'Niemand heeft je erom gevraagd,' zei ik, hoewel ik heus wel wist dat dit strikt genomen niet waar was.

'Tom heeft het me gevraagd,' zei Florrie.

'Maar ik niet,' zei ik.

Florrie smeet de doek door de keuken en ging haar jas halen. Waarschijnlijk verwachtte ze dat ik haar zou vragen te blijven, maar dat deed ik niet. Net toen Jewel vuurrood en onder de sneeuw binnenkwam, ging Florrie naar buiten en gooide de deur met een klap achter zich dicht.

'Waar gaat tante Florrie heen?' vroeg Jewel.

'Naar huis,' zei ik.

Door al die besneeuwde spullen van de kinderen werd het een enorme bende bij de haard. De droogrekken bogen door onder de was en de hele keuken hing vol met lijnen met luiers en ondergoed eraan. Het huis was vochtig en donker. Op het fornuis stond water te koken en op de tafel lagen uitgewrongen natte luiers op een hoop. Alle ramen waren beslagen.

Tom kwam terug uit de stal en keek om zich heen. Toen hij de borrelende wasketel zag, vroeg hij: 'Waar is Florrie?'

'Ze is naar huis gegaan,' zei ik. Hij keek me aan alsof hij precies wist wat zich had afgespeeld.

'En wie gaat er nu de was doen?' vroeg hij.

'Ik,' zei ik.

'Je krijgt nog een terugval,' zei hij.

'En wat zou dat?' zei ik.

Het kostte me een hele dag om de was gedaan te krijgen. Om de paar minuten moest ik even ophouden om uit te rusten. Pa en Jewel hielpen me bij het volgieten van de ketel. Vooral het uitwringen van de lakens viel niet mee, evenmin als het schrobben van het ondergoed op het wasbord, maar ik deed telkens maar een klein beetje. Toen het tijd werd voor het avondeten hing alle was aan de drooglijnen en op de rekken naast het vuur.

Onder het werken stoof Moody door het huis en schoot boeven en indianen af. 'Pang, pang, jij bent dood!' gilde hij.

'Hou toch je mond,' zei Jewel en ze duwde hem weg.

'Jij bent dood!' riep Moody.

'Uit de weg, jij,' zei ik.

Volgens mij heeft Tom me nooit vergeven dat ik Florrie de deur uit had gezet. We maakten er geen ruzie over en ik heb nooit hardop uitgesproken wat ik soms dacht, bijvoorbeeld: had je soms liever met Florrie geslapen? Of: ben je soms met de verkeerde zus getrouwd? Maar ik dacht het dus wel en Tom wist dat.

Op een dag zette de dooi in. Ik liep naar buiten en stond een paar minuten op de veranda te kijken naar het water dat van de dakgoten droop en de scherfjes ijs die een voor een van de coniferen gleden. Ieder brokje suisde omlaag en viel dan met een plof tussen het ijs op de grond, terwijl het blad waar het van afgegleden was donkerglanzend en trillend achterbleef. De brokjes deden me denken aan de klonten die ik had opgehoest. Mijn longen waren bijna weer schoon, maar als ik diep inademde, hoorde je nog iets ratelen vanbinnen en telkens als ik hoestte, schoot er nog slijm los.

Ik had veel zin om de papperige brij in te stappen en te gaan kijken hoe het met het vee stond. Ik wilde met eigen ogen de dichtgesneeuwde kreek zien. Het erf wemelde van de konijnensporen, en de duizenden sporen op de heuvel leidden naar de holen langs de kreek. In de sneeuw waren allerlei sporen te zien, van vogels en buidelratten en wasberen. Ver weg, aan de overkant van de rivier, zag ik iemand lopen met een zak op zijn rug. Blijkbaar draaide de molen weer.

Ik kreeg weer een hoestbui en de vochtige dooilucht sneed door mijn longen. Huiverend ging ik weer naar binnen. De rest van de avond zat ik bij het vuur met Muir op schoot.

Die nacht sneeuwde het weer en de kou kwam terug. De smurrie vroor op en reizen werd onmogelijk. Het was in die laatste sneeuwweek dat er het meest geleden is. Iedereen was door zijn hout en kolenolie en voedselvoorraden heen. Op een dergelijke winter had niemand voorbereid kunnen zijn.

'Ik heb nog nooit zoiets gezien,' zei pa. 'Niet sinds de winter van '65, toen ik in Elmira gevangenzat.' Hij stond urenlang door het raam naar buiten te kijken.

In een blokhut aan de andere kant van Pinnacle Mountain vroren een paar mensen dood. Ze werden pas weken later gevonden, op een kluitje vlak bij de haard, met op de grond naast hen een kruik sterke drank. De blokhut was vrijwel helemaal ondergesneeuwd en de deur zat vastgevroren. De lichamen waren stijf bevroren en de ontbinding had nog niet eens ingezet, hoewel het ernaar uitzag dat de muizen aan de handen hadden zitten knagen.

Omdat ik zo lang ziek was geweest, had ik het gevoel dat ik het slechte weer gedroomd had. Ik weet zo net nog niet of ik in al die sneeuwperiodes geloofd had, als ik de laatste twee niet met eigen ogen had gezien. De ruzie met Florrie, de aanblik van haar en Tom zo dicht bij elkaar, de ergernis omdat ik niet kon werken en was aangewezen op de goede zorgen van anderen; al die herinneringen vloeiden samen tot een bijzondere eenheid die me mijn leven lang zou bijblijven. Nooit zou ik het licht bij het raam en de stank van verrotting op mijn adem vergeten. Ergens werd een soort boekhouding bijgehouden, waarin de verschillende bedragen elkaar ophieven. Toen de dooi eindelijk doorzette, bedacht ik dat we uiteindelijk altijd quitte spelen, en als er al een tekort is, dan is dat altijd maar klein.

De naweeën van de longontsteking vergden meer tijd dan ik ooit had kunnen denken. Zelfs toen het eindelijk lente was, kon ik nog steeds niet zo hard werken als voor mijn ziekte. Ik was snel moe en had lange rustperioden nodig. Ik voelde me een stuk ouder, en begin mei wist ik ook dat ik weer zwanger was.

Tom vroeg Joe hem dat jaar met de aanleg van de moestuin te helpen, want aan mij had hij niet veel. Hij zei dat de lange, strenge winter ook een voordeel had gehad: de kou had een heleboel insecten gedood, en ook konijnen, en door al dat vriezen en dooien was de bodem los en luchtig.

'Sneeuw maakt de grond vruchtbaar,' zei pa.

'Sneeuw is niks anders dan water,' zei Tom.

Veel vaker dan vroeger waren ze het met elkaar oneens. Tom had de neiging alles tegen te spreken wat pa zei.

'De bodem wordt vruchtbaar door de lucht die in de sneeuw zit,' zei pa.

'Lucht is toch geen mest,' zei Tom.

'Na een winter met veel sneeuw is de oogst altijd groter,' zei pa.

In september kwam er een prediker uit Memphis. Hij zette een tent op in het weiland van Joe. Iedereen zei dat hij een Griek was en het is waar dat hij donker, krullend haar had. Hij heette Stratis en in de tijd dat hij de samenkomsten hield, logeerde hij bij Joe en Lily. Hij was ook gebedsgenezer en volgens Joe had hij mensen genezen van kanker en van waterzucht. Mensen die bij hem kwamen op krukken, gingen rennend en jubelend weer naar huis. Vrouwen waren door hem van hun kropgezwellen bevrijd.

'Je gaat er niet heen in jouw toestand,' zei Tom.

Ik bleef thuis omdat ik misselijk was, maar dat vertelde ik hem niet. Ik denk dus dat hij dacht dat ik zijn waarschuwing ter harte nam.

Op een warme avond vlak voor de maïsoogst zat ik na het avondeten bonen te doppen op de veranda. Jewel hielp me erbij. Ik wilde voor bedtijd een hele mand vol wegwerken, dan kon ik ze wegzetten onder een vochtige doek en ze de volgende ochtend wecken. Pa was wel naar de samenkomst gegaan. Zelfs aan deze kant van de heuvel kon je de muziek in de tent horen, tamboerijnen en cimbalen en zingende stemmen. Plotseling klonk er een enorme schreeuw, alsof iemand iets riep vanuit het middelpunt van de hemel.

'Wat een heidense bende,' zei Tom, die in de deuropening was komen staan zonder dat ik hem had gezien.

'Wat is heidens?' vroeg Jewel.

'Heidenen zijn mensen die geen zelfrespect hebben,' zei Tom.

'Pas maar op dat je de Geest niet bespot,' zei ik, terwijl ik doorging met bonen doppen.

'Dat heeft niks met de Geest te maken,' zei hij. 'Het is duivelsaanbidding.'

Ik zei niets meer. Ik wilde mijn maag niet nog meer van streek maken, anders moest ik weer overgeven.

De volgende avond voelde ik me echter een stuk beter. Na de afwas ging ik naar de slaapkamer om schone kleren aan te trekken. Ik waste mijn gezicht bij de waskom en draaide mijn haar in een wrong. Daarna trok ik mijn glanzende witte blouse aan, die ik al in bijna geen jaar meer had gedragen. Daarbij koos ik een zwarte rok met knopen aan de zijkant. Het zou maanden duren voor ik daar weer in paste.

Pa was al weg. Hij had samen met de prediker uit Memphis bij Joe en Lily gegeten.

Toen ik de slaapkamer uitkwam, zat Tom op de veranda met Moody op schoot. Hij keek verbaasd toen hij me in mijn nette kleren zag. 'In jouw toestand…,' begon hij weer en zijn gezicht werd nog roder dan het al was. Hij had maïs gestript en zijn armen en gezicht waren verbrand.

'Mijn toestand is uitstekend,' zei ik.

Tom zette Moody op de grond en stond op. Volgens mij kwam het deels door zijn verbazing dat hij zo kwaad werd. Stampvoetend liep hij de veranda op en neer en brulde: 'Idioot dat je d'r bent!'

'De Bijbel waarschuwt dat je een ander geen idioot mag noemen,' zei ik.

'Je gaat niet,' zei hij. Hij greep me bij de arm en ik rukte me los. Hij had me nog nooit met een vinger aangeraakt als hij boos was, en plotseling was ik bang. Hij versperde me de weg naar de verandatrap. Ik kon het werkzweet op zijn lichaam ruiken en op zijn gezicht parelden nieuwe zweetdruppels.

'Laat me erlangs,' zei ik.

'De baby zal er iets van overhouden,' zei hij. 'Het kind zal geen greintje gezond verstand hebben.'

'De andere kinderen hebben anders gezond verstand genoeg,' zei ik. Aan de andere kant van de heuvel zette de muziek in. Het ritmische gedreun van tamboerijnen en cimbalen galmde door de avondlucht. Stemmen hieven een gezang aan. Ik was zo uitgedroogd en had zo'n behoefte aan muziek en echte gemeenschap. Ik was helemaal naar van verveling en het was de hoogste tijd om alles er weer eens lekker uit te gooien. Het was alweer zo'n tijd geleden dat ik in de Geest had aanbeden en me een had gevoeld met andere mensen. Het was een intense behoefte, een hunkering. Gewone, alledaagse dingen en boekenwijsheid waren niet voldoende. Het was een geestelijke honger. Ik denk dat Tom wel kon merken hoe saai ik alles vond.

'Je gaat niet,' zei hij. Hij stond pal voor me en nog nooit had hij me zo onverzettelijk aangekeken als nu. Het leek wel of hij dacht met een dronkenlap van doen te hebben. Ja, dat was het: hij probeerde een dronkaard bij de fles vandaan te houden.

'Laat me met rust,' zei ik.

'Dat zou ik met alle plezier doen,' zei hij, 'als de baby er niet was.'

'Met de baby gaat het prima,' zei ik.

'De baby zal getekend zijn door dat malle gedoe van jou,' zei hij.

Ik voelde me weer net zoals toen ik oog in oog stond met die dolle hond. Ik moest nadenken over wat me nu te doen stond. Ik probeerde om hem heen te lopen, maar hij greep mijn pols vast.

'Laat me met rust,' zei ik en sloeg zijn hand weg.

'Mama!' krijste Moody.

'Je maakt de kinderen bang,' zei ik.

'Ik doe niks,' zei Tom.

'Niks aan de hand,' zei ik. 'Mama gaat alleen maar naar de tentsamenkomst.'

Jewel kwam bij de deur staan met Muir op de arm. Plotseling wist ik wat ik moest doen. Ik draaide me met een ruk om, deed de deur open en liep dwars door de woonkamer en de keuken regelrecht naar de achterdeur. Ik hoorde Tom achter me aan komen, maar hij raakte me niet aan. Ik deed de deur open, ging het trapje af en liep zonder te stoppen het pad naar de koelschuur op.

Achter mij sloeg de deur dicht en toen klonk er een knal, die vlak langs mijn oren joeg. Ik keek om en zag Tom op de verandatrap staan met pa's geweer in de hand, de loop omhoog. Uit de opening kringelde een rookpluimpje.

'Hang dat ding terug,' zei ik.

'Je gaat niet,' zei hij en hij deed een stap naar voren. 'Blijf nou thuis, Ginny,' zei hij rustig.

'Dat kan ik niet,' zei ik.

Tussen de coniferen en het huis buitelden de vleermuizen. Het gefluister van hun vleugels klonk als het suizen van kogels of het zingen van strak gespannen draden. Tom was nog nooit zo ver gegaan. Ik vroeg me af of hij nog verder zou gaan. Ik denk dat hij dat zelf ook niet wist.

'Hang dat ding terug,' zei ik.

Ik draaide me om en begon het pad af te lopen. Ik had geen andere keus dan hem te laten zien dat ik vast van plan was door te zetten. Een volgende knal deed mijn oren tuiten, echode tegen de koelschuur en de weideheuvel en ten slotte tegen de bergen in de verte. Ik rook verbrand kruit. Weer draaide ik me om en keek Tom aan. 'Jij bent echt gek, jij,' zei ik.

Hij haalde een handje patronen uit zijn zak en laadde het dubbelloopsgeweer opnieuw. Zijn handen beefden van woede.

'Schiet me maar neer, als je dat zo graag wilt,' zei ik en begon weer te lopen. Bij iedere stap voelde ik iets tegen mijn rug aankomen. Ik stelde me voor dat het kiezeltjes of zandkorreltjes waren die langs mijn ruggengraat kietelden.

Bij het hek aangekomen hoorde ik de muziek van de samenkomst weer. Boven het zingen uit klonk geschreeuw en ik kon de voorganger horen spreken met het tempo van een veilingmeester.

Achter mij vuurde Tom opnieuw en nog eens. Ik luisterde of ik ergens hagel hoorde inslaan, maar ik hoorde niets. In de weide zongen de krekels en in de bomen aan de overkant van de kreek de sabelsprinkhanen. De hele weg door het weiland luisterde ik naar het zingen dat uit de tent kwam en naar de sabelsprinkhanen die er antwoord op gaven. Weer ging Toms geweer af. Zelfs toen ik allang bij de samenkomst was, hoorde ik hem nog een paar keer schieten. Het leek wel of er aan de andere kant van de heuvel een oorlog woedde.

Vijftien

4 maart 1907

Lieve Locke,

Al weken ben ik van plan je te schrijven om je te bedanken voor de waaier en het Chinese popje voor Jewel. Het gaf ons kerstfeest een bijzonder tintje om iets onder de boom te hebben dat helemaal uit het Verre Oosten kwam. Jewel heeft sindsdien elke dag met het popje gespeeld en ik heb de waaier tegen de slaapkamerspiegel gehangen zodat ik tegelijk het dessin van de voor- en de achterkant kan zien.

Ik had je al in januari willen schrijven, maar ik kreeg een zware verkoudheid te pakken en moest een week in bed blijven. Toch wil ik je al een hele poos schrijven, omdat ik geloof dat je je in een brief gemakkelijker kunt uiten dan in een gesprek. Denk je ook niet? Hier is nu iedereen naar bed en ik zit bij het raam met maar één lamp aan. De volle maan schijnt op de sneeuw. Je zou het land hier niet herkennen. Het lijkt wel iets uit een droom, de Cicero Mountain reikt tot aan de sterren en hoog boven alles, maar tegelijk beneden in de rivier, staat de maan. Wie deze avond uitkijkt over de vallei heeft het gevoel dat hij al gestorven is en in de eeuwigheid verkeert.

Eigenlijk, Locke, wil ik je in deze brief iets vragen over mama.

Ook al ben je jonger dan ik, je stond haar nader dan wij allemaal. Ze zei altijd dat je een echte Johns was en geen Peace. Ze vond dat je op onze oom, de dokter, leek.

De laatste tijd denk ik veel aan mama en dan vraag ik me af waarom ze zo tegen die opwekkingssamenkomsten gekant was, en waarom ze zo kwaad werd als pa daarheen ging. Tom staat er net zo tegenover en als ik mama's gevoelens leer begrijpen, kan ik misschien ook begrip voor Tom krijgen, zodat ik weet wat ik moet doen.

Locke, wie dag in dag uit met zijn echtgenoot in onmin leeft, zit flink in de narigheid. Je begrijpt dit misschien niet helemaal, omdat je niet getrouwd bent, maar je komt er nog wel achter. Het put je uit en doodt al je geestkracht als je iedere dag moet samenleven met iemand die kritiek op je heeft. Ik geloof niet dat de Heer het huwelijk zo bedoeld heeft.

Nu is het zo, dat het me niet kan schelen dat Tom geen boeken leest en geen prater is en in de kerk nooit eens voorgaat in gebed. Hij is wie hij is, en dat begrijp ik heel goed. Maar hij kan niet accepteren dat ik naar pinkstersamenkomsten ga, net zoals mama het van pa niet kon hebben. En nu probeer ik uit te vinden wat ik tegen hem moet zeggen.

Weet jij nog wat mama over dit onderwerp te zeggen had? Ik weet dat ze zichzelf beschouwde als een Hardshell[2]. Ze groeide op in de kerk van Upward en in haar hart is ze die altijd trouw gebleven. Zelfs op haar sterfbed hield ze dat vol en in de laatste minuut voor ze stierf, wees ze nog omhoog naar de hemel. Ik was er trots op, ook al heb ik nooit begrepen wat ze precies bedoelde. Bij het ouder worden ging ik er zelfs steeds minder van begrijpen. Hardshells zijn tegen het gebruik van muziekinstrumenten in de kerk en ze geloven in de uitverkiezing. Ze denken ook dat je vast en zeker naar de hemel gaat als je maar eenmaal gedoopt bent. Hun gezangen klinken altijd somber. Ik weet nog dat mama ons een keer meenam naar haar vroegere kerk. De dominee daar had een dorre, harde stem en hield een preek van minstens drie uur. De dienst leek

[2] Een afsplitsing van de baptisten waar het geloof in de uitverkiezing zo sterk was dat zendingsactiviteiten werden afgekeurd.

wel een begrafenissamenkomst. Het was augustus en de wespen zoemden in het rond. Mama wilde in Upward begraven worden en daar ligt ze nu dus ook.

Weet jij nog wat ze altijd tegen pa zei over de heiligingsbijeenkomsten, Locke? Was ze bang dat pa naar de hel zou gaan als hij niet in de kerk van de Hardshells was gedoopt? Was ze bang voor elke uiting van blijdschap? Was ze bang voor elke vorm van dronkenschap, omdat haar vader en haar broer zo veel dronken? Of had ze gewoon een hekel aan de mensen die de samenkomsten in het bos organiseerden?

Ik kan me moeilijk meer voor de geest halen wat ze zei. Het enige wat ik me herinner is haar woede. Ik vond het afschuwelijk als zij en pa ruzie hadden, en dan vond ik mezelf vreselijk zielig, zoals kinderen zich vaak voelen wanneer de volwassenen om hen heen problemen maken. De sfeer in huis was dan ronduit slecht. Als er bezoek was, zaten we allemaal vrolijk op de veranda te praten alsof er niets aan de hand was, maar vanbinnen voelden we ons ellendig.

Wat ik gewoon niet begrijp, is waarom mensen boos worden over een vreugdevol iets, over een dienst van lofprijzing. Zijn ze soms bang om hun zelfbeheersing te verliezen of om gek te worden? Ik kan dit allemaal rustig aan jou vragen, Locke, omdat je ver weg zit en omdat ik weet dat je er studie van gemaakt hebt. Ik weet wel dat je de neiging hebt om over alles grapjes te maken, maar volgens mij ben je in je hart een serieus mens. Daarom maak ik me ook geen zorgen als je allerlei vreemde zaken bestudeert en nieuwe gedachten overdenkt. Ik geloof dat je altijd weer naar de waarheid zult terugkeren. Ik weet dat jij ook niet van opwekkingssamenkomsten houdt, maar je lijkt er niet boos om te worden. Kun jij me uitleggen waarom iemand als Tom zich er zo door bedreigd voelt?

Het is nu twee dagen later. Ik moest stoppen, want de baby werd wakker en ik moest hem uit bed halen. Eens kijken of ik de draad weer kan oppakken.

Kun je je die zondag nog herinneren dat we allemaal klaarstonden voor de herdenkingsdienst in Cedar Springs? Mama en Florrie hadden een mand volgestouwd met kip en piepers en een kan limonade. We hadden allemaal onze zondagse kleren aan en klommen net in de wagen toen mama vroeg wie de zangleiding zou hebben. En toen zei pa dat dat Ben MacBane was. En toen zei mama plompverloren dat ze niet meeging, en klom de wagen weer uit. Ik voelde me de hele dag beroerd, in de wetenschap dat mama boos op ons was.

Ik herinner me ook een keer, het was in de herfst, dat we suikerriet hadden gesneden en die door de molen draaiden om er melasse van te koken. Pa zou een deel ervan aan de familie Lewis verkopen. Er kwam die dag een rondtrekkend prediker voorbij, die samenkomsten had gehouden bij Chestnut Springs en nu onderweg was naar Buncombe. Pa gaf hem vier liter sorghumsiroop en nodigde hem uit voor het avondeten. Mama was zo boos dat ze zonder een woord te zeggen naar huis liep. En ook tijdens het eten zei ze geen stom woord. Ze zette zelfs de schalen en de borden met een bons op tafel.

Ik vraag het aan jou, Locke, omdat jij altijd mama's kant koos. Daarom denk ik dat jij iets meer weet over wat mama van allerlei dingen vond.

Als jij nog eens trouwt, Locke, zul je merken dat het huwelijk voornamelijk een kwestie van hard werken is. Ik wil niet zeggen dat de vreugde ontbreekt, want dat is niet waar. Het is zoals de dichters zeggen: de liefde brengt veel genot met zich mee. Maar de manier om het dag in dag uit vol te houden, ondanks alle nukken en grillen, boze buien en ergernissen, is gewoon doorwerken. Ik zou niet weten hoe je het anders uit moest houden.

Nu weet ik best dat pa iets gehad heeft met een andere vrouw, een die hij ontmoet had bij een samenkomst in de buurt van Mountain Page. Doe nou maar niet net of jij daar niks van wist, of dat je geschokt bent omdat ik het weet. Ik weet al heel lang dat we daarginds een halfbroer hebben. Maar die vrouw kreeg pas een kleine nadat pa en ma eindeloos hadden lopen kibbelen, en zij was niet de reden waarom mama er een hekel aan had dat pa naar die diensten toe ging. Zelf denk ik dat het gewoon een ongelukje was.

Tom heeft geen enkele reden om aan te nemen dat ik naar de samenkomsten ga om een andere man te ontmoeten. Ik heb nog nooit op die manier naar een opwekkingsprediker gekeken, of naar welke man dan ook.

Er komt geen einde aan deze brief, zeg. Het is nu al de langste brief die ik ooit heb geschreven. Er is een hele week voorbijgegaan voordat ik er weer mee verder kon.

Ik zou het fijn vinden, Locke, als je eens nadenkt over wat ik je vertel om te zien of je me kunt helpen. Ik weet dat er in mama's gevoelens iets is waar ik iets aan zou kunnen hebben; en jij weet wat dat is, terwijl ik het ben vergeten.

Ik denk dat ik jou in een brief wel kan uitleggen wat ik tijdens een samenkomst voel; in een gesprek zou ik dat niet kunnen. Ik weet niet of alle mensen hetzelfde zijn of niet, en ik weet ook niet of mensen elkaar ooit echt kunnen begrijpen. Toch geloof ik dat we diep vanbinnen, daar waar we de dingen voelen en weten, wel aan elkaar verwant zijn. En ik geloof ook dat we elkaar moeten helpen; als we dat niet doen, is er geen hoop meer.

Ik ben iemand die alles met enthousiasme moet doen; als ik dat niet doe, zak ik weg in gepieker en verwarring en dat is afschuwelijk. Ik moet bezig zijn en plannen maken, anders krijg ik het gevoel dat er iets goed mis is.

Als ik niet bezig ben met iets wat ik belangrijk vind, ga ik al gauw denken dat alles zinloos is en aan de vloek onderworpen. Daar kan ik gewoon niks aan doen. Denk je dat dit een gebrek van me is? Denk je dat ik gewoon meer wilskracht zou moeten hebben om dergelijke obstakels te overwinnen? Soms lijkt het wel alsof ik de macht niet heb om dingen aan te pakken en mezelf op te monteren. Voordat ik trouwde, hield ik mezelf op de been door van het ene project naar het andere te rennen. Weet je nog die keer dat ik al die kruidenboeken bestelde en vlak bij het huis een tuin aanlegde in een ring van stenen? Ik was bezeten van het idee dat ik alle namen en toepassingen moest kennen, elk bladpatroon en elke plaats van herkomst. Ik wilde studie maken van wat ze de signatuur van de kruiden noemen, bijvoorbeeld hoe je aan de vorm van het blad kunt zien dat een kruid een geneeskrachtige werking heeft voor het hart of aan een grote wortel dat die stimulerend werkt op de potentie van de man. De nieuwsgierigheid tilde me uit boven mijn zwakheden.

Een andere keer raakte ik geboeid door naaien. Ik had kleren naaien nooit zo leuk gevonden als andere meisjes. De mensen zeiden dat ik niet goed voor mezelf zorgde, omdat ik niemand had die het me kon leren. Maar in die tijd moet ik minstens tien blouses hebben genaaid, elk met een ander patroon van kant en roesjes, en sommige met knopen van parelmoer. Ik maakte ivoorkleurige blouses en blouses van fonkelende zijde, wit als sneeuw.

Het tanen van mijn belangstelling voor iets is te vergelijken met het zakken van de koorts. Opeens ben ik weer normaal. Ik ben me er amper van bewust dat het gebeurt, tot ik me op een dag realiseer dat ik gewoon mijn werk doe en dat de zoete pijn van de passie is verdwenen. Het is het moment vlak voordat ik ergens verliefd op word, dat ik me altijd zo intens herinner. Het is een soort heimwee. Ik probeer het moment terug te halen vlak voordat ik de kruidenkunde en de witte blouses ontdekte. Wat ik probeer vast te houden en wat ik graag telkens opnieuw wil beleven, is de onstuimigheid van de ontdekkersvreugde.

Ik vraag het speciaal aan jou omdat je van alles hebt gelezen over ziekenverzorging en over de werking van de menselijke geest. Begrijp jij hier iets van? Waarom was ik zo rustig en gelukkig, juist toen ik vervuld was van een intense liefde voor kruiden en al mijn tijd besteedde aan het kweken en drogen ervan, om er tincturen en infusies van te maken? Ik was zo gelukkig met al die nieuwe kennis, dat ik wel kon huilen bij de gedachte aan mijn vroegere ontwetendheid.

Daarna volgt altijd een periode waarin alles zinloos lijkt. Niets van wat ik doe klopt met andere dingen. Iedereen leidt zijn leven en lijkt niet te merken hoe afschuwelijk alles is geworden. Zelf zie ik alleen maar troosteloosheid, omdat niemand zich om me bekommert. Pa en Joe en Florrie werken gewoon door. Jij hebt je werk en je vrienden. Op zo'n moment dringt het tot me door dat ik geen vrienden heb. Ik heb me zo lang om niemand bekommerd, dat de mensen me vergeten zijn.

Als ik zo in de war ben, voel ik me niet tot werken in staat. Niets is de moeite waard om je voor in te spannen. Elke volgende minuut, elk volgend uur is als een berg die beklommen moet worden. Ik kan niet zien waar ik bij de volgende stap mijn voet moet neerzetten. Als je je zo ellendig voelt, is het net of je blind bent en de weg voor je niet kunt zien. Kennis helpt niet, aan boeken heb je niks.

Dit zijn de momenten waarop ik de gemeenschap met de Geest

nodig heb. Alleen door een samenkomst kan ik me dan beter gaan voelen.

Kun je dat begrijpen, Locke, of is het onzin?

Ik heb ontdekt dat ik ook door zo'n moeilijke periode heen kan komen door anderen te helpen. Ik knap er zelf van op als ik ergens bijspring of iemand in nood iets geef. Toen de kinderen van Short allemaal tegelijk de pokken hadden, stuurde ik hun bijna twee weken lang elke dag een warme maaltijd. En ik heb een hele tijd de was gedaan voor Shirley MacBane en haar man, die aan waterzucht leed.

Maar wat me het meest uit de put haalde en me uittilde boven de neerslachtigheid en de somberheid, meer nog dan hard werken of nieuwe ontdekkingen of liefdadigheid, waren de opwekkingen. Toen pa me voor de eerste keer meenam, was het alsof ik een nieuwe kant van mezelf ontdekte. Wanneer ik in tongen sprak of danste en schreeuwde werd ik opgetild en vervuld door een kracht, groter dan ikzelf. Dan voelde ik me bevrijd van alle rotzooi en verwarring van het dagelijks leven. Er is geen andere manier om het gevoel van totale reiniging te beschrijven dat door je heen gaat als de Geest je aangrijpt. Je wordt meegesleurd, opgetild; iets dat groter is dan jijzelf krijgt je in zijn greep.

En als het voorbij is, voel je een enorme liefde voor het gewone.

Wat ik voel na zo'n dienst is mooier dan het geluk dat me vervult wanneer ik 's nachts naar de sterren kijk, of naar de zonsondergang boven de vallei, of naar het eerste lentegroen op de hellingen langs de rivier, of bij het lezen van welk boek dan ook. Het enige dat in de buurt komt van de vreugde van de heiliging is het genot van de liefde, en ik ben gaan denken dat ze in wezen eigenlijk hetzelfde zijn. Ik begrijp niet hoe vleselijk en geestelijk genot zo op elkaar kunnen lijken, maar het is gewoon zo.

Ik weet niet precies wat ik van je verwacht, Locke. Ik vraag niet van je dat je mij gaat uitleggen hoe ik in elkaar zit, en ik vraag je ook niet om eens met Tom te gaan praten, wanneer je weer thuis bent. Hij zou er toch niets van begrijpen.

Dit gaat de langste brief van de hele wereld worden. Sinds ik het bovenstaande schreef, zijn er vier dagen verstreken en nu grijp ik weer naar de pen. Het is avond en de kinderen slapen al.

Soms vraag ik me af of Tom op zijn manier ook lijdt aan sombere buien en getob, maar dat hij er gewoon nooit over praat of niet weet hoe hij erover moet praten. Ik vraag me af of hij zich niet net als iedereen af en toe zwak en moe voelt, maar het verbergt door hard en gestaag door te werken.

Waar ik echter het meest over inzit, als het om Tom gaat, is wat hij eigenlijk gelooft. Soms denk ik wel eens dat hij helemaal niets gelooft. Ik geloof dat hij alle overvloed van de akkers en van het weer in een geldzak probeert te proppen. Hij ontfutselt de aarde haar vet en haar suiker, zoals een apotheker een extract wint uit een blad of een wortel. Tegelijk weet ik dat dit niet zo is, want hij houdt echt van de boerderij en van het land en van het werk zelf.

De mensen die we het beste kennen, kennen we het slechtst. Ze staan zo dicht bij ons dat we hen niet goed meer kunnen zien. Ik heb het gevoel dat ik met een vreemde getrouwd ben, ik weet niet wat hij bedoelt en ik weet niet wat hij wil. Ik weet niet wat ons samenbindt. Soms kan ik me niet meer voor de geest halen waarom ik eigenlijk met hem getrouwd ben.

Ik wou dat ik wist hoe de mensen heel vroeger over het geloof dachten. Geloofden ze op dezelfde manier als wij? Hadden ze in het begin ook al kerken? Al die opwekkingen hier in de bergen zijn iets van de laatste tijd, sinds pa terug is uit de oorlog. Maar het is wel moeilijk voor te stellen dat ze indertijd geen bossamenkomsten hadden. Misschien vergde de ontginning van het land zo veel werk, dat ze geen tijd hadden voor de vreugde van dergelijke diensten.

Ik denk vaak over dit soort dingen na, omdat ik me afvraag hoe diepgeworteld onze overtuigingen zijn. Ik voel me een deel van iets dat eeuwig is, maar of anderen dat ook gevoeld hebben, kan ik niet zeggen.

Het zit me dwars dat andere mensen het evangelie nog nooit gehoord hebben, dat zelfs de meeste mensen op deze wereld geen weet hebben van het verlossingsplan. Tegelijk kan ik niet geloven wat sommige predikers zeggen, namelijk dat iedereen die niet gedoopt is naar de hel gaat, of ze nu beter hadden kunnen weten of niet. Ik zou het niet eerlijk vinden, als mensen verloren gaan die nooit de kans hebben gekregen om te gaan geloven.

Dat brengt me bij een van mijn andere zorgen. Als mensen die in onwetendheid verkeren niet verloren gaan, wat heeft het dan voor zin om al die zendelingen erop uit te sturen om hen te bekeren? Zie je wat ik bedoel? Het kan niet allebei waar zijn. Of ze worden niet vervloekt in hun onwetendheid, of wel. Ik kom er niet uit. Ik heb het aan pa gevraagd en hij kan het me ook niet uitleggen. Je merkt wel, Locke, dat ik dingen zeg die ik nog nooit aan iemand verteld heb.

Ik ben wel eens jaloers op de mannen, Locke. Jullie kunnen gaan en staan waar jullie willen. Je kunt in het leger gaan en een baan zoeken, je kunt op reis gaan en, als je dat wilt, een huis kopen in Arkansas of Texas en helemaal opnieuw beginnen. Misschien is dat wel mijn lievelingsdroom: weggaan en ergens anders een nieuw leven beginnen.

Toch denk ik dat ik dit niet echt wil. Ik geloof niet dat ik hier weg zou kunnen gaan, of dat ik ergens anders gelukkig zou kunnen zijn, hoe graag ik dat ook wil geloven. De keren dat ik met pa naar Greenville of naar Ashville ben geweest, heb ik geen enkele plek gezien waar ik zou willen wonen. Ik zou best een paar dagen weg willen, bijvoorbeeld naar dat hotel in Ashville waar echtparen op huwelijksreis naartoe gaan en waar je vanuit het raam helemaal naar Pisgah kunt kijken. Maar dan alleen voor een paar dagen, om een poosje weg te zijn uit de keuken, bij dat gloeiende fornuis vandaan.

Een van de dingen die ik in Tom waardeer, is dat hij zich zo tot dit land aangetrokken voelt. Het heeft me vanaf het begin in hem aangetrokken, dat hij zich zo sterk ging hechten aan onze boerderij. Voor ons was het land eerder een zware last. Door met Toms ogen te kijken, heb ik weer leren zien hoe prachtig het is.

Soms voel ik zo'n grote liefde voor onze grond, dat ik een poosje alleen maar sta te kijken hoe het erf overgaat in de akkers en de akkers zich uitstrekken tot aan de hazelaarbosjes langs de rivier. Ik kijk aandachtig naar de leilatten die Tom gemaakt heeft voor de rozen, en naar de zandbak die hij naast de schoorsteen voor Jewel en Moody heeft gebouwd en volgestort met rivierzand. Zelfs de bloembedden zien er vertrouwd en volmaakt uit, ook al moeten ze nodig gewied worden. De verweerde schuur die Joe naast de koestal voor pa's wagen heeft gebouwd, glanst als zilver. Ik stel me de kamer waarin ik zit voor als een piramide, met de kracht en het brandpunt van een kristal. Het is mijn kamer, en het middelpunt van de hele wereld.

Wanneer ik uitkijk over het erf, zelfs als de maan schijnt, voel ik me nauw verbonden met overgrootvader Peace die lang geleden dit land heeft ontgonnen, en de cypressen, de coniferen, de magnolia's en de jeneverstruiken heeft geplant. Ik zie dat Tom de buxus heeft geknipt en de kersenboom bij het kippenhok heeft gesnoeid. En dan heb ik het gevoel dat mensen over de jaren heen met elkaar samenwerken, op dezelfde manier als wanneer we bij elkaar waren. Zelfs jij werkt met ons samen, ook al ben je ver weg op de Stille Oceaan bezig met je werk als verpleger.

Ik zit er helemaal niet mee, Locke, dat jij praat over Darwin en Ingersoll en Emerson en al die andere agnostici en ongelovigen. Ik maak me geen zorgen over wat jij leest en bestudeert. Wat me wel dwarszit, is dat je zo ver van huis bent en onbereikbaar voor onze liefde. Ik vind het vreselijk om me voor te stellen wat de eenzaamheid kan doen met jouw gevoelens en gedachten. Dat is een van de redenen waarom ik je deze lange brief heb geschreven: om je te laten merken dat je toch niet helemaal alleen bent in dat legerhospitaal aan de andere kant van de wereld. Je bent in mijn gedachten precies zo als wanneer je hier op de bank je lollige verhalen zit te vertellen.

Als je ideeën hebt die me zouden kunnen helpen, laat het me dan alsjeblieft weten.

Door Christus in liefde met jou verbonden,
je zusje Ginny.

Zestien

'Er is gekapt op de berg,' zei Tom. Het was begin november en hij was in de boomgaard op de berg de laatste appels wezen plukken, voordat ze door de eerste nachtvorst vernield zouden worden.

'Waar op de berg precies?' vroeg ik.

'Net achter de boomgaard, op de richel en pal eronder,' zei Tom.

Een akelig voorgevoel trok langs mijn ruggengraat omlaag en zakte in mijn benen.

'Het hout is aan deze kant van de richel gekapt,' zei Tom.

'Dat kan niet,' zei pa. 'Weet je waar de grens loopt?'

'Ik kan het hoogste punt van de berg aanwijzen,' zei Tom.

'Ik had je moeten laten zien waar de grens precies loopt,' zei pa.

'Misschien heeft iemand zich gewoon vergist,' zei ik.

'Daar lijkt het wel op,' zei pa.

Ze spraken af dat ze de volgende morgen meteen zouden gaan kijken. Verhit en met een opgejaagd gevoel zette ik het eten op. Pa deed er verder het zwijgen toe, maar ik merkte wel dat het hem flink dwarszat. Jaren geleden hadden we een grensconflict met de Johnsons, dat uiteindelijk op een rechtszaak was uitgelopen. Pa praatte daar niet graag over. De Johnsons hadden de andere kant van de berg in eigendom en ze lagen met al hun buren overhoop. De oude Thurman Johnson geloofde dat hij door een stel landmeters bij de neus was genomen en daardoor niet al het land had gekregen waar hij volgens zijn contract recht op had. Om de paar jaar eigenden hij en zijn zonen zich hier en daar een paar meter extra toe. Een hele tijd geleden was een van zijn zonen zelfs al doodgeschoten, tijdens een ruzie met de MacBanes over de westgrens. Niemand kon bewijzen wie het dodelijke schot gelost had. Toch was het nu al twintig jaar geleden dat de Johnsons voor het laatst iemand hadden lastiggevallen over de eigendomsgrenzen.

'Je zou toch denken dat mensen zulke oeroude grenzen wel respecteren,' zei ik. 'De grens loopt nog precies zoals altijd.'

'Wat is een grens?' vroeg Moody.

'Dat is de lijn waar je eigen land ophoudt en dat van anderen begint,' zei ik.

'Ga je ze doodschieten?' vroeg Jewel aan Tom. De laatste tijd probeerde ze duidelijk een gesprek met mij te vermijden.

'Niemand gaat hier iemand doodschieten,' zei ik. 'We weten nog niet eens wat er precies gebeurd is.'

Alleen al bij het woord 'grensconflict' breekt het zweet me uit, omdat zo'n conflict nooit echt wordt opgelost. Als iemand er vast van overtuigd is dat hij niet al het land bezit dat hij dient te bezitten, is het onmogelijk hem van het tegendeel te overtuigen. Zelfs brave christenmensen komen dan in de greep van de haat, en zo komt er geen einde aan het gekrakeel en aan de processen. Er woonden hier mensen in de vallei, buren van elkaar, die al in geen dertig jaar een woord gewisseld hadden. Ze namen hun conflicten mee naar de kerk en naar de politiek. Op school tuigden hun kinderen elkaar af. Bij de eekhoornjacht namen ze elkaar op de korrel en ze stalen timmerhout van elkaars land. Mensen die verder heel fatsoenlijk waren, zelfs diakenen en steunpilaren van de kerk, stortten afval op andermans land en joegen hun koeien in andermans maïs. In de winkel vlogen hun vrouwen elkaar in de haren om een paar vierkante meter struikgewas.

Ik had altijd tegen mezelf gezegd dat ik nooit in een grensstrijd betrokken wilde raken. Ik vond het te onnozel om over te praten. Het leek me beter een paar vierkante meter grond weg te geven dan je leven te verpesten met een burenruzie.

'Hoeveel hebben ze gekapt?' vroeg ik aan Tom.

'Moeilijk te zeggen. Ik heb ongeveer twintig stompen gezien, en ook zaagsel en stukjes afvalhout op de plek waar ze het hout in stukken hebben gezaagd.'

'We hebben eiken op die richel staan,' zei pa. 'Er is daar nog nooit gekapt.'

'Nu wel,' zei Jewel.

'Houd je mond,' zei ik. 'We weten het nog niet zeker.'

Jewel en ik ruimden de tafel af en daarna ging ik bij het vuur zitten lezen, maar al die tijd kon ik aan niets anders denken dan aan die grenslijn op de berg. Ik zei tegen mezelf dat ik kalm moest blijven, maar de woede steeg me naar de keel als azijndamp. Ik zei tegen mezelf dat ik moest afwachten en me beter niet kon opwinden, voordat duidelijk was wat er gebeurd was. In dit geval was het de christelijke reactie om iemand het voordeel van de twijfel te geven en je vijanden lief te hebben. Mijn woorden hadden echter geen enkel effect op de groeiende boosheid in mijn hart.

Wat kon je ertegen doen als iemand je een stuk land afpakte? Zelfs al was het al honderd jaar in de familie, dan nog leken ze zomaar de grens te kunnen verleggen. De Johnsons hadden mijn opa en mijn overgrootvader al problemen bezorgd. Er moest toch een manier zijn om aan dat verdorven gedrag definitief een einde te maken? Het was in hun voordeel dat de berg zo'n eind bij ons huis vandaan lag. Het was bijna toeval dat Tom er geweest was en had gezien dat zij er hout hadden gekapt. Tot mijn eigen verbazing bleef mijn woede maar groeien. Ik had geen verklaring voor de razernij die binnen in mij loeide. Ik voelde me verraden. Mijn intiemste privacy was geschonden. Als ze een van mijn kinderen iets hadden aangedaan of misbruik hadden gemaakt van mijn vertrouwen, had ik niet kwader kunnen zijn.

'De Johnsons hebben dit nu één keer te vaak geflikt,' zei ik tegen pa.

'Tom en ik gaan morgen wel kijken wat ze gedaan hebben,' zei pa.

'Nee, we gaan allemaal,' zei ik.

'Nee, alleen Tom en ik,' zei pa.

Die nacht lag ik in bed aan het land op de berg te denken. Ik kwam er bijna nooit, behalve om appels te plukken. Ik wist zelf niet eens precies waar de grens liep. In ieder geval over de top, maar een bergkam is natuurlijk niet zo scherp als de nok van een dak. Waar de hoekpinnen zich bevonden, wist ik al helemaal niet. Tom zorgde er altijd voor dat de weg naar de boomgaard en ook het veld eromheen werden gemaaid, maar er waren daar ook stukken bos waar hij nog nooit was geweest. Pa joeg hier vroeger altijd op eekhoorns en Joe had er vossenvallen gezet. Ik wist dat er een holte was met een bron, en verderop op de richel een klif dat de Buizerdrots werd genoemd. Er was nog een klif, de Zwijnenrots, waar de varkens op een kluitje gingen staan als het regende. Het was jaren geleden dat ik die plaatsen had gezien. Als kinderen waren we ooit eens op de Buizerdrots gaan picknicken. Onder de rots was een grot, zwartgeblakerd door de kampvuren van jagers en misschien wel van indianen. In de laag bladeren onder aan de rots vond Joe een tomahawk.

Die nacht droomde ik dat ik met pa's geweer in de hand op eigen houtje de berg opklom. Daar trof ik Thurman Johnson met zijn zonen en dochters en schoondochters, druk bezig met het omhakken van onze bomen. Ze kapten de hele bergtop kaal.

'In de naam van Jezus, houd daarmee op!' schreeuwde ik.

'We werken allemaal in de naam van Jezus,' zei Thurman. 'We gaan een kerk bouwen waar de schreeuwers en de lasteraars niet in mogen.' Hij grijnsde en er liep tabakssap uit zijn mondhoek. Zijn hele familie stond me aan te staren. Ze hadden ook perzikbomen en appelbomen gekapt.

Ik richtte mijn geweer op Thurman, maar net toen ik de trekker overhaalde, werd ik wakker. Mijn hart roffelde en ik lag te beven in bed.

De volgende ochtend spande Tom direct na het ontbijt het paard voor de wagen. Ik was blij dat pa niet naar de bergtop hoefde te lopen. Tom reed de wagen naar het hek en pa haalde zijn geweer en zijn musket uit de slaapkamer.

'Die heb je toch niet nodig,' zei ik, met mijn afschuwelijke droom nog vers in het geheugen.

'Je weet maar nooit,' zei pa.

'Als je je maar niet te veel opwindt,' zei ik. 'Dat is niet goed voor je hart.'

'Ik kijk wel uit,' zei pa. 'Maar we moeten weten wat er gebeurd is.'

Ik liep met hem mee naar de wagen. Jewel en Moody en Muir wilden me achterna. 'Naar binnen, jullie,' zei ik. Ze bleven op de veranda staan. 'Wees voorzichtig,' zei ik tegen Tom.

Ik keek hen na toen ze het erf af reden naar het grote hek.

'Gaat opa Johnson doodschieten?' vroeg Moody.

'Niemand gaat iemand doodschieten,' zei ik.

Vlak voor het warme eten waren Tom en pa weer terug. Ze zagen er moe uit, alsof ze er een hele werkdag op hadden zitten. Pa zag grauw, als iemand die net een hartaanval heeft gehad of een grote teleurstelling moet verwerken. Hij klom uit de wagen en bracht de geweren naar binnen.

'Wat is er gebeurd?' vroeg ik. Maar Tom reed al naar de wagenschuur om uit te spannen.

'Heeft opa ze doodgeschoten?' vroeg Moody.

'Stil, jij,' zei ik.

Ik zette maïsbrood en sperziebonen en eekhoornpastei op tafel, maar zelf had ik geen trek. Moody ging aan tafel zitten en ik zei tegen Muir dat hij moest ophouden met neuspeuteren. Pa kwam zijn kamer uit en ging aan tafel zitten, en Tom kwam terug van de wagenschuur. Pa ging voor in gebed en de kinderen begonnen te eten.

'Gaat iemand me nog vertellen wat er gebeurd is?' vroeg ik. 'Of is de kat er met jullie tongen vandoor?'

'Hij heeft de palen eruit getrokken,' zei Tom.

'Wie, Johnson?'

'En de hoekpinnen ook,' zei pa. 'Alle markeringen zijn verdwenen.'

'Maar dat is tegen de wet,' zei ik. 'Dat kan toch niet zomaar.' Maar terwijl ik het zei, drong het verschrikkelijke besef tot me door dat mensen tot alles in staat zijn als ze denken ermee weg te kunnen komen. En hoe brutaler de daad, hoe waarschijnlijker het is dat het nog lukt ook. Ik werd koud van ontzetting.

'Hoe weet je dat het Thurman was?' vroeg ik, alleen maar om redelijk te klinken.

'We hebben hem gezien,' zei Tom.

'Was hij daar dan?' vroeg ik.

'Hij en de jongens waren net bezig met kappen,' zei pa.

'Heb je hen dan niet weggejaagd?' vroeg ik.

'Ik zei: "Thurman, wat voer je daar uit op mijn land?",' zei pa. 'En toen zei hij: "Ben Peace, wat voer jij uit op het mijne?"'

'Wat een gemene schoft,' zei ik.

'Ik zei: "Thurman, je weet toch dat we deze grens al lang geleden hebben vastgesteld." "Dat hebben we niet," zei hij. "Jij hebt nu bijna honderd jaar het land van de Johnsons gebruikt en nu is het afgelopen."'

'En wat deed jij toen?' vroeg ik.

'Ik zei: "Thurman, je weet dat de markeringen nog precies zo staan als altijd." "Waar heb je het over?" zei hij. "Ik zie geen markeringen."'

Toen Thurman dat zei, waren Tom en pa op zoek gegaan naar de hoekpinnen en toen hadden ze ontdekt dat alle grenspalen uit de grond waren getrokken en nergens meer te vinden waren.

'Waar heb je de palen gelaten?' vroeg pa aan Thurman.

'Ik heb geen palen gezien,' zei die. 'Maar volgende zomer kom ik op deze richel mijn appels en mijn perziken oogsten.'

'Op dat moment begreep ik dat ik beter weg kon gaan,' zei pa. 'Ik wilde mijn leven niet als moordenaar eindigen. De laatste die ik heb neergeschoten, was een scherpschutter van de yankees bij Petersburg. Het laatste wat ik tegen Thurman zei was: "Tot ziens in de rechtbank."'

Zowel pa als Tom zag er verslagen uit.

'Mama, wat gaat er nu gebeuren?' vroeg Jewel met tranen in haar ogen.

'Niets,' zei ik, 'behalve dat Thurman zijn verdiende loon zal krijgen.'

'Thurman aast al zijn hele leven op ons land,' zei pa. 'Hij weet ook wel dat dit zijn laatste kans is om het te krijgen.'

'Nou, dan zal hij sterven als een ontgoocheld man,' zei ik.

'Wat ga je doen, mama?' vroeg Moody.

'Ik ga aangifte tegen hen doen, omdat ze zich onrechtmatig op ons land hebben begeven.'

'Daar rekent hij juist op,' zei pa.

'Daar rekent hij juist niet op,' zei ik. 'Hij gelooft nooit dat we die moeite zullen nemen.'

'Het zal niks uithalen,' zei pa. 'De rechtbank zal een landmeter aanwijzen, en Johnson zal een advocaat in de arm nemen om die landmeter om te kopen, en anders zal hij hem leugens vertellen over de grenspalen.'

'Hebben jullie dan een beter idee?' vroeg ik. Noch Tom, noch pa gaf antwoord. 'Dan gaan we morgen naar de stad,' zei ik.

Het nieuws over het conflict verspreidde zich als een lopend vuurtje. Die middag kwam Florrie langs om te vertellen dat David er in de winkel over had gehoord. Volgens haar liep Thurman daar op te scheppen dat hij pa en Tom van zijn land had gejaagd.

'De Johnsons zijn altijd schorriemorrie geweest,' zei Florrie. 'Tijdens de Burgeroorlog waren het doodgewone struikrovers en dieven, die weduwen en kinderen bestalen.'

'De duivel beschermt de zijnen,' zei ik.

'Iedereen laat een stinkdier zijn gang gaan,' zei Florrie.

Toms stilzwijgen baarde me zorgen. Ik was boos en ik wist dat pa vreselijk van streek was, maar Tom zei de hele avondmaaltijd lang geen stom woord. Later, toen we bij de haard zaten, staarde hij alleen een beetje in de vlammen. Hij zat erbij alsof hij op iets zat te broeden. Ik wist hoeveel het land voor hem betekende en daarom joeg zijn zwijgen me angst aan.

'Als je het maar uit je hoofd laat om iets te doen,' zei ik, toen we naar bed gingen.

'Iemand moet toch iets doen,' zei hij.

'Ik ga toch iets doen,' zei ik. 'Ik stap naar een advocaat.'

'Aan een advocaat heb je niks,' zei hij.

'Aan een gerechtelijke uitspraak anders wel,' zei ik. 'Dat zal Thurman toch wel schrik aanjagen?'

'Dergelijke zaken slepen zich jarenlang voort. De enigen die ervan profiteren zijn de juristen. Gewone mensen raken hun boerderij kwijt, omdat ze de kosten niet meer kunnen betalen.'

Daar had hij gelijk in, maar het had geen zin om erover te piekeren. De tijd waarin zulke conflicten werden uitgevochten met geweren en vechtpartijen was voorbij. Pa en Thurman waren allebei oud. Misschien maakte het Thurman niet uit of hij werd neergeschoten. Ik had gehoord dat hij begon te kwakkelen en dat zijn gezondheid achteruitging. Daarom wekte het des te meer verbazing dat hij uitgerekend nu beslag op ons land wilde leggen.

Die nacht lag ik in bed te verzinnen wat ik tegen advocaat Gibbs zou zeggen. Ik ging alle feiten nog eens langs, zodat ik het verhaal over het conflict met Johnson compleet had. Ik kwam tot de conclusie dat de verwijdering van de grenspalen het belangrijkste punt was, belangrijker nog dan de houtkap. Johnson kon rustig beweren dat de grenslijn lager liep, maar er was geen enkel excuus voor zijn gerommel met de hoekpinnen, zonder dat hij daartoe door de rechtbank was gemachtigd. Mijn aanklacht moest zich richten op de vernieling van de grenspalen.

De volgende dag was het koud en bewolkt. In de vroege, grijze novemberochtend bracht Tom pa en mij naar het station.

'Mag ik ook mee?' vroeg Jewel. 'Ik wil naar de lapjeswinkel.'

'Jij moet bij de kleintjes blijven,' zei ik.

'Ik wil ook mee,' zei Moody.

'Ik ook,' zei Muir.

'Ik zal een zuurstok voor jullie meebrengen!' riep ik over mijn schouder.

Het was meer dan een jaar geleden dat ik in de stad was geweest. Ik rilde van opwinding en angst. In mijn beurs zat twintig dollar om de advocaat van te betalen en om iets voor de kinderen te kopen. Uit mijn sieradendoosje had ik er nog eens tien extra bij gedaan. Ik had een hekel aan de stad; de drukte maakte me duizelig en tussen al die mensen voelde ik me verloren.

We reden door het arbeidersdorp, net toen de mensen naar hun werk gingen. De fabrieksarbeiders hadden allemaal een lunchtrommeltje bij zich. Ze zagen eruit als gevangenen die zich opstelden in de rij om terug te gaan naar hun cellen. Op dat moment kwam ook de nachtploeg naar buiten. Hun schouders en haren zaten onder het pluis, net rijp. Ze liepen een beetje ineengedoken tegen de ochtendkou.

Het station lag aan de voet van de heuvel aan de andere kant van het dorp. We passeerden het meer en de kerk van Crossroads. Tom stopte naast het perron en gaf me een gouden twintigdollarmunt. 'Betaal die advocaat wat hij ook vraagt,' zei hij. 'Ik sta hier weer om half zes, als de trein terugkomt.'

Ik begreep dat ik dit niet alleen voor pa en de kinderen moest doen, maar ook voor Tom. De boerderij was voor niemand zo belangrijk als voor hem. Ik was nog nooit eerder naar een advocaat gestapt, maar ik zou ervoor zorgen dat dit tochtje resultaat had, wat het me ook zou kosten.

Op het perron stonden al zo'n zes mensen te wachten. Een van de jongens van Jenkins stond er met een krat kippen, die hij wilde verkopen op de markt. Tildy Tankersley was er ook, met een verband rond haar kaken. Die ging zeker naar de tandarts. 'Ik heb gehoord dat jullie problemen hebben,' zei ze tegen me uit haar ene mondhoek.

'Iedereen heeft wel eens wat,' zei ik.

'De Heer stelt de zijnen op de proef,' zei ze. Ze praatte traag, alsof ze erge pijn had.

Iedereen keek naar pa en mij, en ik had het gevoel dat ze allemaal precies wisten wat wij in de stad gingen doen. Tegenslag wordt nog een graadje erger als iedereen ervan op de hoogte is.

Ik was blij toen de trein steunend en kreunend de heuvel opkwam. Net boven Saluda was de berg vrij steil, en iedere trein die langs het perron stilhield, zag er dodelijk vermoeid en bezweet uit. De locomotief hijgde en pufte amechtig, als een hond op een warme dag. Zodra de wagens stilstonden, maakte ik aanstalten om naar binnen te klimmen, maar de conducteur stond op de treden en schreeuwde: 'Aan de kant, aan de kant, zeg ik!' Ik sprong achteruit en hij gaf Wiley Waters een postzak aan. Ik was vergeten hoe onbeleefd conducteurs konden zijn.

Toen we eindelijk waren ingestapt en een plekje hadden gevonden, zat ik te beven van woede. De bankjes waren smaller en viezer dan ik me herinnerde. Misschien was het een oude wagon. 'We hadden best met de wagen kunnen gaan,' zei ik tegen pa.

'Dan hadden we er een halve dag over gedaan om er te komen,' zei hij.

Toen de trein eenmaal reed, ging ik me snel beter voelen. Ik knap altijd op van beweging. In het begin kraakte en piepte de trein nog hevig, maar al gauw begon hij snelheid te maken. Ik kon het stampen van de puffende machine horen. We reden door de diepe kloof achter het station, waar het spoor een bocht maakt om daarna af te dalen naar de vallei van de French Broad. Hoog boven aan de kloof stonden huizen en een paar notenbomen waaraan nog wat gele blaadjes zaten. Bij Flat Rock zag ik een paar mannen bezig met het slachten van een varken dat ondersteboven aan de tak van een walnotenboom hing. De stoom van het kokende water rees tot in de wolken.

De velden langs Mud Creek waren zo vlak als een strijkplank. Op de lage stukken stond nog het water van de oktoberregens. De bodem maakte een asachtige indruk.

'Dit land is altijd waardeloos geweest,' zei pa. 'Alleen geschikt voor een stad.'

Na de kreek passeerden we schuren en krotten en lapjes grond die bezaaid lagen met oud roest. We zagen een houtzaagmolen, een timmerwerf, een stenenbakkerij. Over het spoor heen keken grote loodsen elkaar aan. Een hoge gravelberg werd in bedwang gehouden door een stel paaltjes. Toen we langs het perron tot stilstand kwamen, zagen we mannen met handkarren en kruiwagens naar de achterkant van de trein lopen.

Uit de voorste wagens stapten mannen in modieuze mantels en prachtig geklede vrouwen met fluwelen hoeden op. Koetsen reden af en aan om hen op te halen. Ik zag een vrouw met een paarse mantel en hoed die mevrouw Vanderbilt in eigen persoon had kunnen zijn, zo slank en knap was ze.

Het stadscentrum lag op de heuvel achter het station. Ik gaf pa een arm en samen liepen we haastig Seventh Avenue op, in de richting van de hoofdstraat. Op Seventh Avenue barstte het van de lommerds en de tweedehandswinkels. Bij de deur van een stoffenzaak stond een man die me toeriep: 'Heeft u misschien belangstelling voor de nieuw binnengekomen stoffen?'

'Laten we maar meteen naar het advocatenkantoor gaan,' zei ik tegen pa.

De meeste advocaten in de stad hadden hun kantoor aan de zuidkant, vlak bij de rechtbank. We moesten bijna de hele stad door om er te komen. Door het midden van de hoofdstraat rammelde een tram en overal krioelde het van de paarden. Van al die drukte begon mijn hoofd zo te tollen dat ik me nauwelijks meer herinnerde wat ik hier eigenlijk kwam doen.

Het kantoor van advocaat Gibbs bevond zich op de eerste verdieping van een gebouw pal achter warenhuis Drake. Via een met donker tapijt beklede trap kwamen we in de wachtkamer. Daar zat een jongeman achter een bureau vol stapels paperassen en pakken papier met een rood lintje eromheen. 'Wat kan ik voor u doen?' vroeg hij. Zijn mouwen waren opgerold en vlak boven de ellebogen met mouwophouders vastgezet.

'Wij komen voor advocaat Gibbs,' zei ik.

'Waar gaat het over, als ik vragen mag?' vroeg de klerk.

'Over de grenzen van ons land,' zei ik.

'Aha, een grensconflict,' zei hij en hij trok zijn wenkbrauwen op.

'Zeg maar tegen de advocaat dat Ben Peace hem wil spreken,' zei pa.

Maar we moesten in die donkere kamer wel bijna een uur wachten voordat we advocaat Gibbs te spreken kregen. Ik weet niet of hij misschien op de rechtbank was en via een achterdeur weer terug was gekomen, of dat hij het gewoon druk had met al zijn paperassen, maar het liep al tegen etenstijd toen de jongeman ons bij hem binnenliet.

'Fijn om je weer eens te zien, Ben,' zei de advocaat toen we eindelijk in zijn kamer stonden. Hij ging staan en schudde pa geestdriftig de hand. 'En is dit Ginny? Nee maar, de vorige keer dat ik Ginny zag, was ze nog maar een ukkepuk.'

Ook het bureau van Gibbs was beladen met mappen en bundels papieren met rood lint eromheen. Het was bijna onvoorstelbaar dat er zoveel duizenden pagina's door mensen geschreven konden zijn. Ook op de vloer lagen stapels papieren. Boeken lagen hoog opgestapeld in de hoeken van de kamer en de boekenkasten puilden uit.

Ik legde Gibbs uit waarvoor we gekomen waren en hij luisterde, zijn stoel naar het raam gedraaid. Ik beschreef hoe de grenslijn liep en hoelang die daar al had gelegen.

'Is die grens ook officieel vastgelegd?' vroeg de advocaat.

'De scheidslijn is ongeveer dertig jaar geleden getrokken,' zei pa.

'Dat was de vorige keer dat Johnson problemen veroorzaakte.'

'En is de grens ook aangegeven?' vroeg Gibbs.

'Hij was aangegeven,' zei ik, 'maar Johnson heeft de markering weggehaald.'

'Hoe zag die markering eruit?'

'Op de hoeken hadden we ijzeren paaltjes in de grond geslagen en de lijn was uigegraven,' zei pa.

'En die paaltjes zijn nu weg?' vroeg Gibbs.

'Allemaal.'

'En die uitgegraven grenslijn is zeker dichtgegroeid?'

'Dat was zo, totdat Johnson daar hout begon te kappen,' zei pa.

Vanuit het raam van Gibbs kantoor kon je over de daken uitkijken. Ik zag valse gevels en stenen muurtjes en beroete schoorstenen. Ik zag twee palen met een waslijn ertussen. Op de telegraafdraden zaten vogels en op een muurtje zat een kat ineengedoken naar hen te loeren. Het was raar om zo over de huizen heen te kunnen kijken. Sommige daken waren bedekt met asfaltpapier waar plassen op lagen. Uit de schoorstenen kringelde rook. Ik had nog nooit zo'n troosteloos schouwspel gezien. Maar verderop, achter de rook en de telegraafdraden, doemden de bergen op. De bergkammen waren in wolken gehuld, maar vergeleken bij de rommelige, beroete daken zagen de blauwige hellingen er schoon en fris uit.

'Hebben jullie een eigendomsakte?' vroeg Gibbs.

'Zeker hebben we die,' zei ik en ik haalde het document uit mijn tas. Ik had het die ochtend uit pa's kist gehaald. Het was vergeeld van ouderdom.

'Dat is geen eigendomsakte,' zei Gibbs, toen hij het papier aan beide kanten had gelezen. 'Dit is alleen maar een verkoopovereenkomst.'

'Maar het omschrijft precies de grenzen van het stuk land,' zei ik, 'en om hoeveel grond het gaat. Het heeft altijd als eigendomsakte dienst gedaan.'

'Maar het is geen rechtsgeldig document,' zei Gibbs.

'Er staat toch in dat de grenslijn precies over de top van Olive Ridge loopt,' zei ik, 'in een rechte lijn vanaf de monding van Cabin Creek naar de monding van de Schoolhouse Branch. Zelfs de kompasgegevens staan erbij.'

'Zulke oude gegevens zijn waardeloos,' zei Gibbs.

'Wat probeer je ons nu precies te vertellen?' vroeg pa.

'Dat het erop lijkt dat jullie geen geldig bewijs van de eigendomsgrenzen kunnen overleggen,' zei Gibbs.

'Maar het land is al meer dan een eeuw in de familie,' zei ik. Ik voelde het bloed naar mijn wangen stijgen. 'En het staat bij de rechtbank geregistreerd. Bovendien weet iedereen precies waar onze grond begint en waar hij ophoudt.'

'Behalve dan de Johnsons toch zeker?' zei Gibbs.

'Johnson weet het even goed als ieder ander,' zei pa. 'Hij probeert me alleen maar terug te pakken.'

'Terug te pakken waarvoor?' vroeg Gibbs.

'Geen idee,' zei pa. 'Ik weet alleen dat het zo is.'

'Dus u bent niet van plan ons te helpen?' vroeg ik. Er vloog een koppel duiven langs het raam. Ze zagen eruit als snippers verf die hadden losgelaten uit de grijze lucht.

'Ik kan moeilijk een proces beginnen zonder geldige akte,' zei Gibbs.

'Onze akte is anders tot nu toe altijd geldig geweest,' zei ik. Het liefst was ik opgestaan en het kantoor uitgelopen, weg uit de stad. Maar als ik het nu opgaf, was deze hele reis voor niets geweest.

'De tijden zijn veranderd,' zei Gibbs. 'De rechtbank is strenger en de wetten zijn strikter geworden.'

'We kunnen u ervoor betalen,' zei ik en ik pakte mijn handtas van mijn schoot.

Gibbs zweeg even en wendde zich toen tot pa, alsof hij niet met mij wilde praten. 'Ik wil je best helpen, Ben. Als ik nu eens bij de rechtbank ga uitzoeken of ze daar iets hebben, dan zou ik een akte kunnen opstellen die als grond voor het proces kan dienen. Dan heb je in ieder geval een rechtsgeldig document.'

'Als je dat zou willen doen…,' zei pa.

'Dat lost je probleem met de Johnsons natuurlijk nog niet op,' zei Gibbs. 'Zodra je die geldige akte in je bezit hebt, zul je aangifte tegen hen moeten doen, omdat ze zich onrechtmatig op jouw grond hebben begeven, en je zult de rechtbank moeten vragen om een rechterlijk verbod uit te vaardigen. De rechtbank zal dan opdracht geven tot een landmeting, nog voor beide partijen worden gehoord en de zaak voorkomt. Dat kan maanden gaan duren, misschien nog wel langer.'

'Dat weet ik,' zei pa.

'Is er geen enkele manier om er vaart achter te zetten?' vroeg ik. 'Johnson heeft al een heleboel hout van ons gekapt.'

'Geen wettige manier,' zei Gibbs.

'Maar Johnson moet er nu mee ophouden!' zei ik.

'Ik moet helaas wel een voorschot vragen voor mijn diensten,' zei Gibbs.

'Hoeveel?' vroeg ik.

'Laten we zeggen honderd dollar,' zei Gibbs. 'Maar dat kan meer worden als de zaak doorgaat. Dit soort processen neemt altijd veel tijd in beslag.'

'Ik heb maar vijftig dollar,' zei ik.

'Ik heb er ook nog vijftig,' zei pa.

We telden de gouden en zilveren munten uit. Nog nooit had ik zo veel voor iets betaald. 'Kunnen we op dit moment echt helemaal niets doen om Johnson te laten ophouden?' vroeg ik.

'Ik kan hem een brief sturen dat hem een proces boven het hoofd hangt als hij niet onmiddellijk zijn activiteiten opschort,' zei Gibbs. 'Soms heeft een dergelijke brief het gewenste effect.'

'Stuurt u die dan alstublieft,' zei ik.

Toen we eindelijk het kantoor van Gibbs verlieten, was ik helemaal uitgeput. De wind was koud, maar verfrissend. Ik wilde zo snel mogelijk de stad weer uit.

'Moet je nog boodschappen doen?' vroeg pa.

'Ik ben helemaal door mijn geld heen,' zei ik. 'Ik heb alleen nog wat kleingeld. Laten we iets voor de kinderen kopen en dan teruggaan naar het station.'

Precies een week later kregen we een brief van de advocaat van Johnson, als antwoord op de brief van Gibbs. Het was een lange brief op knisperpapier en pa had hem op de terugweg van de brievenbus naar huis al helemaal gelezen. Zwijgend gaf hij hem aan mij. Ik veegde mijn handen af en ging zitten. Mijn ogen vlogen over de glanzende velletjes.

'Aangezien u zich tientallen jaren lang ten onrechte grond van de heer Johnson hebt toegeëigend, en het vruchtgebruik hebt genoten van de heuveltop waar de perzik- en appelboomgaard zich bevinden, en op voornoemde grond brandhout en timmerhout hebt gekapt, wordt u hierbij gesommeerd deze activiteiten te staken en van verdere grensoverschrijdingen af te zien. Indien mijn cliënt er niet absoluut zeker van kan zijn dat er een einde is gekomen aan uw onrechtmatige aanwezigheid op en uw onrechtmatig gebruik van zijn land, zal hij zich genoodzaakt zien een gerechtelijke procedure tegen u in gang te zetten om aan deze schending van zijn rechten een einde te maken en die te bestraffen.'

'Wat staat hier nou eigenlijk?' vroeg ik.

'Het houdt in dat Gibbs als antwoord op zijn brief van Thurman een dreigbrief heeft teruggekregen,' zei pa.

'Is dat alles?' vroeg ik.

'Het is gewoon bluf,' zei pa. 'Ik heb dit al eerder meegemaakt.'

De brief maakte dat ik me vies voelde. Ik ging gauw mijn handen wassen. Het was een akelig ding om aan te raken, met al die deftige advocatenwoorden erin over ons eigen land. We kregen bijna nooit officiële, getypte brieven. Die advocaten praatten alleen maar zo om jou het gevoel te geven dat je dom was en iets misdaan had. Alleen al door het lezen van zulke zinnen zonk de moed je in de schoenen. De brief bleef op tafel liggen, als een doodsvonnis.

Toen Tom voor het eten thuiskwam, las ik hem de brief voor. Hij luisterde met gebogen hoofd, de blik op de vloer gericht. Zo zat hij altijd als hij zich ergens zorgen over maakte. Zijn gezicht werd vuurrood bij de kille woorden van de advocaat. Een keer leek het of hij met zijn vuist op tafel wilde slaan, maar hij hield zich nog net in.

'Het is me wat moois, vind je ook niet?' zei pa. 'En dan te bedenken dat je je voor die boomgaard het vuur uit de sloffen hebt gelopen!'

'Ga je Johnson nu doodschieten?' vroeg Moody.

'Stil, jij,' zei ik.

Tom raakte zijn eten niet aan, maar zat een poosje te piekeren. 'Ik weet zelf eigenlijk niet eens waar die lijn precies loopt,' zei hij toen. 'Wat we nu allereerst moeten doen, is de grenslijnen opsporen en opnieuw markeren.'

'Alleen pa weet hoe ze lopen,' zei ik.

'Dan lopen we ze samen langs en markeren ze,' zei Tom. 'Dat is het eerste wat nu moet gebeuren.'

Ik zag niet hoe het langslopen van de grenslijnen en het slaan van paaltjes en het rooien van struikgewas het conflict met de Johnsons zou oplossen, maar het gaf ons tenminste iets omhanden. Als pa ons liet zien waar de grenslijnen liepen, konden wij ze markeren voor de toekomst. Tom en ik moesten het ook weten. We moesten op alle hoeken gewoon opnieuw ijzeren pinnen in de grond slaan.

'Mag ik mee?' vroeg Moody.

'Ik ook,' zei Muir.

'Jullie blijven hier, bij Jewel,' zei ik.

'Nee toch,' zei Jewel.

De volgende ochtend was het koel en helder weer. Ik deed een mantel aan en een sjaal om. Tom haalde een bijl en vier buizen uit de schuur, en sneed paaltjes uit een stel jonge zuurboompjes. Ook pa nam een bijl mee, en zijn wandelstok.

Ik pakte mijn aantekenboekje en een potlood van de schoorsteenmantel. Ik wilde alle grenzen die pa ons zou aanwijzen precies noteren. Als ik alles zwart-op-wit zette, zou de inspanning nog meer de moeite waard zijn.

'Wat ben je daarmee van plan?' vroeg Tom.

'Ik ga alles opschrijven wat pa ons aanwijst,' zei ik. 'Dan hebben we alles wat hij weet op papier staan.'

Over de maïsakker liepen we naar de rivier. Tom had de maïs al geoogst en de droge bladeren ritselden aan de kale stengels.

'De rivier staat hoog,' zei pa. Het water, modderig van de vele regens, klotste om de struiken langs de oever. De stroom was sterker dan ik verwacht had, alsof de rivier werd opgejaagd door zon en wind.

'Kijk, een muskusrat,' zei pa.

Aan de overkant gleed een kop met snorharen door het water en dook weg onder de oeverrand.

'In zulk hoog water zet niemand vallen,' zei pa.

Via de houten stapstenen staken we de beek in het weiland over. In het ondiepe water speelden stekelbaarsjes, glanzend als kleine zaadjes. Op de plek waar de beek de rivier instroomde, had het uitwaaierende zand zich tot kussentjes opgehoopt. Dat jaar hadden we niet alle laaggelegen grond bewerkt. De guldenroede had hier vorstrandjes en de distels lagen verlept tussen het zwart uitgeslagen onkruid.

'Ik heb dit land ontgonnen vlak nadat ik met jullie ma was getrouwd,' zei pa. 'Toentertijd was het niks anders dan een moeras vol essen. In een nat jaar loopt het nog steeds onder.' Het water was bevlekt met bladeren en dode twijgen. Een konijn schoot weg tussen de doornstruiken. Het geheel was van een lelijkheid waar ik dol op was.

Bij de monding van de Schoolhouse Branch gekomen, zag ik dat de houten stapstenen diep onder water lagen. Of misschien waren ze wel helemaal weggespoeld. 'Waar moet het markeerpaaltje nu precies staan?' vroeg ik aan pa.

'Volgens de akte vormt de monding van de beek de hoek van ons land,' zei pa. 'Maar de beek is de afgelopen zestig jaar een beetje stroomafwaarts gezakt. De pin die Johnson heeft weggehaald, zat hier.'

Op de plek waar de pin zo lang in de grond had gezeten, was nog geen kuiltje te zien. Degene die hem eruit had getrokken, had de aarde gladgestreken en er bladeren en andere rommel bovenop gelegd. Tom sloeg het paaltje zo diep in de grond dat je het alleen kon zien als je er bewust naar zocht. Ik schreef een korte zin over de plek in mijn opschrijfboekje. Het was raar om buiten te schrijven, en om de beekmonding en het zand en de bomen in woorden vast te leggen.

Toen ik Tom zo bezig zag, besefte ik ineens dat onze boerderij mij des te dierbaarder was geworden, omdat ze zo veel voor Tom betekende. Ik wenste dat ik ook mijn gevoelens voor mijn man in mijn boekje zou kunnen opschrijven, precies zoals ik de hoeken en de grenzen van ons land beschreef. Ik wenste dat ik eens en voor altijd zou kunnen vastleggen hoe hij echt was.

'Als we nu een kompas hadden, zouden we de lijn vanaf hier op het gezicht kunnen doortrekken naar de bergtop,' zei pa.

'Maar we hebben nu eenmaal geen kompas,' zei ik.

'Het beste is om te peilen vanaf de Poolster,' zei Tom.

'Dat is waar,' zei pa. 'Maar het is klaarlichte dag en we hebben geen sextant.' Hij grinnikte, maar ik wist best dat hij even gespannen was als ik.

Aan de overkant van de beek was het bos opgerukt tot aan de waterkant. Ook hazelaars en vuurdoornstruiken verdrongen zich langs de oever.

'De grens loopt aan deze kant pal langs de beek,' zei pa, 'regelrecht naar de richel daarginds.' Hij wees met zijn wandelstok naar de berg. Het bedoelde punt was goed te zien, maar tussen de rivier en de richel lag minstens een mijl van modderige geulen en poelen, dicht struikgewas en prikkeldraad, doornstruiken en rotsblokken, waar we ons doorheen moesten zien te worstelen.

'Kun je wel zo'n eind lopen?' vroeg ik aan pa.

Hij snoof. 'In mijn jonge jaren liep ik vijftig mijl per dag, met volle bepakking op mijn rug en een geweer in de hand.'

Met moeite baanden we ons een weg tussen de dennenbomen door, terwijl Tom van tijd tot tijd een paaltje in de grond sloeg, of een boom merkte door er een reepje schors uit te snijden. We kwamen langs een diepe kuil, die Joe en Locke jaren geleden hadden gegraven op zoek naar zirkoon, en die nu vol lag met takken en bladeren. Ter hoogte van de school wees pa ons op een rotsblok, zo'n halve meter bij de grenslijn vandaan, waar Florrie en ik als kleine meisjes vadertje en moedertje hadden gespeeld. Het was jaren geleden dat ik die rots had gezien. Nu ging hij schuil onder klimop, maar tussen de bladeren lagen nog de scherven van gebroken kopjes en schoteltjes. Het rotsblok was van witte kwarts, en de flanken waren begroeid met mos. Florrie en ik noemden het de IJscorots.

Op het schoolplein waren kinderen aan het spelen, ook al was het nieuwe seizoen nog niet begonnen. 'Hé, wat doen jullie daar?' riep een van de jongens van Waters.

'We zoeken iets,' riep ik terug.

Het nieuwe schooljaar zou pas na de Kerst beginnen. Ik denk dat de kinderen gewoon hadden afgesproken om daar te gaan spelen.

'Gaan jullie met de Johnsons vechten?' riep de jongen van Waters.

'Er gaat helemaal niemand vechten!' riep ik terug.

Toen we de helling begonnen te beklimmen, deden we het ter wille van pa wat kalmer aan. Hij liet ons zien waar de grens de weg kruiste en afdaalde naar de laagte die grensde aan het erf van de familie Jenkins. Onder de struiken in de berm zat een pin in de grond die door Johnson over het hoofd was gezien. Hij zat precies op de plek waar volgens pa de grens liep. Ik noteerde de plaats in mijn boekje.

Ik bleef samen met pa op het hogere gedeelte, terwijl Tom de laagte door liep, bomen merkte en om de paar meter een paal in de grond sloeg. De bomen daar waren bijna verstikt door wijnranken die eruitzagen als grote spinnenwebben. Het was een geschikte plaats om in september wilde druiven te gaan plukken. Pa verzamelde hier altijd zo veel dat mama er wel vijftig potten jam van kon maken.

Het was al halverwege de ochtend toen we eindelijk bovenaan stonden. Ik was helemaal buiten adem van het klimmen en van de opwinding. Onderweg naar boven had ik me steeds afgevraagd wat we zouden doen als de Johnsons daar waren, maar in de hele boomgaard was geen spoor van hen te bekennen. Vanuit het noorden streek een bries over de heuveltop en ik rilde. De boomgaard lag er verlaten bij, afgezien van een paar eksters en andere vogels die in de rotte appels zaten te pikken.

Pa wees ons de hoek aan de oostkant van de boomgaard en daar sloeg Tom een buis in de grond. Hij hamerde net zo lang tot de buis schuilging onder de bladeren. 'Als Johnson dit eruit krijgt, stort ik het gat vol cement en zet daar een nieuwe buis in,' zei Tom. 'Dan zullen we eens zien hoe snel hij hem weer uitgraaft.' Ik noteerde de plaats van de hoek in mijn boekje.

Vanuit de boomgaard keken we van bovenaf op de kerk en de school en over het hele rivierdal. Aan de fonkelende rode akkers was te zien dat sommige mensen al klaar waren met winterploegen. Baardgras glansde op de hellingen. Het dak van ons huis was zichtbaar tussen de coniferen. Van bovenaf leek het net of ons huis pal naast de rivier stond. De berg erachter was aan de voet bruin en grijs, maar naar boven kleurde hij paars. Verderop waren de bergen blauw en nevelig. Langs de rivier waren de MacBanes bezig met de varkensslacht. Ik kon de rook van het vuur zien en ook de felrode karkassen die ze aan een lange paal hadden opgehangen.

Was deze burentwist maar achter de rug, zodat we konden terugkeren naar ons leven van alledag, dacht ik. Niks is zo heerlijk als zonder zorgen je gewone werk kunnen doen. Deze toestand had alles vergiftigd, ook onze nachtrust en onze kerkdiensten en het vertrouwen dat we in onze buren hadden gehad. Er is niets zo mooi als een gewoon, vredig bestaan. Ik zou zelfs geen bezwaar hebben tegen een smerig karwei als reuzel smelten, als het maar zonder onenigheid kon. Op dit moment kon ik niets fijners bedenken dan een leven zonder woede en angst.

Vlak bij ons sloeg een kogel in. De knal van het schot weergalmde tussen de bomen.

'Wie is daar?' riep pa en de echo van zijn woorden kwam terug uit het bos.

We keken naar de eikenbomen aan de andere kant van de boomgaard, maar er was niemand te zien. Op de plek waar Tom de boomstronken had opgestapeld, stonden een paar vuurdoornstruiken op een kluitje. Er bewoog een tak. 'Daar!' zei ik en wees. Maar het was alleen maar een vogeltje dat van de rode besjes zat te snoepen.

'Hé!' riep ik naar het bos, maar een briesje was het enige antwoord.

'Misschien jaagt daar iemand op eekhoorns,' zei Tom.

'We hebben niet eens een geweer bij ons,' zei pa.

'Hé!' schreeuwde ik weer, maar uit het bos kwam geen antwoord.

'Ik had nooit gedacht dat Thurman op ongewapende mensen zou schieten,' zei pa.

'Hij is altijd een schavuit geweest,' zei ik. 'Je weet nooit waar hij of die jongens van hem toe in staat zijn.'

Het gras in de boomgaard richtte zich op in de straffe wind en tussen de valappels ruzieden de eksters. Ik had nog nooit zo'n prachtige boomgaard gezien. Nu begreep ik waarom Tom zo veel tijd hier hoog tegen de blauwe lucht had doorgebracht, waarom hij had gesnoeid en gemaaid en gespit en waarom hij nog meer vruchtbomen had geplant. Vanaf hier had je het mooiste uitzicht over de hele vallei. In het oosten hingen twee of drie grote, witte wolken. Ik nam me voor om, als dit conflict eenmaal achter de rug was, meer tijd te besteden aan het verzorgen van de bomen.

Van tussen de bomen rolde een dreunende klap over ons heen, maar het geluid kwam nu van veel verder weg. Aan de overkant van Cabin Creek was iemand aan het jagen.

'We kunnen evengoed verdergaan,' zei Tom.

'Hé!' riep ik nog een keer naar de bossen, maar het enige antwoord was de echo die van de reusachtige eiken terugkaatste.

Op de plek die pa hem aanwees, sloeg Tom ook bij de boomgaard een paaltje in de grond. Achter de perzikenbomen zag ik de stompen en de stukjes afvalhout op de plaats waar Johnson aan het kappen was geweest. Bij het zien van de berg kreupelhout en de her en der neergesmeten takken, kneep mijn keel samen. Dwars door de rotzooi liepen we naar de hoek van de boomgaard. De grond voelde heet onder mijn voeten, alsof ik in overtreding was. Tussen de bladeren lag zaagsel te verzuren en ik telde meer dan twintig boomstronken. Ik verwachtte elk moment Johnson vanachter een bosje te zien opduiken.

'Volgens mij hebben ze geen bomen meer omgehakt sinds de vorige keer,' zei Tom.

'Zou kunnen,' zei pa, 'maar het is moeilijk te zeggen. Ik heb de stronken niet precies geteld.'

Tussen de bladeren zag ik iets roods liggen. Toen ik het van dichtbij ging bekijken, zag ik dat het een zakdoek was, gescheurd en vol donkere vlekken. Ik raapte hem niet op. Dezelfde vlekken zaten ook op de bladeren. Misschien was hier een eekhoorn doodgeschoten, of zelfs een hert.

'De hoek van ons land is daar,' zei pa en hij wees langs de helling omlaag. 'In dat bosje laurierstruiken.'

Tom en ik kropen tussen de rododendrons en ontdekten daar de plek waar de pin uit de grond was getrokken. Thurman had niet eens de moeite genomen het gat te dichten. Tom sloeg er een buis in, zo diep dat er nog maar een centimeter boven de grond uitstak. Ik beschreef het laurierbosje in mijn boekje.

Ik merkte dat pa moe begon te worden. Hij leunde zwaar op zijn wandelstok en hijgde een beetje.

'Geef maar hier, ik zal de bijl wel dragen,' zei ik.

'Vanaf hier gaat het alleen nog maar naar beneden,' zei Tom.

'Afdalen is anders zwaarder dan klimmen,' zei pa.

Langzaam klommen we naar beneden, naar Buzzard Rock, waar ik doorliep tot aan de rand van het klif. De vallei lag zo diep onder mij, dat ik me omhoog voelde zweven toen ik er een blik in wierp.

'Daar heb ik mijn eerste hert geschoten,' zei pa en hij wees op een holte waar water uit de grond borrelde. 'Het was een koude dag in januari. Ik denk dat de bok de heuvel af gekomen was om te drinken.'

'Hoelang is dat geleden?' vroeg ik.

'O, het was nog voor de oorlog,' zei pa. 'Ik moet twaalf of dertien zijn geweest.'

Onderweg naar beneden passeerden we nog een paar kuilen die indertijd door Locke en Joe waren gegraven. Ze hoopten zirkoon te vinden, die ze aan Thomas Edison wilden verkopen. Dokter Johns had vlak bij het station een mijn geopend en had tonnen van het spul aan de uitvinder verkocht. Die gebruikte het om gloeidraad van te maken. Het had dokter Johns een slopend gevecht met de vader van advocaat Gibbs opgeleverd, die het recht om in de heuvel zirkoon te delven voor zichzelf opeiste. Locke en Joe moeten in hun verlangen naar rijkdom minstens honderd gaten in onze grond hebben gegraven, maar bij mijn weten hebben ze nooit een grammetje zirkoon gevonden. En lang voordat het conflict tussen dokter Johns en Gibbs was bijgelegd, gebruikte Edison al geen zirkoon meer voor zijn gloeidraden.

Het lopen werd pas echt moeilijk in de moerassen bij Cabin Creek. Op sommige plekken daar was ik nog nooit geweest. Tom moest hier en daar takken en kreupelhout wegkappen, anders kwamen we er niet doorheen. 'Pas op voor poison oak,' zei Tom.

Heel wat populieren en amberbomen waren omwikkeld met de donzige draden van de poison oak. Overal lagen plassen en verraderlijke poelen. De bladeren en jonge twijgen roken muf. Houtstompen glansden groen van het mos. Ik vermeed de giftige ranken zorgvuldig.

'Zo zag het hele laagland eruit, voordat we het ontgonnen en draineerden,' zei pa.

We moesten bukken voor wilde wijnranken en laaghangende takken. Het was donker hier in het bos. Alles wat ik aanraakte, liet roetachtige vegen achter op mijn hand. Er zaten hier slangenholen en holen van aardvarkens. Ik begreep niet hoe pa en Tom hier recht doorheen konden lopen, maar Tom ging in een kaarsrechte lijn dwars door het moeras, sloeg paaltjes en hakte takken af, en sneed met grote halen stukken schors uit esdoorns en berken.

Na de duisternis van het moeras lag de nieuwe grond die Tom langs de rivier had ontgonnen er zo open bij, dat het licht me pijn deed aan de ogen. Vanaf hier kon ik zelfs de schuur zien, en de coniferen rond het huis. De schoorsteen spuwde de ene rookwolk na de andere uit. Op het erf rond het kippenhok liepen de kippen te pikken, maar ik zag geen van de kinderen buiten.

'Dit is de mooiste plek van de hele vallei,' zei ik.

Het huis zag er vredig en tijdloos uit, zoals het uitkeek over de akkers. Nooit had een leven zonder haat en ruzie me zo kostbaar geleken. Toen we thuiskwamen, tilde ik Muir van de grond en knuffelde hem. Moody trok ik tegen mijn schort. De kinderen hadden bij de haard zitten spelen en overal klosjes en stokjes en kranten laten slingeren, maar voor deze ene keer kregen ze geen standje van me. Ik wilde niet nog bozer worden dan ik al was.

Al het werk dat we hadden verzet om de grens te markeren had voor de wet dan wel geen nut, maar wij waren er wel van opgeknapt. We konden niets doen om te verhinderen dat Johnson en zijn zonen de paaltjes en buizen opnieuw uit de grond zouden trekken, maar hij zou er een hele klus aan hebben. En wij hadden tenminste iets gedaan. Ik had al pa's aanwijzingen en de precieze plek van de grenslijnen genoteerd. Het had ons een gevoel van voldoening gegeven om gewoon eens de hele grens van ons land af te lopen, en bovendien wisten Tom en ik nu ook waar die lag.

Maar ja, de dingen gaan nu eenmaal altijd anders dan je verwacht. Net toen ik had besloten de Johnsons tot het bittere eind te bestrijden en aan advocaat Gibbs te betalen wat daar maar voor nodig was, veranderde de situatie op slag. Drie dagen nadat we de grens waren afgelopen, hoorden we van Joe dat Thurman Johnson was overleden.

'Hij heeft een b-b-beroerte gehad,' zei Joe.

'Wanneer?' vroeg pa.

'Afgelopen m-m-maandag,' zei Joe.

'Waar?' vroeg ik.

'Hij was aan het h-h-h-houthakken en toen viel hij in zijn b-b-bijl. Het was een lelijke s-s-snee, maar het was die beroerte, en de beroerte die hij er gisteren nog overheen kreeg, die hem de das omdeed.' Ik herinnerde me de zakdoek vol vlekken op de bergtop.

'En wat doen we nu?' zei Tom.

'We doen niks,' zei pa. 'We wachten gewoon even af wat de jongens van Thurman gaan doen.'

'Die hebben anders de bomen omgehakt,' zei ik. 'Ze zijn vast even hebberig en geschift als hun pa.'

'We zullen zien,' zei pa.

De dag na Thurmans begrafenis ontvingen we een briefje van Morris Johnson. Hij had het in onze brievenbus gestopt die aan de weg naar de rivier stond. Het briefje was met potlood geschreven op een stuk lijntjespapier uit een schoolschrift. Er stond in:

'Nu pappa dood is willen we niks geen rusie meer, met niemand niet. Der is vast grond daarbofen op die berg die eigelijk van niemand is, maar dat ken ons niks schele. We willen gewoon de frede bewaren, as christenmense onder mekaar.'

Toen ik dat briefje aan pa en Tom voorlas, voelde het alsof de last van de hele geschiedenis en alle zorgen van de wereld van mijn schouders gleden. Onze grond was weer vrij en beschikbaar om bewerkt te worden. Ik kon mijn voeten nauwelijks stilhouden en ik geloof dat ik het uitgeschreeuwd heb.

'Het is gewoon een vies briefje,' zei Jewel.

Maar ik was zo blij dat ik haar knuffelde voordat ze zich uit de voeten kon maken.

Zeventien

Onze Fay werd geboren in oktober. Ze was de kleinste van al mijn baby's en had de donkere huid van de Peaces. 'Net een krekel,' zei Tom, toen hij haar voor het eerst zag, en zo bleef hij haar ook noemen: mijn krekeltje. Het was ook de tijd van de krekels. Vanuit mijn bed hoorde ik ze buiten in het gras en wanneer de baby sliep, had ik niks anders te doen dan naar de nacht-geluiden luisteren. Om de een of andere reden hoorde ik geen enkele sabelsprinkhaan, en ik meende dat ze misschien allemaal door een vroege nachtvorst gedood waren. Ik had niks over nacht-vorst gehoord, maar de baby had dan ook al mijn aandacht opgeëist.

Ik wist dat Fay mijn laatste baby zou zijn. Niet alleen omdat ik al bijna veertig was, en ook niet omdat ik geen enkele manier zag waarop Tom en ik ons deze keer weer met elkaar zouden kunnen verzoenen. Nadat hij in zijn woede zijn geweer had afgeschoten, voelde ik niet meer hetzelfde voor hem als daarvoor. Ook hij ge-droeg zich anders. Ik denk dat hij bang was geworden voor zichzelf. Hij maakte zich zorgen over wat hij bij een volgende woedeaanval zou doen. Maar afgezien van al deze overwegingen wist ik gewoon zeker dat Fay de laatste zou zijn. Telkens als ik haar vasthield en voedde en haar in bad deed in de afwasteil, dacht ik: dit is de laat-ste keer dat ik deze dingen doe. En dan dacht ik ook: deze keer zal ik het beter doen. Dit is mijn laatste kans om een kind goed op te voeden. En dan stelde ik me voor dat ik haar zou leren lezen al voor ze naar school ging, en dat ik haar mee zou nemen naar de kerk en naar de opwekkingssamenkomsten. En we zouden het eiermandje vullen met lekkernijen en dan gaan picknicken bij de rotsblokken langs de rivier.

Het drong tot me door dat ik niet zo'n erg goede moeder was geweest. Al die trammelant rond de samenkomsten en mijn gepieker erover hadden me uitgeput. Het leek onmogelijk dat twee zegeningen, het moederschap en het werk van de Geest, elkaar in de weg konden zitten, maar toch was dat gebeurd. Ik nam me voor in de opvoeding van Fay beter mijn best te doen, wat er ook gebeurde.

Tussen al die nachtgeluiden door hoorde ik op de heuvel een vos blaffen. De waterval bij de fabriek klonk als een klok die maar blijft beieren. Maar dwars door het open raam hoorde ik ook nog iets anders, een soort gekrijs dat overging in geschater. Het kwam uit het dennenbos bij het weiland en verdween in het duister als iemand die liep te grinniken. Zou het een uil geweest zijn? Nee, een kerkuil maakt een heel ander geluid. En op een eekhoorn leek het ook niet echt. Er lachte daar iets in het donker. Het lachte mij uit, omdat ik wakker was en het kon horen; maar het lachte ook de hele wereld uit. En meteen begreep ik dat die lach terecht was. Allemaal waren we dwazen en zetten we onszelf te kijk. Je kon maar het beste meelachen. Ik merkte dat ik lag te grinniken, en ik grinnikte door tot ik bang werd dat de baby er wakker van zou worden. Toen hield ik op.

Het was het droogste najaar sinds mensenheugenis. Na de zware sneeuwval van de vorige winter en de slagregens van de vroege zomer stond het water overal hoog en was de bodem vochtig. Maar daarna had het niet meer geregend en inmiddels was al het water verbruikt. Ik had herfsten meegemaakt die zo mistig en regenachtig waren, dat de bladeren niet verkleurden, maar in een keer bruin werden en afvielen. Dit jaar hadden we echter een lange nazomer met prachtig weer, zonnig en warm. In de late middagzon zat ik in de schommelstoel op de veranda, met Fay op schoot. Onder een volmaakt blauwe hemel kleurde alles goud.

Er leek geen einde te komen aan de zomer. Ik dacht dat we dit jaar de winter misschien zouden overslaan. Op de akkers lagen de pompoenen te glanzen. Als het nooit meer regent, verandert het bergland in een woestijn, dacht ik. In plaats van bomen krijgen we dan heuvels van stof en zand. Ik probeerde me voor te stellen hoe de hellingen eruit zouden zien als ze helemaal bruin waren en er bij elk briesje een stofwolk van opsteeg.

Op een dag kwam Tom na het middageten het huis in hollen.

'De wei staat in brand!' riep hij.

'Hoe kan dat nou?' vroeg ik.

'Van een vonk uit de oven,' zei hij. Hij en pa hadden de laatste voorraad melasse staan koken. Ik had hem nog nooit zo van streek gezien. Ik denk dat hij niet alleen woedend was omdat het vuur naar de wei was overgeslagen, maar ook omdat hij de brand in zekere zin zelf had veroorzaakt.

Tom graaide houwelen en bijlen en schoppen uit de schuur en rende de heuvel weer op.

'Waar is pa?' riep ik hem achterna, maar hij was al achter de coniferen verdwenen. Ik wist dat pa ook boven in de wei moest zijn, maar hij was te oud om te helpen blussen.

Nu zag ik ook de rookpluim die tussen de dennenbomen en notenbomen op de heuvel opsteeg, als de golvende manen van een paard, tegen de heldere hemel. Het was te ver om de rook te kunnen ruiken, maar ik hoorde de vlammen al knetteren in de struiken. De grassen en het struikgewas waren allemaal zo droog als papier op zolder.

'Jij houdt de baby bij je,' zei ik tegen Jewel. Zij en Moody waren in het zand onder aan de verandatrap met Muir aan het spelen.

'Ik wil mee,' zei Jewel.

'Ik ook,' zei Moody.

'Jullie blijven hier!' zei ik hard en ik gaf Fay aan Jewel.

'Ze maakt me vies,' zei Jewel, het keurigste en nuffigste kind dat ik ooit heb gezien. Zelfs als ze in het zand speelde, lette ze goed op dat haar handen schoon bleven en dat er geen enkel kreukje in haar jurk kwam. Fay moest inderdaad nodig verschoond worden. Ik wilde dat net gaan doen, toen Tom zo gehaast het huis inkwam. Nu moest ik eerst gaan helpen blussen, en ik moest ook pa in de gaten houden. Als hij zou proberen de vlammen uit te slaan, zou hij zich veel te erg inspannen.

'Ik wil ook meehelpen,' zei Jewel.

'Hebben de boeven het vuur aangestoken?' vroeg Moody. 'Dan zal ik ze doodschieten.'

'Jullie blijven hier, ik meen het!' schreeuwde ik over mijn schouder, terwijl ik de heuvel al op rende. Ik had weleens eerder helpen blussen, toen ik nog jong was en er op de berg brand was uitgebroken. Ik vroeg me af of ik niet een emmer water mee moest nemen, maar bedacht meteen dat één emmer niet zo veel zou uithalen, zeker niet als de hele wei in lichterlaaie stond.

Ik probeerde te bedenken hoe je een brand in een uitgedroogd weiland het beste kon bestrijden. In het bos hadden we dennentakken gekapt en daarmee de vlammen uitgeslagen. Moesten we nu zand op het brandende gras scheppen, of een greppel graven om het vuur te keren?

'Pa!' schreeuwde ik, nadat ik tussen het prikkeldraad was doorgekropen. Mijn schort bleef haken en er trok een scheur in de stof, maar ik lette er niet op. Verderop zag ik pa met een dennentak in de rook slaan. Het leek wel of het vuur over het weiland rolde. Onder een dikke laag rook tolden de vlammen in het rond als helderverlichte wielen, maar wat je vooral zag was die kolkende, golvende rookzuil. Er stond niet veel wind, maar de rookwalm lag zo dik op de helling dat je niet meer kon zien wat zich daarachter bevond.

'Pas op, pa, je raakt oververhit,' zei ik.

Zijn gezicht was rood en het zweet stroomde langs zijn slapen. Hij had zijn mouwen opgerold. Hij sloeg op de vlammen, die verdwenen om ergens anders weer op te duiken, zodra hij de dennentak weer omhoog zwaaide.

'Waar is Tom?' vroeg ik.

'Daarginds,' zei pa en hij wees naar het rookgordijn. Ik nam aan dat Tom naar het hogergelegen deel van het weiland was gegaan om daar zand op het oprukkende vuur te gooien.

'Ga jij maar terug naar huis,' zei ik tegen pa, maar hij negeerde me en bleef op de vlammen slaan, alsof hij een vliegenzwerm probeerde te verjagen.

Pas toen zag ik hoe de zaak er echt voor stond. Het vuur klom niet de heuvel op, maar cirkelde eromheen. De vuurzee was vanaf de laaggelegen weide dwars over de helling naar de eiken en de notenbomen gestormd. Ik concludeerde dat Tom nu probeerde te voorkomen dat de vlammen de bossen bereikten. Het vuur kroop tegelijk zijwaarts en omhoog.

Ik moest Tom te hulp schieten, maar ook voor pa zorgen. Ik wist niet welke van de twee ik moest kiezen. 'Het is hier te heet voor je!' schreeuwde ik tegen pa. Het leek of de helling de hitte van het vuur met verdubbelde kracht terugkaatste. In de felle zon waren de vlammen bijna niet te zien, maar de hitte was voelbaar op ons gezicht.

'Ga terug naar huis!' schreeuwde ik nog eens, maar pa gaf geen antwoord. Hij deed net of hij niets hoorde en zwaaide met zijn dennentak boven de vlammen.

Waar zijn de koeien? dacht ik. Ik hoopte maar dat ze beneden in de wei stonden. Als ze boven waren gebleven, zou het vuur ze naar het hek daarginds hebben gedreven en dan zaten ze in de val. 'Heb je de beesten gezien?' schreeuwde ik naar pa. Ik wist dat Bill-Joe, de stier, op stal stond, omdat hij die avond de koe van de familie Waters zou dekken. Ik probeerde te bedenken waar de koeien konden zijn. Zouden ze in de schaduw hebben gestaan, met zwiepende staarten tegen de vliegen, wachtend op de avondkoelte? Of waren ze bij de beek om te drinken? Ik hoopte maar dat ze bij de rivier waren. Als ze schrokken van het vuur, zouden ze dagenlang geen melk geven.

Het vuur had een eigen wil. Het kroop hierheen en daarheen, wervelde in het rond en trok zich dan weer terug. Het reageerde niet steeds meteen op de wind. Soms talmde het even bij de stam van een indigostruik, joeg er dan plotseling langs omhoog en landde vandaar met een reuzensprong in de volgende pol baardgras. Daar hield het weer even in om tot aan de wortels af te dalen. Een deel van het vuur week zelfs even achteruit om een stukje verdord kweekgras te verteren; de vlammen reikten bijna tot aan mijn voeten. Ik schopte er zand overheen en ze doofden langzaam uit.

'Ga terug naar huis!' schreeuwde ik tegen pa. Ik wilde naar links rennen, naar de plaats waar het vuur ophield, om te zien wat Tom aan het doen was, maar net op dat moment keek ik langs de heuvel omlaag en daar, in het verblindende zonlicht, stond Jewel met de baby in haar armen. Moody was er ook, met Muir aan de hand. Ze waren naar het hek gelopen en stonden nu naar ons te kijken. Jewel hield de baby vast alsof het een van haar poppen was. Moody richtte zijn wijsvinger als een pistool en liet Muir in het gras tuimelen.

'Blijf daar!' schreeuwde ik, maar Jewel gaf geen antwoord. Als ze wilde, kon ze even koppig en nukkig zijn als Tom. 'Blijf uit het weiland!' schreeuwde ik.

Ik kon het einde van de vuurstrook niet meer zien en de bomen en de heuveltop gingen helemaal schuil in de rook.

'Tom!' brulde ik, terwijl ik langs het vuur rende. Brandend gras ruikt zoet, als gebakken klei, maar net als de rook van brandend papier geeft het je een bittere smaak in de mond. Ik was buiten adem van het harde rennen en hoestte van de rook. 'Tom!' schreeuwde ik, maar ik hoorde alleen nog het loeien en knetteren van de vlammen. Ik rende naar het laagste punt waar de vlammen zich bevonden om aan de andere kant te kunnen komen. In het gras aan de voet van de heuvel ontstonden al kleine vuurtjes en ik probeerde ze uit te trappen. Toen ik de rand van het vuur bereikt had, zag ik Tom, die gras aan het afplaggen was. Hij had een greppel gegraven en van het zand een richel gevormd die niet in brand zou vliegen. Zijn gezicht was vuurrood en zijn kleren waren doorweekt van het zweet. Zijn hoed was hij kwijt. Hij schepte alsof hij een zondvloed probeerde te keren.

'Tom!' schreeuwde ik weer. Hij wees op een houweel die achter hem lag; die greep ik en begon op het gras in te hakken. De bodem eronder was hard en uitgedroogd. We waren hier zo dicht bij het bos dat het weiland vol lag met afgewaaid blad. Er lag hier dus nog meer brandbaar spul dan alleen gras. Ik probeerde het zand over de bladeren heen te schuiven.

Het vuur kwam steeds dichterbij en de rook woei recht in mijn gezicht. Ik zweette verschrikkelijk. De rook kleefde aan mijn huid en het zweet droop in mijn ogen. Het zand was zo droog dat ik bijna vreesde dat het ook vlam zou vatten. Als de greppel het vuur niet tegenhield, zou het zich uitbreiden naar het bos en ik wist niet wat we er daar nog tegen zouden kunnen doen.

'Gooi hier eens wat zand,' brulde Tom en hij wees naar een smal stuk greppel met gras tot aan de rand. Ik spitte wat dieper en schoof het zand over het baardgras, maar hoeveel zand ik er ook overheen gooide, de sprieten bleven erbovenuit steken.

Nu was het vuur zo dichtbij dat de hitte in golven over me heen sloeg, hoewel ik door de rook niets van de vlammen kon zien. Om de rook te ontwijken, hield ik mijn hoofd gebogen. Het daglicht werd door de rookwolken opgeslokt.

'Daarheen!' zei Tom en hij wees naar een plek hoger op de heuvel, waar het vuur de greppel bijna had bereikt. We renden erheen en terwijl hij zand op de uitlopers van de vlammen smeet, verbreedde ik de greppel door de plaggen met de houweel los te hakken. Weer sloeg de rook me in het gezicht en ik begon zo hevig te hoesten dat ik even moest ophouden.

'Het heeft geen zin,' zei Tom. Hij wees naar een plek verderop, waar het vuur al langs de rand van de greppel kroop. We renden erheen en begonnen er zand overheen te scheppen en te schuiven.

Maar het gras was zo dor dat het vuur bij elk briesje hoog opvlamde. De vlammen rolden als één grote golf over de grond, en overspoelden de ene pol na de andere. Zodra een windvlaag in het vuur blies, rolden de vlammen vooruit, grepen de toppen van de grasstengels en verteerden die van bovenaf, terwijl een volgende rij vlammen haasje-over eroverheen sprong. Het vuur speelde een spelletje met ons. Als we het op de ene plaats te lijf gingen, omzeilde het ons en sprong langs ons heen naar een andere plek.

'Daar!' zei Tom en hij wees op een vuurtje dat aan de overkant van de greppel was ontstaan. Ik vloog eropaf en harkte de grond kaal. Het was alsof ik een wild dier probeerde te doden dat zich kronkelend verzette. Ik schraapte net zo lang over de grond tot het vuur gedoofd was.

'Ginder!' schreeuwde Tom nu. We renden de heuvel weer op en wierpen ons op de volgende brandhaard in een hoop bladeren. Tom smeet de ene na de andere schep zand op het smeulende blad.

Het vuur was nu zo dicht genaderd dat we niet bij de greppel konden blijven. De hitte was verzengend. Uit het struikgewas kwam een konijn tevoorschijn gerend dat het bos in vluchtte.

'Het is te laat,' zei Tom. Aan de andere kant van de greppel vlamde her en der het vuur op. Ik was zo buiten adem dat ik niks terug kon zeggen. Tom stampte een vuurtje uit met zijn ene laars. 'We kunnen niks meer doen,' zei hij.

Ik harkte een ander vuurtje uit elkaar met mijn houweel. Overal langs de greppel ontstonden kleine brandjes tussen de bladeren en de grassen. De rook was zo dicht dat ik er zo snel mogelijk uit moest zien te komen. Ik wilde net tegen Tom schreeuwen dat hij het op een lopen moest zetten, toen de rook een beetje terugweek. Het rookgordijn, dat pal voor ons gezicht had gehangen, werd met een ruk weggetrokken. De wind was gedraaid en blies in onze rug. Een regen van bladeren dwarrelde uit de notenbomen. Ik leunde op mijn houweel. Het was alleen aan de voorzienigheid te danken dat de wind op het laatste nippertje gedraaid was. 'Een geluk bij een ongeluk,' zei ik lachend.

'Misschien zal het vuur vanzelf doven, als het langs zijn eigen spoor teruggejaagd wordt,' zei Tom.

Maar het vuur volgde niet precies dezelfde route terug. Het was van onderaf om de heuvel heen gecirkeld en nu ging het weliswaar de andere kant op, maar hoger op de heuvel, als een zigzagspoorweg langs een helling. Het kroop in de richting van de helling boven de bron.

'We zullen een nieuwe brandgang moeten graven,' zei Tom. 'Ik denk dat het vuur vlak boven de boomgaard het weiland zal oversteken.'

'Misschien houdt de weg het nog tegen,' zei ik. Er liep daar een karrenspoor om de heuvel heen, naar het bos achter het huis van Joe. We gebruikten die weg om brandhout te vervoeren. Tom raapte de bijl op en pakte nog een schop.

Toen dacht ik ineens aan pa, die aan de andere kant van de vlammenzee aan het blussen was geweest. Was het vuur soms op hem afgestormd toen het van richting veranderde? Hij was te oud om zich uit de voeten te kunnen maken. Als hij in de war was geraakt door de rook zou hij zomaar regelrecht het vuur ingelopen kunnen zijn. Door al die rook in zijn ogen en zijn longen kon hij vast niet meer helder denken. Ik zette het op een lopen langs de rand van de verschroeide aarde.

Nu de rook de andere kant op dreef, leek het net of ik opkeek in het rimpelende doek van een enorme tent. De rook was zijdezacht en grijs en bolde in huizenhoge wolken boven de wei. Hij leek zelfs stevig genoeg om te beklimmen.

'Pa!' schreeuwde ik, terwijl ik naar de andere kant van de heuvel rende. Waar het vuur was geweest, was de bodem zwart en wit tegelijk. De verkoolde grassprieten waren zwart en de grond was beroet, maar de rondwarrelende asvlokken waren wit, net witte rozenblaadjes. Wortels en graspollen lagen nog te smeulen.

'Pa!' schreeuwde ik weer, maar door de rook voor mij kon ik niets zien. De plaats waar ik hem had achtergelaten lag er volkomen kaalgebrand bij. Er lag nog een brandende dennentak, maar ik kon niet zeggen of het de tak was die hij had gebruikt. Ik zag een dood vogeltje liggen en ook een verbrande veldmuis.

'Mama!' werd er geroepen. Het was Jewel. Ze was met Fay in haar armen het weiland ingelopen en de heuvel opgeklommen. Moody en Muir volgden haar op de hielen. De baby huilde.

'Heb je de boeven ook gezien?' vroeg Moody.

'Ga terug!' schreeuwde ik.

'Wat ben je aan het doen?' vroeg Jewel.

'Terug naar het hek jullie!' krijste ik.

Maar Jewel bleef daar domweg staan met de baby. Ik denk dat ze nog nooit zoiets had gezien als een brandend weiland. Als de wind opnieuw draaide, zou het gras vlam vatten precies op de plek waar zij met de kleintjes stond. Ik gooide de houweel neer.

'Ga terug naar het hek,' schreeuwde ik en wees naar de voet van de heuvel, maar ze bleef gewoon staan, alsof ze me niet gehoord had of te verbijsterd was om te begrijpen wat er aan de hand was. Ik bukte me, greep haar bij de schouders en schudde haar door elkaar. 'Terug jullie!' riep ik.

'Pang, pang!' zei Moody en hij duwde Muir omver.

Jewel begon te huilen, maar draaide zich eindelijk toch om en begon naar het hek te lopen. Moody en Muir liepen achter haar aan.

Ik raapte de houweel weer op en rende om het geblakerde weiland heen naar de boomgaard. Hier en daar brandden nog kleine vuurtjes.

'Pa!' schreeuwde ik.

Ik kroop tussen het prikkeldraad van de boomgaard door en

rende tussen de maïsstengels en het tandzaad door naar de andere kant. Maïskolven stootten tegen mijn ellebogen en ik struikelde over de randen van de terrassen. De koeien waren door het hek heen gebroken en stonden nu onder de appelbomen van de maïs te smullen. Ik denk dat een deel van het hek in vlammen was opgegaan.

Voor zover ik kon zien, ging het vuur dwars over de heuvel heen. De wind had het naar de holte geblazen waar de bron zich bevond. Misschien zou het vuur tot stilstand komen zodra het de top van de heuvel had bereikt. Pa was nergens te bekennen.

Pal achter de boomgaard begon een dennenbos, dat zich bijna helemaal tot aan de bron uitstrekte. Als het vuur naar dit bos oversloeg, zou het met al die naalden en hars branden als de hel.

'Pa!' schreeuwde ik weer. Ik bedacht dat hij misschien het vee de boomgaard in had gedreven. Maar van hemzelf was geen spoor te bekennen. Ik keek achterom, maar tussen de pruimenbomen en de perenbomen was hij ook niet. Jewel zag ik niet meer, en ik nam aan dat ze met de kleintjes terug was gelopen naar het hek helemaal onderaan.

'Pa!' schreeuwde ik opnieuw. Even dacht ik dat ik hem hoorde antwoorden, maar waarschijnlijk waren dat alleen maar loeiende vlammen en knappende dennenappels. Het zweet liep in mijn ogen, zodat ik bijna niks zag. Ik wreef over mijn voorhoofd en zag dat mijn handen pikzwart waren. Mijn longen leken te klein, alsof de pijnlijke plekken en de littekens van de afgelopen winter begonnen op te spelen.

Het dennenbos maakte een geluid als een loeiende oven of een stroomversnelling. Ik rende naar de andere hoek van de boomgaard. Als ik bij de weg zou kunnen komen, kon ik misschien om het vuur heen. De vlammenzee zou toch zeker die verbrede weg niet over kunnen?

De bron lag in een holte aan de andere kant van de heuvel. De geul waar de beek die aan de bron ontsprong doorheen stroomde, was omzoomd met dennenbomen, terwijl de bron zelf diep verscholen lag tussen de coniferen die haar beschermden tegen de zon en oprukkend kreupelhout. Onder coniferen groeit bijna niets, al moet je wel de naalden uit het water harken om te voorkomen dat de bron verstopt raakt.

Ik wilde bij de bron zijn voor het vuur daar was. Ik veronderstelde dat pa naar de bron gegaan moest zijn om iets te drinken. In het bos brulden de vlammen als vechtende wilde beesten. Ik rende naar de weg om het vuur voor te zijn, maar het was al te laat. De vlammen waren tussen de dennenbomen gesprongen en hadden de bron omsingeld. Het zag ernaar uit dat ook de coniferen vlam zouden vatten. Een ring van rook omgaf de bron.

'Pa!' schreeuwde ik.

Voor mij brandden de dennenbomen en ik kon niet dichterbij komen. Ik probeerde door de rook heen te kijken, maar die was te dicht. De dennen brandden als aanmaakhout.

Toen dacht ik aan de beek. Langs de beek groeiden wilgen en essen. Die zouden minder snel in brand vliegen. Ik rende de heuvel verder af en sprong de beek in. Ik sloeg de takken weg en waadde zo snel ik kon stroomopwaarts, plonzend door de kuilen.

Toen ik bij de bron kwam, stonden daar alle bladeren en struiken al in lichterlaaie. Het vuur had net de coniferen bereikt en klom nu pal boven het water langs de twijgen en de takken omhoog. De grote takken hingen nog buiten bereik van de vlammen, maar vlak boven de grond greep het vuur razendsnel om zich heen.

'Pa!' schreeuwde ik.

En toen zag ik hem. Hij zat midden in de bron op zijn hurken en schepte het water met handenvol tegelijk over zijn haar en zijn rug. Doordat de vlammen over de beek heen en weer sprongen, leek het net of hij tussen zwaaiende vaandels zat. Hij was omringd door een kring van vuur en ik zag niet hoe ik bij hem zou kunnen komen. Ik was bang dat hij zou stikken in de rook, want de rookwolken die uit de coniferen opstegen zagen er giftig uit.

'Doe je zakdoek voor je mond!' schreeuwde ik tegen hem. Ik wist dat hij altijd een zakdoek in zijn broekzak had. Maar volgens mij hoorde hij me helemaal niet. Hij had het te druk met water over zijn schouders sprenkelen en bovendien knetterden de vlammen in de struiken oorverdovend.

'Alstublieft, Heer, red pa!' bad ik. Ik wist dat hij naar de bron gegaan was vanuit de gedachte dat het vuur de holte niet zou bereiken. 'Laat pa niet omkomen in deze hel,' zei ik.

De rook sloeg me in het gezicht. Er was nog maar drie meter tussen mij en de vlammen en het vuur kwam recht op me af. Tussen de bladeren en het kreupelhout was het al druk in de weer. Langs de beek stonden zwartgeblakerde gombomen met knisperende blaadjes. Ik moest besluiten of ik nu terug zou rennen door de beek en ontsnappen, of doorrennen naar de bron. Aan beide kanten van de beek brandden nu de struiken en brandende bladeren dwarrelden overal om mij heen. Om bij pa te komen moest ik dwars door de vlammen heen.

Ik boog mijn hoofd en plonsde voorwaarts, midden tussen de brandende struiken door. Met mijn hand voor mijn neus rende ik gebukt onder de rook door.

Pa leek niet verbaasd toen hij me zag, maar het eerste wat hij zei was: 'Je had daarginds moeten blijven.' Hij zat op een rotsblok aan de rand van de bron, druipend van het water dat hij over zichzelf heen had gegooid. Zijn baard en zijn haren waren kletsnat.

'Pa,' zei ik.

'Buk je en spat jezelf nat,' zei hij.

Midden in de beek ging ik op mijn hurken zitten.

'Plens het water over je heen,' zei hij en hij gooide handenvol water in mijn gezicht en over mijn haar. Ik wreef de koude druppels langs mijn nek en over mijn schouders. Het water voelde prettig aan en spoelde het roet van mijn handen.

Het brandde nu ook op de hoge oeverrand pal boven de bron. We waren omringd door een muur van vlammen. Rook wolkte over ons heen en de lucht was vol vonken en brandende bladeren. Ik kroop nog verder in elkaar, zodat mijn gezicht het water bijna raakte. Om mij heen vielen de brandende bladeren en twijgen sissend in het water.

'Ik heb dit een keer eerder gedaan,' zei pa. 'Dat was in Virginia, in de oorlog.' Zijn stem klonk zo bedaard alsof hij op de veranda zat. 'De kanonnen schoten het bos in brand. De gewonden en de mannen die in de val zaten, verbrandden levend. Ik zette het op een rennen, terwijl de kogels tussen de bomen door floten. De kanonnen schoten zelfs de toppen van de bomen. Ik begon te kruipen om buiten bereik van de kartetsen te blijven. De wind wakkerde het vuur aan en ik sprong pardoes in een beek. Ik ging op mijn hurken zitten en maakte mezelf kletsnat. Het vuur joeg over me heen. Toen het voorbij was, waren alleen mijn wenkbrauwen verbrand, want mijn natte hoed had mijn haar beschermd.'

Overal om ons heen was rook en er leek niet genoeg lucht meer om adem te halen, maar pa leek helemaal niet bang. Ik sloeg mijn schort voor mijn mond en ademde erdoorheen. 'Houd je mouw eens voor je mond,' zei ik. Pa begon te hoesten en zijn gezicht liep rood aan.

'Adem nou door je mouw heen,' riep ik.

'Het vuur is voorbij,' zei pa.

Ik keek op en zag niks anders dan rook. Nergens waren meer vlammen te zien. De rook was echter nog dichter dan daarvoor. 'Prijs de Heer,' zei ik, maar kreeg meteen een hoestbui. Het voelde alsof de rook tot in het diepst van mijn longen was doorgedrongen. De tranen stroomden langs mijn wangen en ik hoestte zo hevig dat ik bijna moest overgeven.

Ook pa zat te hoesten. 'Laten we maar gaan,' zei hij.

Hij had gelijk. Als we niet gauw uit de rook gingen, zouden we erin stikken. We bukten ons zo diep als we konden en begonnen stroomafwaarts door de beek te waden. Ik hield pa's hand vast. Door de dichte rook zag ik niks. Beide oevers lagen te smeulen en de lucht bestond uit niets anders meer dan uit droge, bittere rook. Ik probeerde mijn adem in te houden, maar het lukte me niet. Ik moest wel hoesten, ik kon het gewoon niet tegenhouden. Mijn longen werden opnieuw in tweeën gescheurd. Het liefst was ik blijven staan, maar ik wist dat we in deze rook in een mum van tijd zouden smoren of stikken.

Alles was wit, met overal vonken en asvlokken. Mijn ogen brandden en mijn neus liep. Mijn keel voelde aan alsof er een zaag langs was geschraapt. Vlak voor mij kwam een brandend stuk struik omlaag. Ik maakte mijn hand nat en duwde het opzij, waarbij ik mijn vingers een beetje brandde.

Pa en ik moeten de hele beek zijn afgelopen, voordat we eindelijk uit de rook waren. Mijn longen waren nu zo rauw dat ik de gezonde lucht eerst niet eens opmerkte. Hoestend boog ik me voorover, en braakte. Op het zonnige weiland kotste ik de longen uit mijn lijf, terwijl pa me op de rug stond te kloppen.

Daarna was ik zo moe en duizelig dat ik bijna viel toen ik weer overeind kwam. Als ik nog een minuut langer in die rook had moeten blijven, was ik volgens mij gestikt.

'Mama!' Dat was Jewel weer, die dwars over het weiland kwam aanrennen. Ze droeg nog steeds de baby en Moody en Muir kwamen achter haar aan. Hun gezichtjes blonken zo schoon en fris in het zonlicht dat ik het standje niet over mijn lippen kon krijgen.

'Mama, je gezicht is helemaal zwart,' zei Jewel.

'Waarom zijn opa en jij helemaal nat?' vroeg Moody.

'Je hebt as in je haar,' zei Jewel. Jewel kon er zelf absoluut niet tegen als er iets in haar haar of op haar gezicht zat en ze vond het ook vervelend als een ander er vies uitzag.

'Waar is papa?' vroeg ik.

'We hebben hem niet gezien,' zei Jewel.

'Helemaal niet?' vroeg ik.

'We hoorden wel iemand schreeuwen op de heuvel,' zei Moody.

'We hebben alleen jou maar gezien,' zei Jewel.

'Ik wed dat hij op de heuvel een greppel aan het graven is,' zei pa.

Ik keek om me heen om te zien wat de snelste manier was om naar de top te komen. Rechts van ons, in het bos waardoor je bij het vroegere huis kwam, brandde het nog. Ik zou via een omweg naar de Schoolhouse Branch kunnen rennen. Of anders kon ik teruglopen, via de plaatsen waar het vuur al was geweest. Ik vermoedde dat ik voor de kortste weg het best linksaf kon gaan.

'Jullie blijven hier bij opa,' zei ik tegen de kinderen en ik rende om de heuvel heen naar de boomgaard. Ik herinnerde me niet meer wat ik met de houweel had gedaan, maar ik wenste dat ik een stok of zoiets bij me had gehad om de boomtakken opzij te duwen.

Ik rende tussen de rokende, zwartgeblakerde bomen door en toen het weiland in. Het open grasland was volkomen kaal, als een geplukte kip. De weide was zo grijs als as. Vlak onder de heuveltop brandde het vuur nog steeds, en de rook kringelde tussen de bomen omhoog. De slierten waaierden uit in de blauwe lucht, terwijl de zon glansde op de heuveltop.

'Tom!' schreeuwde ik, terwijl ik de heuvel op rende.

Toen zag ik twee mannen die de ene schep zand na de andere op het vuur gooiden. Ze werkten zo snel als ze konden, dreven de schoppen in de grassige bodem en smeten de lading in de vlammen. Ze leken op niemand die ik kende en ik vroeg me verbaasd af wie het waren die ons te hulp waren geschoten.

Pas toen ik wat dichterbij kwam, herkende ik Tom en Joe. Tom leek wel een ander mens. Zijn gezicht was pikzwart en het zweet stroomde erlangs. Hij had zijn hoed verloren, en aan zijn doorweekte kleren kleefde as. Hij werkte alsof hij woedend was, alsof hij vocht met een dier of een mens. Ik wilde dat ik een beker water voor hem had meegenomen.

'Je kunt beter gaan uitrusten!' riep ik.

'Zinloos,' zei hij, maar ik wist niet of hij daarmee het rusten of het blussen bedoelde. Hij en Joe hadden een greppel dwars over de heuveltop gegraven en een strook grond kaalgeschraapt van ongeveer anderhalve meter. De bodem daar was zo droog dat hij eruitzag als kalkgrond.

'Ging de wind maar liggen,' zei Joe. Hij hield even op en leunde op zijn schop, maar Tom bleef scheppen en zand op de vlammen gooien.

'Hebben jullie nog een schop hier?' vroeg ik.

'Alleen maar een bijl,' zei Tom.

Ik keek om me heen en ontdekte de bijl tussen het gras. Maar ik begreep ook dat het geen enkele zin had om in de grond te gaan staan hakken of te proberen baardgras te kappen. Ook Tom stopte nu met graven en leunde op zijn schop. Onder het roet en het vuil was zijn gezicht niet langer rood, maar lijkbleek, bijna vuilgroen.

'Je moet wat gaan rusten,' zei ik, maar hij gaf geen antwoord. Hij leek te moe om iets te zeggen. Zwart zweet liep langs zijn slapen en in zijn hals, alsof zijn hele gezicht huilde.

'Je kunt beter even rust nemen, Tom,' zei Joe.

Nu merkte ik dat de rook ons niet langer in het gezicht sloeg. De wind was gaan liggen. Je kon het vuur nog horen knetteren in het gras en tussen de boomstronken verderop in het bos. Op de heuvelrand krasten de kraaien tussen de hoge dennen.

'De w-w-w-ind is gaan liggen,' zei Joe.

'De Heer zij dank,' zei ik.

'Het is te laat,' zei Tom. 'Het maakt nu niks meer uit.'

'Je wilt toch niet dat het hele land afbrandt?' zei ik.

'Nou, ons land is bijna helemaal verloren,' zei Tom. Hij spoog in het smeulende gras alsof hij geen woord aan deze afschuwelijke toestand vuil wilde maken.

Ik nam zijn schop van hem over en gooide zand op een pol baardgras die opnieuw opvlamde. Het vuur had nu de greppel bereikt, keerde zich tegen zichzelf en doofde uit.

'Laten we maar naar huis gaan,' zei ik.

Tom gaf weer geen antwoord. Ik draaide me om en zag de vreemde blik in zijn ogen. Het was alsof hij me niet hoorde, maar aan iets heel anders stond te denken. Onder het roet was zijn gezicht wasbleek.

'Tom,' zei ik.

Joe ging naar hem toe. 'Hoe voel je je, ouwe m-m-makker?' vroeg hij.

Maar Tom keek alsof hij een stomp in zijn maag had gekregen en niet langer rechtop kon staan.

'Je moet wat water drinken,' zei ik.

'Je kunt beter even gaan zitten,' zei Joe.

'Ik ga naar huis,' zei Tom. Hij begon te lopen alsof zijn benen elk vijftig kilo wogen. Hij liep dwars door smeulend struikgewas en baardgras, alsof hij die niet zag.

Achttien

Zodra Tom bij het huis was aangekomen, ging hij regelrecht naar de wc. Wel een halfuur bleef hij in het huisje zitten. Ondertussen kwam pa ook thuis, samen met Jewel en de andere kinderen. Joe ging de koeien bijeendrijven om ze op stal te zetten.

Op de achterveranda waste ik mijn handen en mijn gezicht en ging toen zitten, met Fay op schoot. Mijn kleren stonken naar rook en in mijn haar zaten asvlokken. Elke vlok die ik aanraakte, versmolt tot stof. Ik voedde Fay een poosje en toen ik daarmee klaar was, was Tom nog steeds niet naar buiten gekomen. Ik meende dat ik beter even kon gaan kijken hoe het met hem ging. Misschien was hij er toch al af en had ik dat niet gemerkt. Ik gaf Fay weer aan Jewel en zei dat ze haar in de wieg moest leggen.

'Tom!' schreeuwde ik, maar er kwam geen antwoord. De wind ritselde hoog in de coniferen en de takken zwiepten over het dak van de wc. 'Tom!' riep ik weer. Binnen leek iets te bewegen. 'Ben je daar nog?' vroeg ik.

'Ik ben ziek,' zei Tom heel zacht.

'Wat is er?' vroeg ik en trok de deur open. Daar zat hij in het donker met zijn overall op zijn knieën.

'Ik heb buikloop,' zei hij. Onder het roet zag zijn gezicht grauw en hij zweette weer.

'Je kunt beter meekomen naar huis,' zei ik.

'Ik kan niet opstaan,' zei hij. Het klonk alsof het hem niet kon schelen ook, alsof hij met rust gelaten wilde worden.

'Hier kun je niet blijven,' zei ik.

Ik rende terug naar de veranda en droeg Jewel op Joe uit de stal te gaan halen. Toen die kwam, moesten we met ons tweeën Tom van de wc halen. Dat viel niet mee, omdat hij zo verzwakt was en wij niet naar binnen konden. We moesten hem eerst het huisje uittrekken en bij de deur op de grond leggen. Nadat we hem overeind hadden getrokken, hees ik Toms overall weer op en knoopte hem dicht, en daarna gingen we elk aan een kant van hem staan.

Ik had nooit gedacht dat Tom zo zwaar was. In de afgelopen twee jaar was hij aangekomen, en ook daarvoor was hij al stevig gebouwd. Hij kon zijn eigen gewicht nog aardig dragen, maar Joe en ik moesten hem ondersteunen om te voorkomen dat hij viel.

'Mijn opa is aan buikloop doodgegaan,' fluisterde Tom. 'Hij had het te warm gekregen bij het maïsstrippen.'

'Nou, jij gaat niet dood, als je dat maar weet,' zei ik.

We deden er een paar minuten over om de trap naar het erf op te komen en daarna nog een paar om het erf over te steken. Tom liep alsof elke stap hem vreselijke inspanning kostte. Hij beefde van top tot teen en was te zwak om zijn handen stil te houden.

'Zet eens wat water op!' riep ik naar Jewel. Ik hoopte dat er nog vuur in het fornuis zou zijn.

Ik denk dat het ons tien minuten kostte om Tom naar de slaapkamer te krijgen. De afgelopen zes of zeven maanden had hij op de vliering geslapen, maar het was geen vraag of we hem wel naar de slaapkamer moesten brengen. We lieten hem op het bed zakken en ik trok hem zijn laarzen uit. Daarna ging hij vlug liggen, te zwak om zijn hoofd nog rechtop te kunnen houden.

Zodra het water warm was, goot ik iets in een kom en ging zeep en een waslap halen. Ik vermoedde dat Tom zich niet beter zou gaan voelen zolang hij nog niet gewassen was. En als de dokter moest komen, wilde ik niet dat hij Tom onder het roet en het vuil zou aantreffen. Ik zette de kom bij het bed en waste Toms gezicht en nek, zijn hals en zijn borst. In zijn haar klitten stukjes verbrand blad en gras. Zijn huid vertoonde vlekken, sommige wit, sommige vuurrood. Zijn voorhoofd, gebruind waar de rand van zijn hoed het niet beschermde, zag er groenig uit. Ik knoopte zijn overall open en trok hem die uit, met een klein rukje over zijn ene been en daarna over het andere. Hij lag te rillen en staarde naar het plafond. 'Je hoeft dit niet te doen, hoor,' zei hij.

En als ik het niet doe, wie dan wel? dacht ik, maar ik zei niets. Ik had nog nooit eerder een volwassen man gewassen en ik sponsde hem af zoals ik een baby zou doen. Ik waste hem van top tot teen, ook daar waar hij besmeurd was met diarree, ook zijn benen en voeten die overdekt waren met een korst van stof en roet en zweet. Onder het wassen lag hij voortdurend te schudden en zijn tanden klapperden. Ik wikkelde hem in een deken. Mijzelf brak door de warmte het zweet uit, maar hij lag te huiveren alsof het onder het vriespunt was.

'Wil je iets drinken?' vroeg ik.

'Nee,' zei hij en sloot zijn ogen.

Ik probeerde me te herinneren wat je ook alweer moest geven aan iemand met buikloop. Het was iets waar baby's vaak last van kregen bij warm weer. Als je er niet binnen een dag iets tegen deed, gingen ze er aan dood.

Toen ik de slaapkamer uitkwam, stond Joe bij de buitendeur. 'Vroeger geb-b-bruikten de mensen sterke drank die ze eerst in de fik hadden gestoken,' zei hij.

Ik ging naar de medicijnplank, pakte de kruik, schonk een beker vol met maïswhisky en stak die aan. Men veronderstelde dat gloei-end hete drank een stoppende werking had. De vlammen sloegen uit het kopje, zodat het net een fakkel leek. Ik liet de drank tien se-conden branden voor ik de vlammen uitblies en nam de hete drank toen mee naar de slaapkamer. 'Hier, drink dit eens op,' zei ik tegen Tom.

'Geen dorst,' zei hij.

'Dit helpt,' zei ik. 'Het is het enige wat helpt.'

Zijn voorhoofd gloeide als een oven. Het was alsof het vuur waartegen hij gestreden had bij hem naar binnen was geslagen. Ik tilde zijn hoofd een beetje op en zette het kopje aan zijn lippen. Ik denk dat hij zich brandde aan de hete drank, want hij trok zijn hoofd met een ruk weg. 'Je moet het opdrinken,' zei ik. 'Anders word je niet beter.'

Hij nam een klein slokje en toen nog een. De drank gleed naar binnen en het schudden werd een beetje minder. Zo goed en zo kwaad als het ging, hield ik het kopje aan zijn mond en hij dronk het grotendeels leeg.

'Ach, geef me toch wat meer van dat gezegende medicijn,' zei hij, toen de drank zijn werk begon te doen. Hij leek zichzelf niet meer.

Jammer genoeg koelde hij er niet van af. Hij werd juist steeds warmer en warmer. Ik werd bang dat de drank het vuur in hem juist nog verder had aangewakkerd. Ik ging naast het bed zitten en legde mijn hand op zijn voorhoofd. Hij gloeide als vurige kolen.

Later op de avond, na het eten en de vaat, vroeg ik aan pa wat er nog meer tegen buikloop te doen was. Pa had te veel van zichzelf gevergd en zat nu in de woonkamer zonder zelfs maar de krant te lezen.

'Je zou bessensap kunnen proberen,' zei hij.

'Ik dacht dat dat bedoeld was voor gewone diarree,' zei ik.

'Baat het niet, dan schaadt het niet,' zei pa.

Ik nam een lamp en haalde een kwartliterkan bessensap uit de kelder. Het sap had de kleur van rode wijn, maar het was dikker, bijna zo dik als inkt. Ik gaf Tom er een half kopje van, en zijn lippen en tong werden zwart. Hij leek steeds warmer te worden.

Op een gegeven moment moet ik die avond de kinderen naar bed gebracht hebben. Ik denk dat Jewel me geholpen heeft, en dat ik de baby gevoed heb voordat zij naar bed ging, maar ik weet er niets meer van. Alles wat ik me herinner is dat ik bij Toms bed zat en dat hij steeds warmer aanvoelde. Koorts is altijd het ergst om middernacht, en dat was het nog lang niet.

Voor hij naar bed ging, keek pa even om het hoekje. 'Je kunt beter even proberen te slapen,' zei hij.

'Dat kan ik niet,' zei ik.

De opwinding van die dag had pa helemaal uitgeput. Zijn schouders waren erger gebogen dan ooit en zijn wangen leken ingevallen. 'Joe heeft gemolken,' zei hij.

Nadat het stil was geworden in huis, zakte Tom eventjes weg, maar plotseling werd hij weer wakker en keek om zich heen. 'Zijn de koeien al binnen?' vroeg hij.

'Joe heeft ze op stal gezet,' zei ik.

'Ik heb ze nog niet gevoerd,' zei hij.

'Dat hoeft ook niet,' zei ik. 'Is al gebeurd.'

Daarna zakte hij weer weg en ik begon ook doezelig te worden. In gedachten was ik weer aan het blussen en rende ik door de struiken, op zoek naar pa. Hoe harder ik rende, hoe sneller de vlammen achter me aan joegen.

'Je moet ze uittrappen,' zei Tom. Hij schreeuwde het bijna, als een waarschuwing. 'Stamp er dan op!'

Ik schrok wakker en merkte dat Tom in zijn slaap lag te praten. Hij lag te woelen en zijn gezicht zag er vreselijk uit. 'Gooi er zand op,' zei hij.

Hij bewoog zijn hoofd heen en weer alsof hij zich probeerde los te rukken en het was afschuwelijk om te zien hoe hij zich schrap zette.

'Tom,' zei ik, 'het is maar een droom.'

'Ik laat je niet alles platbranden,' zei hij. Hij leek mij niet op te merken, maar praatte in zichzelf. 'Ik laat je niet alles platbranden wat ik heb bereikt.'

'Word toch wakker,' zei ik.

'Ik laat me niet door jou te gronde richten,' zei hij.

'Waar heb je het over?' vroeg ik.

'Dit is de doop met vuur,' zei hij en hij begon te grinniken. Onder zijn gesloten oogleden zag ik zijn ogen rollen. Hij stak zijn hand uit, maar die viel weer terug op zijn borst.

'Tom, je droomt,' zei ik.

'Ik laat alles wat ik heb opgebouwd niet door jou en pa vernielen,' zei hij en hij schopte de dekens half van zich af. Ik wilde ze terugleggen, maar hij duwde mijn hand weg, al had hij nog steeds zijn ogen dicht. Hij wist gewoon niet meer wat hij deed. 'Je moet eronder blijven,' zei ik. Het voelde alsof Tom een kind was waarvoor ik moest zorgen.

Om middernacht voedde ik de baby opnieuw en ik liep met haar de woonkamer rond tot ze een boer liet. Het was doodstil in huis, alleen het dak kraakte in de wind. Ik stonk nog steeds naar rook.

Nadat ik Fay weer in bed had gelegd, ging ik terug naar de slaapkamer. Zodra ik met de lamp binnenkwam, zag ik dat Tom zijn ogen open had. 'Je moet slapen,' zei ik.

'Ik laat me door niemand tegenhouden,' zei hij en hij keek de kamer rond, alsof hij me niet zag staan.

'Niemand probeert je tegen te houden,' zei ik.

'Ik geef het niet op,' zei hij. Zijn stem klonk vaag, alsof hij het ene zei en aan het andere dacht.

'Wat niet?' vroeg ik.

'Ik koop voor een dollar hout en dan hak ik nog meer dwarsliggers,' zei hij.

Nu begreep ik dat hij buiten zinnen was. Dit ging over een van zijn nieuwe plannen om in de winter nog meer geld te verdienen. De spoorwegen hadden een advertentie gezet waarin ze voor dwarsliggers een dollar per stuk boden, als ze tenminste gemaakt waren van kastanjehout. Het hakken van een goede dwarsligger was een dag werk, maar in de winter was er geen andere manier om geld te verdienen. Tom had dat najaar een nieuwe bijl gekocht.

'Ik laat me door niemand tegenhouden,' zei Tom weer.

Ik trok de dekens weer op tot zijn kin. De buikloop leek gestopt, ik denk door de gebrande whisky. Of misschien door het bessensap. Die lui van vroeger wisten wel wat hielp en wat niet. Maar nu had de een of andere koorts Tom te pakken. Ik vermoedde dat hij zo verzwakt en oververhit was geraakt, dat hij naast de buikloop nog iets anders had opgelopen. Hij voelde gloeiend heet aan. De kamer rook koortsig.

'Voor de melasse krijg ik twee dollar en dan zal ik ook nog wat meer palen splijten,' zei Tom.

Door de koorts werden al zijn zorgen blijkbaar verdubbeld. Ik denk dat al zijn angsten terugkwamen. 'Mama, we hebben vijftien cent gekregen en een vierliterblik maïsmeel,' zei hij.

'Ik weet ergens een konijn te zitten,' zei hij.

Alle woede en wrok zakten uit me weg. Toen ik Tom daar zo zag liggen, wilde ik zelf wel ziek worden, als hij maar beter werd.

Ik probeerde te bedenken wat je tegen koorts kunt doen. In de kruik was nog wat whisky achtergebleven. En ik had wel Vick's in huis, maar of dat zou helpen, wist ik niet. Ik probeerde me te herinneren wat de mensen zoal zeiden over koorts. De indianen maakten thee van wilgenbast, maar ik had geen wilgenbast. Ik liep naar de medicijnplank om te zien wat er wel was.

Pa had lobeliatinctuur tegen slangenbeten. En wat poeders voor als hij verging van de rugpijn. Er stonden nierpillen die hij van dokter Johns had gekregen, en geelwortel die ik aan de kinderen gaf als ze wormpjes hadden. Er stond een fles kamfer en hoestsiroop van honing en frambozensap. En er was vlugzout en vlekkenwater.

Ik haalde een kom koud water uit de keuken en nam die mee naar de slaapkamer. Het enige wat ik kon bedenken was om Tom af te sponzen. Er was niemand die ik om hulp kon vragen en er was verder niemand wakker. Ik draaide de lamp wat op en trok de dekens weg. Ik knoopte Toms nachthemd open en waste zijn borst op dezelfde manier als eerst. Alleen deed ik het deze keer langzamer en gebruikte ik meer water, om hem te koelen.

'Voor vijftien cent is dat konijn van jou,' zei hij.

Ik waste zijn armen en bevochtigde de binnenkant van zijn ellebogen. Ik maakte zijn polsen nat, omdat ik wist dat je jezelf kon koelen door je onderarmen koud te maken.

'Tom,' zei ik, 'draai je eens om.' Als ik zijn nek en zijn rug met water zou kunnen afspoelen, zou dat misschien nog beter helpen. Maar hij hoorde me niet en hij was zo zwaar dat ik hem nooit in mijn eentje zou kunnen draaien.

'Geen cent geef ik voor dat soort poespas,' zei hij. 'Geen cent, hoor je?' Nu had hij het tegen mij, of over mij. Hij was het geld dat ik aan die prediker had gegeven nog steeds niet vergeten.

'Draai je eens om,' zei ik, maar hij luisterde niet. Hij bleef maar mompelen, alsof hij droomde, maar zijn ogen waren open. Misschien dat ik hem kon draaien als ik me ergens tegen kon afzetten. Ik had iets nodig om mijn voet tegenaan te zetten en dan moest ik een plek zien te vinden waar ik hem kon vastgrijpen. Ik liep om het bed heen en zette mijn ene voet schrap tegen de muur. Mijn beide handen duwde ik onder zijn schouders. Ik kreeg zijn ene schouder een beetje omhoog, maar niet genoeg om Tom te kunnen keren. Hij viel weer terug en zijn buik bibberde. Hij was zwaarder dan een zak meel.

'Draai je nou eens om,' zei ik. Ik probeerde het nog eens en weer lukte het me niet. Ik kreeg zijn schouder met geen mogelijkheid omhoog. Ik wilde het net opgeven, toen hij zich plotseling uit zichzelf omdraaide, als iemand die zich omdraait in zijn slaap om een fris en koel plekje van het bed te zoeken.

Ik waste zijn rug en legde de doek in zijn nek, omdat ik dacht dat hij daarvan een beetje zou afkoelen. Het leek te helpen. Het mompelen hield op en zijn ogen vielen dicht. Ik bracht de kom weer naar de keuken en toen ik daarna aan zijn voorhoofd voelde, voelde dat duidelijk koeler aan. Zijn gezicht was nog steeds rood, maar niet zo vlekkerig meer. En hij sliep, en praatte niet langer in zichzelf. Ik was zo moe dat ik ging zitten en ook mijn ogen dichtdeed. Nadat ik zo een poosje had zitten dommelen, ging ik ook op bed liggen en viel in een diepe slaap.

De volgende morgen bracht pa mij een brief die hij in de brievenbus had gevonden. De brief kwam van Locke. Ik ging naast het bed zitten en begon te lezen.

Lieve Ginny,

Je weet dat mijn mond altijd te groot is geweest om dat wat er uitkomt door de punt van een pen te persen, net zoals een kameel niet door het oog van een naald kan kruipen. Maar toch wilde ik je graag schrijven, waarschijnlijk even graag als de rijke man naar de hemel wil. Ik was van plan je terug te schrijven zodra ik je brief had gekregen, maar toen werden we naar Californië overgeplaatst. En we waren daar nog niet, of er kwam een aardbeving die alles in de war schopte. De afgelopen maanden heb ik je brief een paar keer gelezen en geprobeerd iets te bedenken waar je iets aan zou kunnen hebben. Maar misschien heb jij me met jouw brief wel meer geholpen dan ik jou kan helpen met de mijne.

Op de avond van de aardbeving ben ik aan een brief begonnen, maar ik was toen te moe om mijn gedachten erbij te houden. Ik had er net een dienst van twaalf uur opzitten in het ziekenhuis. Er heerst hier een lelijke griep, die volgens sommigen door de soldaten is meegenomen uit Manila, en daarom heb ik veel overgewerkt. Alle zalen liggen vol met zieke soldaten en we komen meer handen tekort dan ooit. Ik had het schrijfblok en het potlood klaargelegd op het tafeltje naast mijn bed, maar ik kwam maar niet op gang. Ik slaap in een bijgebouwtje van het ziekenhuis. Ik was zo moe dat ik maar bleef malen over jouw woorden, maar tegelijk drongen de gezichten van de jongens die ik had verpleegd daar telkens weer door-heen. In de week ervoor waren er zeventien overleden en we had-den er nog honderd liggen die elk moment konden sterven. De griep verspreidde zich steeds verder door de barakken.

Na een hele poos gaf ik de moed op en deed het licht uit. Ik heb waarschijnlijk vier of vijf uur geslapen, en van je brief gedroomd, en ook van pa en van het land bij de rivier. Ik dacht ook dat ik ma-ma's stem hoorde. Je weet vast nog wel hoe bedachtzaam ze altijd praatte. Maar nu had ze het over de griep en over de jongens op de zaal. Ze zei dat bidden alleen niet genoeg was. En terwijl zij praatte, gleed ik weg. Ik spoelde aan op een grote golf, en dreef meteen weer terug. Het voelde alsof het gebouw en de aarde eronder aan het smelten waren. Op dat moment moet ik wakker geworden zijn van een enorm geraas. Het klonk alsof er een ondergrondse trein dwars door het ziekenhuis reed. Houten balken bezweken en bak-stenen muren stortten in. Ik kon niet uit bed komen. Ik zat gevan-gen in een golf die me alle kanten op smeet. Het bed sloeg met een klap tegen de ene muur en daarna tegen de andere. Ik was zo bang als een kind wanneer zijn moeder voor zijn ogen de stuipen krijgt. Het solide materiaal waarvan de wereld is gemaakt, was plotseling veranderd in een schuivende, wiebelende drilpudding.

Na ongeveer een minuut hield het afschuwelijke schommelen op. Ik liet het bed los en probeerde mijn kleren te vinden. Overal klonk geschreeuw, en gekraak van het instortende gebouw. Het was donker en ik kreeg stof in mijn mond. Door het raam zag ik her en der brand. Een ontploffende gasleiding verlichtte de hemel.

Ginny, ik zal maar niet in details treden over het vervolg. Je kunt je de toestand in het ziekenhuis wel enigszins voorstellen. Muren en vloeren hadden het begeven en de zalen lagen vol zieke, ster-vende en doodsbenauwde mensen, die totaal in de war waren door wat er was gebeurd. Die nacht zijn er heel wat mensen gestorven als gevolg van de schok, of van de dorst. Ik heb acht uur achter elkaar niets anders gedaan dan patiënten wegdragen uit het puin. Het was puur geluk dat ik het er zelf levend heb afgebracht. In de kamer naast die van mij waren vier verplegers omgekomen door een val-lende balk.

Zoals ik al zei, Ginny, heb ik meer aan jouw brief gehad dan jij ooit aan de mijne kunt hebben. Door wat je schreef, moest ik weer aan de familie denken en aan het vredige bestaan van Green River, net op het moment dat ik dat het hardst nodig had. De aardbeving en het afgrijzen dat ik op de gezichten van de zieken heb gezien, hebben veel van mijn krachten gevergd. Iemand met hoge koorts moet bij een aardbeving wel denken dat de hel zelf is losgebarsten en hem zijn vlammen in het gezicht spuwt. Alles wat zojuist nog stevigheid en houvast bood, bezwijkt. De aarde is niet langer onwrikbaar.

De rust begint pas nu een beetje weer te keren. Binnen een week had het ziekenhuis weer stroom en water, maar de herbouw van de afgebrande en ingestorte gebouwen zal veel langer duren. Ik voel me slapjes, alsof ik griep heb. Alleen de bezorgdheid over het lot van de patiënten houdt me op de been.

Nu ik eenmaal op gang ben, kan ik je evengoed meteen vertellen wat ik zoal heb gedacht. Je weet dat ik een echte lolbroek ben, maar volgens mij hebben we allemaal één groot probleem gemeen en dat is onze angst. We leven in voortdurende angst voor ziekte en pijn en groot verlies. Dat is alleen maar natuurlijk, zelfs het natuurlijkste wat er is. In de bergen zijn we ook nog eens bang voor slangen en overstromingen, spinnen en panters. We vrezen de bliksem en de hagel. We zijn bang voor buitenstaanders en vreemdelingen, voor de wet en de regering, en voor verandering. We leven in doodsangst voor de verdoemenis en voor de hel.

Nu, het bijzondere van mensen is, dat ze kunnen denken. We herinneren ons het verleden en maken plannen voor de toekomst. Toch maakt het besef van wat er allemaal kan gebeuren ons tegelijk angstig en bezorgd. Alles wat we doen, is dus gericht op het vinden van rust en zekerheid. Ik denk dat mama's grootste angst was, dat ze haar zelfbeheersing en gezonde verstand zou verliezen; en voor Tom geldt precies hetzelfde. Mensen als zij worden bang als ze zien dat hun man of vrouw zichzelf niet meer in de hand heeft. Als iemand die hen zo na staat de controle over zijn wil en waardigheid kan verliezen, kan hun dat immers ook overkomen.

Niemand kan ooit de extase van een ander doorgronden. De intense vreugde van iemand anders staat ons tegen, of het nu iemand is die met overgave zit te smullen, iemand die dronken is of iemand die in zichzelf loopt te zingen. Ook het seksuele genot van een ander mens vinden we onsmakelijk. Iemand die tijdens een samenkomst in extase raakt, of onbeheerst in tongen spreekt en over de grond rolt, biedt voor de toeschouwers misschien wel een even gênante aanblik als iemand die ligt te kronkelen van seksueel genot. Het kan overkomen als een verlies van menselijkheid, als een verlies van de eigenschappen die ons tot mensen maken.

Voor iemand als Tom is dat een te hoge prijs. Zijn hele leven heeft hij al het gevoel dat hij nergens controle over heeft, behalve over zijn werk. Zusje, mensen vinden het niet leuk als hun man of vrouw ontsnapt naar een eigen plek, zich afzondert op een plaats waar ze aan zichzelf genoeg hebben, en waar hun partner niet kan komen. Iemand als Tom ziet dat als een verloochening van het huwelijk. Zou jij het fijn vinden als Tom nog een tweede boerderij had, met land dat hij af en toe moest bewerken en waar zijn liefde eveneens naar uitging? Zou je niet de smoor in hebben als hij even dol op jagen was als Joe, en voor dagen of misschien zelfs weken verdween in de bossen achter de Long Holler? Ik weet het antwoord niet, maar dit zijn vragen waar je eens over na zou kunnen denken. Stel dat hij bezeten was van goud zoeken en altijd op pad om die ene ader te vinden, hoewel dat nooit iets opleverde, behalve een nog grotere gedrevenheid in het zoeken zelf?

Ik denk ook dat die blijdschap van jou een geschenk is. Niet iedereen is bij machte zo veel vreugde te ervaren, zelfs niet als hij het zou willen. Ik weet niet of er veel mensen in staat zijn te beleven wat jij tijdens zo'n samenkomst voelt. Het moet een bijzondere zegen zijn, die aan jou en pa en Joe geschonken is.

Je weet ook net zo goed als ik dat niets zo'n grote vreugde geeft als de kunst om te kunnen geven en de ontdekking van dat wat we te geven hebben. Daarin vinden we een schuilplaats tegen de verschrikkingen om ons heen.

Dit is mijn idee, Ginny: ik zou graag zien dat je eens nadenkt over wat Tom jou te geven heeft. Sta eens stil bij wat hem vreugde geeft, wat hem enthousiast maakt. Denk aan wat hij betekent voor de boerderij en voor pa en voor jou en voor Jewel en de kleintjes. Bedenk wat zijn talenten zijn, en waar hij het meeste genoegen aan beleeft. En als je dan oog krijgt voor zijn kracht, en tegelijk voor zijn grootste angst (want die twee zijn nauw met elkaar verweven, denk je ook niet?), dan zou je je eens kunnen afvragen of je zijn gaven misschien hebt afgewezen. Heb je het zo druk gehad dat je weigerde te aanvaarden wat Tom je aanbood? Heb je meer willen geven dan ontvangen?

Zo kijk ik er nu tegenaan. Misschien heb ik morgen wel weer een ander idee. Je weet hoe ik kan doordraven. Zo dadelijk begint mijn dienst weer. Hier in Californië schijnt de zon na een korte regenbui weer flink. Ander weer kennen we hier niet; alleen af en toe wat regen die de droge beddingen weer laat vollopen en de bloemen op de oevers laat bloeien. Het heeft me goed gedaan om je te schrijven en in gedachten even op de boerderij bij de rivier en bij de familie te zijn. Nu moet ik naar de afdeling, voordat de sergeant komt kijken waar ik blijf.

Liefs,
Locke.

Die ochtend had Tom nog steeds lichte koorts. Ik gaf hem bronwater en sassafrasthee, maar de koorts verdween niet. Ik wist dat hij in de loop van de dag steeds erger zou gaan gloeien. Alle koortslijders voelen 's ochtends koeler aan. Datgene wat Tom mankeerde, was nog steeds in zijn lichaam aan het werk. De koorts hield zich alleen maar verborgen, zoals altijd in de ochtend.

Nog voor het middageten stuurde ik pa eropuit om dokter Johns te halen. Ik wist niet wat ik anders moest doen. Net toen ik het eten klaar had, kwamen pa en de dokter in het dokterskoetsje aanrijden.

'Het ziet ernaar uit dat jullie hier een brandje gehad hebben,' zei de dokter.

'Tom heeft buikloop gekregen van het bluswerk,' zei ik.

'En die buikloop heeft hij nu niet meer?'

'Nee, maar nu heeft hij koorts.'

De dokter fronste zijn wenkbrauwen. Dokters vinden het nooit prettig als jij hun vertelt wat de patiënt mankeert. Ik denk dat ze bang zijn dat ze je moeten tegenspreken.

'Als het cholera was geweest, was hij nu al dood,' zei de dokter.

'Nou, hij leeft nog, hoor,' zei ik.

'Maar hij is nog steeds ziek?' vroeg de dokter. We praatten op dezelfde plagerige manier met elkaar als toen ik nog klein was. Ik nodigde hem uit om een hapje mee te eten, maar hij liep meteen door
naar de slaapkamer. Ik bracht hem de kruik whisky achterna, want
ik wist dat hij Tom daar iets van zou geven en zelf ook een slok zou
nemen.

De dokter boog zich over Tom heen en luisterde naar zijn ademhaling. Hij snuffelde er ook een beetje aan, zoals een kok aan de
soep snuffelt. 'Neem hier eens een slok van,' zei hij tegen Tom.

Toen de dokter de slaapkamer weer uitkwam, zei hij tegen me:
'Hij heeft tyfus.'

'Het is toch veel te laat in het jaar voor tyfus,' zei ik.

'We hebben een warme herfst gehad,' zei de dokter.

Ik had het gevoel dat ik een klap in mijn gezicht had gekregen.
'Maar tyfus heb je alleen in de zomer,' zei ik.

'Tyfus komt als het komt,' zei de dokter en hij nam een slok uit
de kruik. Ik ging zitten en wist even niks meer te zeggen.

'Tyfus verloopt altijd weer anders,' zei de dokter. 'Het kan drie
dagen duren, maar ook maanden. Je kunt ermee rond blijven
lopen, of je kunt eraan doodgaan.'

'Wat bepaalt het verschil?' vroeg ik.

'Ieder mens is anders en iedere vorm van koorts is anders.'

Voordat hij vertrok, zei de dokter nog dat we de gordijnen en de
slaapkamerdeur dicht moesten houden. Tom had duisternis en rust
nodig. De kinderen moesten uit de kamer wegblijven. Als de
koorts opliep, mocht hij op geen enkele manier gestoord worden.
'Zelfs de kleinste opwinding kan hem het laatste duwtje geven,' zei
de dokter.

Ik deed de slaapkamerdeur dicht en schoof de gordijnen voor het
raam. Om het nog donkerder te maken, hing ik er ook nog een
deken voor en zo verzegelde ik de kamer als een soort geheim ge-
welf.

De dokter had gezegd dat ik Tom sinaasappels moest geven, als
hij ze tenminste wilde eten. 'Pers de vruchten uit en geef hem het
verse sap.' Ik stuurde pa naar de winkel om er een zak vol van te

halen. Anders kochten we ze altijd alleen voor de Kerst. Ik perste de sinaasappels uit en schonk whisky bij het sap. De hele slaapkamer rook naar sinaasappels en sterke drank. En hoe vaak ik Tom ook waste of zelf in bad ging, de geur van verbrand baardgras en onkruid bleef maar hangen. Het leek wel of de stank van het vuur in mijn hoofd was gaan zitten en er niet meer uit wilde.

'Ga maar op het erf spelen,' zei ik tegen de kinderen. 'En anders blijven jullie in de keuken, maar je houdt je koest.' Als Fay huilde, droeg ik haar naar de veranda en als ik naar de koelschuur ging, nam ik haar mee.

Het zou niet eerlijk zijn te beweren dat ik het fantastisch vond dat Tom ziek was. En toch, hoe meer hij achteruitging, hoe meer liefs ik in mijzelf ontdekte. Hem te kunnen verplegen voelde als een nieuwe liefde. Ik schrobde de slaapkamervloer en sponsde Tom af. Ik leegde zijn po en spoelde die uit op de achterveranda. Ik kwam op een heel nieuwe manier tot leven. Ik was sterk en vlug en er ging een soort frisheid van me uit. Ik kan het alleen maar onder woorden brengen door te zeggen dat het voelde alsof ik zijn moeder was geworden. Wat hij in zijn koortsaanvallen ook zei, ik werd er niet kwaad om. Als hij vloekte en tierde, en steeds weer herhaalde dat ik een vrome zot was, liet ik hem gewoon razen. 'Je bent ziek, Tom,' zei ik dan.

'De duivel hale jou en je land,' zei hij.

'Tom, dat zeg je alleen omdat je koorts hebt,' zei ik.

Pa schilde bij de rivier wat wilgenbast, waar ik thee van probeerde te zetten. Maar de buitenste bast was te droog om goed te trekken en de binnenste was te groen. Hoe de indianen wilgenthee zetten, weet ik nog steeds niet. Ik probeerde Tom iets te geven van het brouwsel dat ik van de groene bast had getrokken, maar hij wilde er niet van drinken. Het zag eruit als vergif, en zo rook het ook.

Ik had nog nooit zo veel energie gehad, zelfs als jong meisje niet. Ik sliep niet meer dan vier of vijf uur per nacht en toch leek ik geen slaaptekort te hebben. Er kwam een marskramer langs met een wagen vol lakens en dekens, en ik kocht een paar nieuwe voor de slaapkamer. Twee keer per week werd alles uit die kamer door mij gewassen. Het leek wel of de Geest zelf mij kracht gaf.

Op een dag kwam Florrie langs om haar hulp aan te bieden. Ik bedankte haar met een vriendelijke glimlach en zei dat ik geen hulp nodig had. 'Nou, je hoeft het maar te vragen,' zei ze.

Ik merkte dat ik niet langer kwaad op haar was. Ik had het te druk en voelde me te sterk om nog kwaad te zijn.

'Je loopt jezelf nog voorbij,' zei Florrie.

Joe kwam elke dag over om de koeien te melken. Samen met pa kookte hij de rest van de melasse, maar ze lieten het spul te lang koken, zodat het te donker en te stroperig werd. Uit de hele vallei kwamen mensen langs om melasse te kopen en naar Tom te informeren. Ze kwamen niet bij het huis, maar bleven buiten op het erf. Daar gaven ze pa het geld en vervolgens haalden ze zelf hun kruik melasse uit de rokerij. Iedereen was bang om tyfus te krijgen.

Ik stond er zelf verbaasd van hoeveel ik voor Tom overhad. Ik vond het heerlijk om hem vruchtensap te brengen en bij hem te waken. Ik waste zelf zijn lakens en zijn nachthemd. Ik had alle touwtjes in handen. Misschien had ik verpleegster moeten worden, dacht ik bij mezelf. Misschien heb ik daar zonder het te weten altijd een roeping voor gehad. Misschien hadden Locke en ik meer met elkaar gemeen dan ik ooit had gedacht. Nooit ontging mij het moment waarop de koorts weer begon te stijgen, en evenmin het moment waarop Toms temperatuur vroeg in de ochtend weer begon te dalen. De kleine uurtjes werden mij vertrouwd als nooit tevoren.

Die uren van de late avond en de vroege nacht waren de meest gewijde tijd van de dag. Alleen ik en de koorts waren klaarwakker. Soms bad ik, maar meestal waren het mijn wil en werk tegen de tyfus. We waren in een gevecht gewikkeld en de koorts was als een verborgen vijand diep in Toms lichaam, die ik niet kon zien of regelrecht te lijf gaan. Het enige wat ik kon doen, was Tom sap en whisky te drinken geven, hem koelen met een natte doek en het bed verschonen.

Toch leek het alsof de koorts de tegenstand van mijn wil kon voelen. Ik moest geduld oefenen en hem te slim af zijn. De ziekte was een kwaad dat zich in Toms lichaam had genesteld. Ik kon haar niet zien, maar zij mij wel.

Soms, terwijl ik daar naast het bed zat, vlijmde heel even een

diepe eenzaamheid door me heen. Maar dat was een normale eenzaamheid waardoor ik alleen maar nog harder wilde werken. Ik
denk dat mensen lui zouden worden als ze zich nooit eenzaam
voelden. Het is die pijn, en de angst voor die pijn, die ons vastbera-
denheid geeft en ons waakzaam en bedachtzaam maakt. Als ik hem
daar zo zag liggen, in de greep van de koorts, ging het door me
heen hoe eenzaam Tom geweest moest zijn in de jaren hier bij de rivier. In de perioden dat wij ruzie hadden, had hij geen enkele
vriend. Zijn enige metgezel was zijn werk. Ik vond het verschrikkelijk om te bedenken hoe moeilijk hij het gehad moest hebben.

'Als de tyfus eenmaal in je lijf zit, slaapt hij soms graag een
poosje,' had dokter Johns gezegd. Op de vierde dag na de brand
merkte ik dat hij daar gelijk in had. 'Longontsteking werkt naar
een crisis, en dan breekt ze of je gaat dood. Hetzelfde geldt voor een
kwaadaardige griep. Maar tyfus werkt naar een crisis toe en lijkt
dan te verdwijnen. Sommige mensen hebben het in lichte mate, die
zijn na een paar dagen weer beter. Anderen sterven na drie of vier
dagen. En weer anderen zijn een maandlang ziek en worden dan
beter.'

In een van die nachten – ik denk dat het de vijfde nacht na de
brand geweest is – verslechterde Toms toestand ineens meer dan in
de nachten daarvoor. Het was in de nacht dat het weer omsloeg. Je
kon de wind in de coniferen horen en de kou drong door de muren
en het raam naar binnen. Het huis kraakte, maar verder was het
stil. Ik probeerde Tom wat water te geven, maar hij was te zwak om
te drinken. Hij wist totaal niet meer wat hij zei. Met mijn vinger
maakte ik zijn lippen nat.

'De melasse is te donker,' prevelde hij. Ik boog me naar hem toe.
'De akker bij de rivier… haviken,' mompelde hij. Ik kon er geen
touw aan vastknopen. Ik denk dat hij een afschuwelijke droom
had.

'Tom,' zei ik, maar hij hoorde het niet. Hij was te ver heen door
de koorts.

Helemaal boven in het huis kraakte iets, alsof er een spijkertje
losraakte. Meteen daarna viel er iets zwaars op de vliering, recht
boven mijn hoofd, alsof er een grote ham of zelfs een lichaam naar
beneden plofte, op de plek waar Toms pallet stond. Ik had het ge-

voel dat het lawaai me een duw had gegeven, en ik spitste de oren om te horen wat er verder kwam. Was pa of Joe misschien naar de vliering gegaan? Of was er een groot dier naar boven geklommen? Hadden we daar iets aan een spijker gehangen en had die het midden in de nacht begeven? Ik probeerde te bedenken wat er tussen Toms pallet en de schoorsteen ook alweer hing. O ja, tabak, die moest drogen.

Om de een of andere reden gingen mijn gedachten naar alle mensen die in deze kamer waren overleden. Mama was hier gestorven toen ik nog klein was, en opa en oma Peace lang daarvoor. En het baby'tje dat was geboren voor Muir. Ook op andere plaatsen in het huis waren mensen doodgegaan. De jongen van Revis, bijvoorbeeld, die hier binnen was gedragen nadat hij op de berg was neergeschoten en die stierf terwijl ze hem opereerden op de keukentafel.

Terwijl ik daar in al die sombere gedachten verzonken zat, klopte er buiten iets op de muur. Het klonk alsof iemand met een vuist op de lekdorpel sloeg. Het was een hard geluid, als van een stokslag tegen de muur. Het was even na tweeën, want de klok op de schoorsteenmantel had zojuist nog geslagen. Ik ging rechtop zitten en luisterde. Probeerde daar iemand naar binnen te komen? Bijna had ik geroepen: 'Wie is daar?' Ik keek naar het raam, maar de deken hing er nog voor.

Probeerde iemand een grap met me uit te halen? Het was bijna Halloween. Of was het al Halloween? Ik was de tel van de dagen kwijt. Maar afgezien van de wind was alles rustig. Misschien had het huis gewoon gekraakt omdat het kouder werd. Je weet wel hoe een huis kan kreunen en knappen als het vriest. Dat zal het zijn, zei ik bij mezelf. Ik draaide me weer naar Tom en maakte de lap opnieuw nat met koud water.

Toen klopte er een stukje verderop weer iets tegen de muur, ongeveer op de plaats waar pa's kamer was. Het was geen harde bons, gewoon een licht klopje, als van een bezoeker die een bescheiden roffeltje op de dorpel geeft. En terwijl ik luisterde, klonk er nog een, nog verder weg, vlak bij de hoek van het huis. En toen kwam er een tik van de andere kant. Wat het ook mocht zijn, het liep om het huis heen en klopte overal op de muren. De planken galmden alsof er met een zilveren wandelstok op werd geslagen. Klop, ging het, en toen weer: klop, en nog eens: klop.

Dat de klopjes zo regelmatig kwamen, maakte het allemaal nog eens extra eng. Ik probeerde te bedenken waarom iemand om het huis zou willen lopen en op de muren kloppen. Was het gewoon een stomme grap? Was het Florrie, die me wilde pesten? Dat sloeg nergens op. En Halloween kon het niet zijn, want dat was altijd om middernacht afgelopen.

Het geklop ging helemaal om het huis heen. Ik hoorde het op de veranda en daarna op de keukenmuur. Wie het ook was, hij ging maar door. Kon het een dier zijn dat tegen de muur op sprong? Ik dacht even dat het bij de deur zou ophouden, maar het stopte zelfs niet even. Met de regelmaat van de klok hield het kloppen aan.

'Ik ga dit tot op de bodem uitzoeken,' zei ik. Ik legde de lap in de waskom en pakte de lamp. Zo zacht mogelijk kwam ik overeind en sloop naar de deur. Maar net toen ik de deurknop omdraaide, hoorde ik Tom iets mompelen. Ik bleef staan om te horen wat hij zei. Hij mompelde zo zachtjes dat er nauwelijks iets uit op te maken viel. Ik liep terug naar het bed en luisterde aandachtig. 'Niet doen,' fluisterde hij. Ik boog me dichter naar hem toe. 'Niet doen,' zei hij weer.

'Wat niet?' vroeg ik, al kon ik niet zien of hij in zijn droom praatte of echt tegen mij. Zijn ogen waren dicht en zijn gezicht gloeide als vuur. 'Niet weggaan,' zei hij. Ik wist niet meer wat ik moest doen. Als hij niet wilde dat ik wegging, dan kon ik het ook niet, hoe graag ik ook wilde ontdekken wat er toch tegen de zijkant van het huis sloeg.

Toms lippen waren droog en dus moest ik hem water geven. Zodra hij iets gedronken had, zou ik de kan opnieuw gaan vullen en dan meteen kijken waar dat lawaai vandaan kwam. Ik zette de lamp neer en schonk het kopje vol met koud water. Het geklop was nu om het huis heen en kwam weer dichterbij, eerst bij de achterveranda, toen bij de woonkamer, toen langs de schoorsteen van de haard.

'Hier, drink eens op,' zei ik tegen Tom en ik hield het kopje aan zijn mond. Zijn lippen zagen eruit als oude, bladderende verf. Een deel van de gebarsten huid was zwart geworden alsof hij bosbessen had gegeten. Ik lette goed op dat er geen water langs zijn kin liep.

Het geklop was nu aan de oostkant van het huis. Het bewoog zich niet sneller of langzamer dan eerst, maar bleef zo gelijkmatig als een luidende klok. Nu klopte het op de muur van de woonkamer.

Toms mond stond niet echt open, maar toch goot ik een beetje water in zijn mond. Aan beide kanten liep een straaltje water langs zijn kin, maar ik geloof dat er wel iets van op zijn tong terechtkwam. Ik goot nog meer naar binnen, en toen nog wat. Hij was zo gloeierig dat zijn gezicht opgezwollen leek. Ik had nooit geweten dat iemand zo heet kon worden en toch in leven blijven.

Er klonk een galmende bons op de muur naast het raam, een enkele klop, alsof iemand me probeerde te waarschuwen dat hij daar nog steeds stond. Gewoon een vastberaden waarschuwing.

Ik zette het kopje weg en sloeg de dekens terug. Ik knoopte Toms nachthemd open en legde de natte doek op zijn borst. De stoom sloeg van zijn huid. Ik waste zijn schouders en zijn hals en probeerde zijn nek nat te maken zonder hem te draaien. Ik bevochtigde zijn slapen en duwde zijn hand in het water. Ten slotte trok ik de dekens helemaal van hem af en wreef zijn benen met koud water.

Tom was flink afgevallen sinds het begin van zijn ziekte. Zijn benen leken bijna mager. Ik waste hem rond zijn navel en ik waste zijn intieme delen, maar nog steeds leek hij geen sikkepit af te koelen. Plotseling begon hij met zijn benen te trekken en zijn armen maakten rukkende bewegingen. Zijn ogen stonden open en zijn gezicht had de afschuwelijke uitdrukking van iemand die wegzakt. Ik dacht dat hij ging sterven. Uit zijn mond kwamen kokhalzende braakgeluiden, alsof hij dreigde te stikken. Toen drong tot me door dat hij de stuipen had. De koorts was zo hoog opgelopen dat hij een toeval kreeg.

Ik greep de whisky, goot er iets van op de doek en wreef daarmee over zijn borst en zijn keel. De sterke lucht vulde de kamer en verblindde me bijna. Ik wreef over zijn benen en zijn buik, en toen weer over zijn borst. Ik morste iets op het bed, maar dat gaf niks.

Toen ik ophield, voelde Tom iets koeler aan en het stuiptrekken was opgehouden. Hij lag weer stil, met gesloten ogen, en zijn voorhoofd gloeide niet meer zo erg. Natuurlijk was het ook bijna vier uur in de ochtend, de tijd dat koorts meestal begint te zakken. Het was moeilijk te zeggen in hoeverre al dat wrijven had geholpen.

Ik weet niet meer wanneer het geklop eigenlijk ophield. Ik had het zo druk met het koelen van Tom dat ik het helemaal vergat. Het geklop moet zijn opgehouden toen Tom lag te stuiptrekken, hoewel ik het niet zeker weet. Net op dat moment sloeg de wind tegen het huis en begon het plafond te kraken, waardoor ik begreep dat het niks anders was geweest dan een oud huis dat stond af te koelen. Het geklop zat in de krimpende planken. Ik wikkelde Tom in de dekens en ging zelf ook op bed liggen. Het huis kraakte nog steeds in de wind.

De volgende dag was het koud en helder. De lange nazomer was voorbij. Het leek wel alsof in één nacht alle bladeren van alle takken waren gestroopt. Het keukenfornuis verspreidde een prettige warmte. Pa had al een vuur in de haard aangelegd en ik legde een paar stenen te warmen op de haardplaat. Zodra ze goed heet waren, wilde ik ze onder Toms bed leggen.

Nadat ik de baby gevoed had en de ontbijtboel had afgewassen, ging ik weer bij Tom kijken. Eerst zag ik niks in die donkere kamer, na het felle licht in de keuken. Maar behalve de geur van de whisky en van de koorts rook ik nu nog een andere lucht die ik niet thuis kon brengen. Het leek op de geur van muskus en rotte bladeren. Ik had Tom goed schoongehouden, volgens mij was het dus geen vieze lichaamsgeur. Het was een intense, weeïge geur, als van stro dat lange tijd in een greppel heeft gelegen. En het drong tot me door dat dit de geur van de tyfus was.

Tom sliep, maar ik wist dat de koorts zijn tijd afwachtte. Het was zo stil in de kamer dat je Toms zwakke ademhaling kon horen. Ik pakte zijn pols en het duurde een seconde voor ik een polsslag voelde. Zijn geest was ergens heel ver bij mij vandaan, zwevend in het aardedonker, volkomen roerloos. Ik ging naar de keuken om een sinaasappel te persen. Er kwam bijna een kopje vol uit en ik brak er een rauw ei in. Toen ik alles goed door elkaar geklopt had, bracht ik het bij Tom.

'Tom,' zei ik, 'je moet dit opdrinken.' Maar hij was te zwak om er veel belangstelling voor op te brengen. Hij nam een klein beetje sap tussen zijn lippen en slikte. Ik goot nog wat meer in zijn mond en het sap liep aan twee kanten langs zijn kin. Ik wist dat het zo niet veel langer door kon gaan. Als het niet vanaf nu beter met hem begon te gaan, zou hij sterven. Het leek wel of de koorts mijn gedachten kon lezen; ik kon voelen hoe hij naar me luisterde.

Mensen kwamen en gingen. Dokter Johns kwam langs en zei dat ik had gedaan wat ik kon, maar dat ik Tom meer whisky moest geven om zijn hart te stimuleren. 'De komende achtenveertig uur zullen de doorslag geven,' zei hij. Dokter Johns had er slag van om een ziekte en een ziekenkamer een zekere waardigheid te verlenen. Soms denk ik weleens dat het zijn grootste talent was. Hij kon over ontlasting en pus praten met een gemak en een zelfverzekerdheid die je altijd het gevoel gaven dat hij je echt geholpen had.

Florrie kwam een pudding brengen voor het middageten. Ze stond in de woonkamer met pa te praten tot ik uit de slaapkamer kwam. 'Dit is een moeilijke tijd voor je, Ginny,' zei ze.

Ik keek haar even recht aan voordat ik doorliep naar de keuken. 'De koorts moet nu wijken,' zei ik. 'Hij houdt het zo niet lang meer vol.'

Ik wilde Florrie niet aanmoedigen om te blijven, omdat ik het niet te snel weer goed met haar wilde maken. Langzaamaan was beter, gewoon een beetje aardig doen als tegen een buurvrouw. Laat er nog maar wat meer tijd overheen gaan.

Na het eten kwam Joe met een lading hout. Hij nam het paard mee en sleepte een stel kastanjestammen naar het erf, waar hij ze met de trekzaag in stukken zaagde. De stukken spleet hij met een beitel en een wig en voor hij weer vertrok, stapelde hij een voorraad hout voor een week op de veranda.

Toen ik ging melken was het koud, maar niet winderig. De zonsondergang spreidde zich langs de hemel van de bergen in het zuiden tot aan de bergen in het noorden. Zalmkleurig was de hemel in het westen, roze boven mijn hoofd en paars in het oosten. De lucht was zo helverlicht dat het leek of de wereld in brand stond. Het voelde als het einde van een tijdperk. Ik weet niet meer wat er allemaal door me heen ging, terwijl ik daar bij de stal stond met de emmers in mijn handen. Ik liep een eindje in de richting van de Rots van de Zonsondergang.

Naar het westen toe baadde de vallei in rood licht. Hier en daar glansde de rivier als geslagen goud en de hemel leek net een reuzenrozenblaadje. Als ik nu bleef doorlopen naar het westen, dacht ik, liet ik alle ziekte en huilende kinderen en vieze vaat en verbeten ruzies achter me. Plotseling was ik zo zat van de lange dagen en de doorwaakte nachten in de ziekenkamer. De mensen staan er nooit bij stil dat een vrouw evengoed aan weglopen kan denken als een man.

Nooit heb ik een schilderij gezien dat zo prachtig was als de bergen in het westen op dat moment. Het leek wel iets uit een droom. En het was maar één stap van mij verwijderd. Toch draaide ik me om en liep met de emmers terug naar huis. In de keuken brandde licht. Ik wist dat Toms temperatuur vanaf nu weer zou gaan oplopen. Koorts ontwaakt tegen de avond altijd opnieuw. Het is een demon van de nacht.

'Mama!' riep Jewel, zodra ik binnenkwam. 'Papa ligt te hoesten.' Ik zette de emmers neer en rende naar de slaapkamer, waaruit ik een kreunend gerochel hoorde komen. Tom probeerde te hoesten, maar hij was zo benauwd op de borst dat hij er niet genoeg lucht voor had. Iedereen kent wel dat harde, schurende geluid dat mensen maken als ze moeite hebben met hoesten. Het was verschrikkelijk. Ik begreep dat hij door de tyfus zo verzwakt was geraakt, dat hij er een longontsteking bovenop had gekregen.

Het eerste wat ik deed, was een kopje volschenken met whisky en water. Ik hield het aan zijn mond, maar het meeste ging eroverheen. Daarna ging ik vlug de kruik met honing halen. Honing kan soms een keel wat verzachten en zo de volgende hoestbui tegenhouden. Ik maakte de kruik van zuurbomenhout open, duwde de lepel erin en haalde hem druipend weer naar boven. 'Hap eens,' zei ik tegen Tom.

'Is het erger met hem?' vroeg pa die in de deuropening was komen staan.

'Ja,' zei ik. Tom deed zijn lippen een heel klein beetje van elkaar en ik liet wat honing op zijn tong lopen. Net op dat moment borrelde er een nieuwe hoestbui op in zijn keel. De honing liep aan twee kanten zijn mond uit.

'Dat klinkt niet best,' zei pa. In de woonkamer hoorde ik Jewel en Moody ruziemaken en Muir huilen. Fay moest nodig gevoed worden en ik moest de melk nog te stremmen zetten en de gestremde melk van gisteren naar de koelschuur brengen.

'Het klinkt als doodsgereutel,' zei pa en hij boog zich over het bed.

'Niks geen doodsgereutel,' zei ik. Ik was ineens zo woest dat mijn stem klonk als een soort gesis. 'Het is longontsteking. Hoor je hem niet piepen en zagen? Je hoeft hem niet te begraven voor hij dood is, hoor!' Sinds mijn trouwen was ik niet meer zo scherp tegen pa uitgevallen.

Pa deinsde terug en ging de kamer uit. Ik stond versteld van mezelf, maar had geen greintje spijt. Dat kwam later nog wel, wist ik, want pa was oud en soms een beetje in de war.

Tom probeerde opnieuw te hoesten. Zijn longen leken vol water te zitten. Als er niets tegen gedaan werd, zou hij verdrinken. Hij had zelf geen kracht meer om tegen de longontsteking te vechten, zo verzwakt was hij.

'Pompoenen voor vijf cent,' fluisterde hij.

Ik denk dat hij aan de pompoenen dacht die hij voor Halloween in het dorp had willen verkopen. Nu lagen de pompoenen op vrieskoude ochtenden als sterren en planeten te glanzen tussen de doodgevroren maïsstengels. Toms stem was niet meer dan een hees gemompel.

Er werd op de deur geklopt. Het was Jewel, die haar hoofd om het hoekje stak en zei: 'Mama, Fay huilt.'

'Til haar dan op en wieg haar een beetje,' zei ik.

'Dat heb ik al gedaan, maar ze houdt niet op,' zei Jewel.

'Ga dan maar wat met haar heen en weer lopen,' zei ik en wuifde haar weg. De deur ging weer dicht en ik ging in het halfduister zitten, de lamp laag. Ik moest bedenken wat ik nu nog kon doen. Er was niemand die me kon helpen. Als ik dokter Johns liet komen, zou hij alleen maar zeggen dat ik Tom whisky en honing moest geven. Iets anders wist hij niet voor te schrijven. Niemand wist wat er te doen viel tegen tyfus of longontsteking.

Zo zat ik daar te denken. Tom was zo lang ziek geweest, dat hij geen fut meer had. Het zag ernaar uit dat ik niets meer voor hem kon doen, dat ik helemaal niets meer kon doen. Het was een kwestie van afwachten. Ik bedacht hoe weinig ik de laatste tijd gebeden had - in de afgelopen week maar één keer. Al die gevoelens tijdens de samenkomsten in de groene kapel leken niets te maken te hebben met de moeite en het verdriet van dit moment. Ik had zelfs niet aan bidden gedacht. Nu zag ik hoe raar dat eigenlijk was en ik schaamde me. Vlug prevelde ik een gebed en ook de geheime naam die dokter Match me had gegeven. Ik zei die telkens en telkens weer.

Ik zocht Toms polsslag en die was zo zwak, dat hij nauwelijks te voelen was. Zijn adem kwam met horten en stoten, alsof er in zijn borstkas geen ruimte meer was voor lucht. De korte ademteugjes waren vreselijk om aan te horen, en de stilte ertussen nog erger. Hij probeerde lucht te krijgen, maar hij had er geen plaats meer voor.

Die hele week had ik zo mijn best gedaan om hem te koelen. Er zou alleen nog hoop zijn als ik hem aan het zweten kon krijgen. Als hij al te zwak was om te zweten, kon ik verder niets meer doen. Vlug ging ik naar de deur en riep pa en Jewel. 'Leg alle stenen eens in het vuur,' zei ik.

Het gehuil van Muir en Fay klonk door het hele huis. Moody had Muir omver geduwd en Fay lag in Jewels armen te brullen.

'Ze heeft honger,' zei Jewel en ze stak me de baby toe.

'Ik zal haar zo overnemen,' zei ik, terwijl ik probeerde te bedenken of ik ergens nog meer stenen vandaan kon halen. Ik griste de lamp van de schoorsteenmantel en rende naar de veranda. Mijn bloembedden en mijn kruidentuin waren afgezet met stenen die Tom uit de rivier had gehaald. Ik rukte gras en onkruid uit de grond en sjouwde een stuk of tien stenen naar de veranda. De stenen waren zo koud als grote ijsballen. Een voor een droeg ik ze naar binnen en legde ze in de haard. Toen ik klaar was, lagen de haardplaat en de zijkanten van de haard vol met stenen.

'Straks gaat het vuur nog uit,' zei pa.

'Dan gooi je er maar meer hout bij,' zei ik.

Ik liet Fay een beetje drinken en gaf haar toen aan Jewel terug. Ik durfde Tom niet langer alleen te laten, en tegelijk was ik bang om terug te gaan en naar hem te kijken. Dat kortademige hijgen deed me huiveren. Het werd koud in de kamer. Ik legde nog een deken op het bed, haastte me toen terug naar de keuken en zette een ketel water op.

Terwijl ik zo bezig was, werd me duidelijk wat ik moest doen. Ik begreep dat ik iets opwekkends op zijn borst moest leggen. Ik moest iets doen dat zijn hartslag en bloedsomloop op gang zou houden. En ik moest er bij hem iets in zien te krijgen dat zijn vechtlust weer zou aanwakkeren. Ik wikkelde warme zalf in een doek en nam dat mee naar de slaapkamer. In mijn handen voelde het aan als hete drilpudding en het rook scherper dan dennenhars. Het deed me denken aan de geschenken van de wijzen uit het Oosten. Ik trok de dekens weg en legde de doek op Toms borst. Hij schokte van schrik, maar ik wist dat hij zich niet aan de zalf zou branden, omdat ik die immers zelf in handen had gehad. De huid van je handen is wel sterker dan andere huid, maar ik meende dat de schok van de hitte zijn longen en zijn hart zou oppeppen. Zodra het compres begon af te koelen, legde ik er een handdoek overheen en dekte hem weer toe.

Daarna tilde ik Toms hoofd een beetje op en goot whisky in zijn mond. 'Nee,' fluisterde hij.

'Je moet het opdrinken,' zei ik.

'Nee,' mompelde hij.

Hij had iets warms nodig. Dat had ik eerder moeten bedenken. Ik rende weer naar de keuken, schonk heet water in een kopje, en deed er sassafrasschors, whisky en citroensap bij. Ik proefde het drankje en door de stoom brak het zweet me uit.

'Nee,' fluisterde Tom toen ik zijn hoofd weer optilde.

'Opdrinken,' zei ik alsof ik het tegen een kind had. Hij draaide zijn hoofd een beetje weg, maar met mijn vingers duwde ik het weer terug. Zijn hoofd lag in de kromming van mijn pols, en zo goot ik de hete drank in zijn mond. Hij slikte er iets van door en begon te hoesten. Ik wachtte een paar seconden en goot er toen weer iets in. De warme whisky en de sassafras en het citroensap verruimden zijn keel een beetje.

Na vijf of zes slokjes zette ik het kopje neer en ging haastig de stenen halen. Ze waren zo heet dat ik bang was voor schroeiplekken in de handdoek. Ik moest ze in pannen leggen met behulp van de tang en de haardschep. Pa stookte het vuur hoog op met notenhout.

Een voor een droeg ik de pannen en schalen met stenen naar de slaapkamer en zette ze onder Toms bed. De hitte van de stenen schroeide mijn gezicht als ik te dichtbij kwam. Ik hoopte maar dat het bed niet in brand zou vliegen. 'Aan de kant!' schreeuwde ik tegen Moody, die naar me toe kwam. 'Niet aan de stenen komen!'

Tegen de tijd dat alle stenen onder het bed lagen, droop ik van het zweet. De slaapkamer leek een eigen fornuis te hebben, zo warm was het er nu. Ik deed de deur dicht en sloeg de dekens terug.

Tom lag bijna geluidloos naar adem te happen. Zijn ogen waren dicht, zijn huid voelde warm en droog aan. Ik mengde whisky en heet water en begon hem daarmee te wassen. Ik waste zijn gezicht en nek en hals. Ik waste zijn armen, eerst de een, toen de ander. Ik haalde het compres weg en waste zijn borstkas met warme whisky. Daarna wreef ik zijn benen en dijen ermee in. Zijn benen zagen eruit alsof hij in geen maanden had gelopen.

Overal waar de verwarmde whisky met zijn huid in aanraking kwam, werd de huid eventjes rood en daarna weer bleek. Zijn lippen waren een beetje blauw. Al die tijd dat ik zo druk bezig was, ging er voortdurend een zinnetje door mijn hoofd. 'Dienen is ook lofprijzing,' zei een stem. Het was zo'n prachtige zin, en zo'n prachtige gedachte, dat ik het steeds bleef herhalen. De woorden glansden in mijn oren. 'Dienen is ook lofprijzing,' herhaalde de stem. Ik denk dat het mijn eigen stem was. Hij klonk helder en vertroostend.

Nadat ik Tom helemaal had gewassen, had ik het zo heet dat ik even moest gaan zitten. In de kamer was het zomers warm en er hing een sterke geur van citroensap, sassafras en whisky. Zalf en sterke drank geurden zo dat het donker ervan leek op te lichten. Ik vulde het kopje opnieuw en goot iets van het mengsel in Toms mond. Zijn ademhaling was nu zo zwak dat niet meer te zeggen was of hij nog lucht kreeg.

Nu kon ik verder niets meer doen. Ik dekte hem toe met de dekens en ging bij het bed zitten. Een nieuwe zin schoot door mijn gedachten. Ik weet niet waar die vandaan kwam. Ik hoorde alleen die stem, die iets zei en het een paar keer moest herhalen voordat ik er echt naar luisterde. De stem zei: 'Wij kennen alleen de dingen der mensen.'

Ik had geen idee wat dat betekende. Ik vroeg me af of pa en Jewel de kinderen naar bed hadden gebracht, want het was nu stil in huis. Ik wist niet meer hoe laat het was, want ik had te hard gewerkt om op de klok te letten. De wind die in de coniferen blies, klonk koud, maar de kamer was zo warm als een oven. 'Wij kennen alleen de dingen der mensen,' zei de stem weer.

Toen zei diezelfde stem, binnen in mijn hoofd: 'Zie, de tent van God is bij de mensen.' Dat was een zin uit het boek Openbaring en hij betekende hetzelfde als die andere zin. En de stem was mijn eigen stem, al klonk hij als zilver. 'Zie, de tent van God is bij de mensen; en de eerste dingen zijn voorbijgegaan,' klonk het. Het was de mooiste zin die ik ooit had gehoord. In al die jaren daarna heb ik nooit meer zoiets moois gehoord. En voor een deel begreep ik ook de betekenis ervan. Daarom bleef ik het telkens en telkens weer tegen mezelf zeggen.

Ik dommelde in, terwijl die zin in mij bleef naklinken. Toen ik weer wakker werd, zag ik dat Toms voorhoofd vochtig was. In het licht van de lamp leek zijn huid wel bedauwd. Zijn gezicht glinsterde in het zwakke schijnsel. Begon hij soms te zweten? Ik voelde voorzichtig aan zijn voorhoofd; dat voelde koud aan. Ik pakte zijn hand onder de dekens en die was zelfs nog kouder. En zijn moeizaam hijgende borst was tot rust gekomen.

Negentien

Toen ik Tom daar zo roerloos zag liggen, wilde ik eerst naast hem op bed gaan liggen. Ik wilde dicht bij hem zijn, zelfs een deel van hem zijn. Ik wilde boven op hem gaan liggen en één vlees met hem worden. Ik legde mijn hand op zijn borst en kon niet geloven dat zijn hart echt stil was blijven staan.

De vonk bleef uit. In al die jaren van ons huwelijk was er altijd een vonk overgesprongen, zodra we bij elkaar in de buurt kwamen en onze lichamen elkaar raakten. Het was warm in de kamer door de stenen onder het bed en de hitte die nog steeds in de lucht hing. Het leek gewoon onmogelijk dat hij niet zou reageren. Maar zodra ik hem aanraakte, wist ik dat hij weg was.

Ik ging op mijn knieën voor het bed zitten. De hitte van de stenen sloeg me vanonder de springveren in het gezicht als een zomerwind en het schoot door me heen dat het toch zonde was van al dat gesjouw. De kou van de vloer trok dwars door mijn jurk. De planken waren glibberig van de kou. 'Heer,' bad ik, 'als het uw wil is om Tom terug te brengen, dan bid ik dat U dat zult doen. Hoewel we in onmin en verbittering leefden, weet ik niet hoe ik verder moet zonder hem op deze boerderij, en ook niet hoe ik de kinderen in mijn eentje moet opvoeden. Ik weet zelfs niet meer hoe ik zonder zijn steun mijzelf kan zijn. Ik weet niet hoe ik het volgende uur of de volgende dag op eigen houtje moet doorkomen, om nog maar te zwijgen van de jaren die komen gaan. Bij alle vreugde die ik aan de samenkomsten beleefde en in alle verrukking die de lofprijzing mij gaf, is het nooit bij me opgekomen dat ik dit zou moeten dragen.'

Ik zweeg, hees mezelf weer overeind en ging weer op mijn stoel zitten. Ik voelde in Toms hals naar een hartslag, maar hij was nog kouder geworden. Ik pakte zijn hand en legde mijn vingers op zijn pols. De huid was glad en koel als ivoor. Ik tilde de dekens wat op en legde mijn hand weer op zijn borst.

Wat er toen door me heen ging, was werkelijk verschrikkelijk. Ik kan het niet verklaren en ik heb ook nooit zoiets gehoord. Ik denk ook dat mensen die het zelf hebben meegemaakt er waarschijnlijk niet over willen praten. Je weet gewoon niet wat mensen allemaal verzwijgen van wat er in hen omgaat. Maar een feit is dat ik plotseling door woede werd overspoeld. Het leek gewoon vanuit de vloer in mij omhoog te schieten, vanuit de diepte der aarde, zelfs helemaal vanuit de hel.

Duizelig van kwaadheid zat ik op mijn stoel. De woede raasde in mijn hoofd; ik werd er misselijk van en het bedwelmde me bijna, net als lachgas. Tom, dacht ik, wat een rotstreek om me zo in de steek te laten. Eerst kom je hier om me in te palmen en mijn liefde te winnen, en dan neem je de boerderij over, zodat mijn hele leven overhoopligt en ik nu een stel kinderen moet zien groot te brengen. Wat een schoftenstreek om weg te gaan en mij achter te laten; om me van jou afhankelijk te maken, me mijn jeugd te ontnemen en me dan te laten zitten.

In mijn razernij herinnerde ik me weer hoe sterk ik was geweest toen ik nog vrijgezel was. Ik was bereid om genoegen te nemen met mijn boeken en mijn naaiwerk en de samenkomsten en de zorg voor pa. Ik was in evenwicht en kon genieten van kleine dingen en had een veel helderder kijk op de dingen dan ooit daarna. Heel mijn wereldbeeld was omvergehaald toen ik verliefd werd op Tom. De tranen schoten me in de ogen bij de herinnering aan de eenvoud van mijn leven voordat ik Tom leerde kennen.

Een stortvloed van dingen die me in Tom tegenstonden kwam in mijn gedachten. Ik gruwde van zijn gebrek aan enthousiasme voor de jacht of voor het zetten van vallen, waar de meeste mannen in mijn familie juist zo van hielden. Ik haatte de manier waarop hij zat te knikken als ik hem voorlas, alsof hij aandachtig luisterde, hoewel hij ondertussen zat te denken aan het brandhout dat hij in het dorp wilde verkopen of aan de terrassen die hij wilde aanleggen op de steile helling van de boomgaard.

Ik huiverde van woede als ik weer dacht aan zijn schoenen bij de haard, waarvan ik de geur kon ruiken als ik met pa bij het vuur zat te praten. Ik gruwde bij de herinnering aan hoe hij zijn broek, waarin nog de stank hing van zweet en hard werken, altijd over de rand van het bed hing. Schaamte en afkeer vervulden me als ik dacht aan zijn gedrag in gezelschap, hoe hij stommetje zat te spelen tot iemand hem iets vroeg. Nooit had hij ook maar ergens een mening over. Nooit vermaakte hij de gasten eens met een verhaal, of droeg hij een steentje bij aan het gesprek.

En wat me vooral zo razend maakte, was dat ik nu precies zo over hem dacht als Lily. Bij de gedachte aan de manier waarop Tom het doek opvouwde dat over de zaaibedden had gelegen, werd ik woedend op mezelf. Hij vouwde het in strakke vierkantjes alsof het een militaire ceremonie betrof. Zijn gereedschappen hingen altijd aan de goede haak of spijker in de schuur, alsof hij dacht dat de aarde zijn eigendom zou worden als hij de zaak op orde hield. Als er niks te repareren viel, ging hij het gras langs de hekken bijknippen of oude paardentuigen uit elkaar halen om de ringen en de nagels en de krammen voor later te bewaren. Hij rommelde in dozen met afval op zoek naar nog bruikbare spijkertjes en stukjes touw. Ik had me vaak afgevraagd waarvoor hij dat soort dingen in vredesnaam bewaarde. Dacht hij soms dat hij het eeuwige leven had, en tijd om alle rijkdommen der aarde te verzamelen?

Tranen stroomden langs mijn wangen en drupten op mijn handen en polsen. Al die tijd dat de woede door mijn hoofd donderde, had ik zitten huilen. De storm bleef maar loeien, maar ik probeerde hem weg te wuiven. Wat had het voor zin? Geen enkele woede-uitbarsting kon het verleden ongedaan maken.

Ik keek naar Tom en had het gevoel dat hij niet echt dood zou zijn, zolang nog niemand anders het wist. Als pa nu binnenkwam en hem zag liggen, was het voorbij, en ook als een van de kinderen wakker zou worden en de slaapkamer in zou komen, en ik zou moeten vertellen dat papa er niet meer was. Maar zolang ik de enige was die het wist, was het nog niet echt zo. Ik schatte dat het ongeveer drie uur 's nachts moest zijn, maar op dat moment hoorde ik de klok vier slaan. De tijd ging zo snel dat ik hem door me heen voelde stromen. Ik kon het ruisen en klotsen van de golven die langs en over me heen sloegen bijna horen. Ik bedacht dat ik, als ik maar doodstil bleef zitten, de loop van die rivier wel zou kunnen vertragen en misschien zelfs tot stilstand brengen. Maar de stroomversnelling joeg door me heen en in de kamer begon het kouder te worden.

Ik ben nu al weduwe, dacht ik. Ik keek aandachtig naar Tom, terwijl zijn gezicht steeds bleker werd en zijn lippen steeds blauwer. Het leek net alsof iemand anders met mijn ogen naar hem keek. Ik huiverde in het ijzige besef dat ik zo leeg en zo doorzichtig was, dat een ander door mij heen naar Tom kon kijken. Het voelde alsof er iemand achter mij stond, die door mijn ogen zag wat ik zag. En hij was ook binnen in mij, op de plek waar mijn ik zich bevond, pal naast de ik in mijzelf.

Is het misschien de heilige Geest? dacht ik. Is het de beschermengel die over Tom waakt? Zijn het de anderen die in deze kamer gestorven zijn? Ik rilde en knipperde met mijn ogen.

Plotseling begreep ik dat al die dingen die ik in Tom had verafschuwd evengoed reden hadden kunnen zijn om van hem te houden. Misschien zag ik het ineens met andere ogen. Misschien had Locke gelijk als hij zei dat ik geweigerd had Toms geschenken aan te nemen. Ik begreep wat een stel dwazen we waren geweest. Al die onenigheid - wat een verspilling van tijd en energie! 'Zie, de tent van God is bij de mensen; en de eerste dingen zijn voorbijgegaan,' zei ik hardop. Voor Tom was het onmogelijk om te veranderen. Ik dacht weer aan zijn schoenen bij de haard en opnieuw sprongen me de tranen in de ogen. Het verdrietigste was nog dat ik nu inzag dat mensen nu eenmaal niet anders kunnen zijn dan ze zijn. Zelfs als ze iets goeds doen, kun je ervan op aan dat er iets anders verkeerd gaat.

De stapel kastanjehouten dwarsliggers die Tom had gezaagd en te drogen had gelegd, lag tussen de stal en de boomgaard. Dat was de plaats waar hij balken spleet en die bezaaid lag met splinters en zaagsel. Nu was er niemand meer om dwarsliggers te zagen, of het moest Joe zijn, en Joe had het te druk met het nalopen van zijn vallen en het zagen van zijn eigen dwarsliggers. Ik kon het meeste mannenwerk wel aan, maar nooit zou ik zo'n zware balk kunnen optillen en er dwarsliggers uit zagen.

Toen dacht ik aan de weg die langs de richel naar de boomgaard op de berg leidde. Tom hield die sleeproute gladgemaaid en had de boomgaard zelf vrij van onkruid en kreupelhout gehouden. Plaatsen die helemaal overwoekerd waren toen ik met Tom trouwde, waren opengekapt en bijgehouden, en ik had het nauwelijks gemerkt. Toen Tom er eenmaal mee begonnen was, vonden pa en ik het vanzelfsprekend dat het onkruid langs de rand van de wei werd geknipt en dat het gras rond de rokerij en de koelschuur en langs het karrenspoor naar de beek kort werd gehouden, zodat je een slang zag voordat je erop trapte. Zelfs het pad naar de Rots van de Zonsondergang werd door Tom twee of drie keer per jaar gemaaid.

Wanneer hij klaar was op het land of terugkwam van het venten van zijn waren in het dorp, haalde hij vaak nog de zeis uit de schuur en ging die in het late zonlicht zitten haren. Daarna maaide hij met gelijkmatige slagen het onkruid tussen de fruitbomen en de karmozijnbes achter het varkenskot. Dat deed hij zo regelmatig dat het me niet eens opviel. Het gemaaide onkruid gaf in de zon een aroma af van geurige oliën en wierook, doordringend als ether. Ik liep over de paden die hij had gemaaid en snoof de zoete geur van verwelking op en dacht niet eens aan al het werk dat hij had verzet om de grond schoon te houden. Zelf had ik nooit met de zeis kunnen maaien. Hij was te zwaar voor mij en te onhandig in het gebruik. Mijn schouders waren niet sterk genoeg om het mes en de lange handgreep in evenwicht te houden. Het zou nog jaren duren voordat Moody en Muir konden maaien. Ons land zou overwoekerd raken, net als in de tijd voor mijn huwelijk.

Datzelfde zou ook wel eens kunnen gebeuren met de grond die Tom langs de rivier had ontgonnen. Zonder dat hij ploegde en egde konden we nooit zo veel hectare in cultuur brengen. Met zijn lange werkdagen en stugge volhouden verzette hij in zijn eentje het werk van drie of vier ingehuurde krachten. En het was niet alleen het werk waarin hij onvervangbaar was, ook in het plannen maken en bedenken wat er gedaan moest worden. Waar hij maar keek, zag hij nieuwe mogelijkheden. Elk lapje grond was een kans, net als elk uur en elke dag. Het was zijn 'visie' die het moeilijkst te vervangen zou zijn.

Ik dacht aan de hekken die Tom had geplaatst en aan de weg die hij had verbreed. Om te blijven in de staat waarin Tom hem had achtergelaten, zou die weg jaarlijks onderhouden moeten worden. De greppels moesten worden uitgegraven en de kuilen opgevuld. Op de lagere gedeelten moest verse gravel worden aangebracht. De stenen treden naar de bron moesten bladvrij worden gehouden, anders waren ze binnen twee jaar onder een dikke laag bladeren bedolven. En dan was er het aardbeienbed bij de bron, waar de populier van Joe stond. Tom had de ranken ontrafeld en gezorgd dat de rode aarde onkruidvrij bleef. Het was een klus die je alleen op je knieën kon doen, en die dagen in beslag nam. Maar Tom deed het twee keer per jaar, een keer in de lente als de planten in bloei stonden, en een keer in augustus. Elke uitloper moest apart worden losgehaald en gesnoeid, en iedere losgetrokken wortel opnieuw geplant.

We hadden nooit grond van de Peaces aan anderen verpacht. Sinds mijn overgrootvader het land hier had ontgonnen, was het alleen door de familie bewerkt. Op de donkere leemgrond waar Tom zijn watermeloenen en tomaten had geteeld, waren heel wat zweetdruppels gevallen. Ik denk dat een deel van die grond weliswaar al door de indianen was gebruikt voor hun tuintjes, maar het grootste deel ervan was moerasgrond vol esdoorns. De bomen moesten gekapt en de grond gedraineerd. Toen het laagland nog wild was, wemelde het er van poison oak en gifsumak, en van allerlei onkruid dat de melk van de koeien die ervan vraten vergiftigde. Waar Tom zijn rechte voren had getrokken, stond het vroeger vol wingerd en wemelde het van poelen en slangenholen. Ik had nog nooit iemand gezien die zulke rechte voren kon trekken als Tom. Een voor van Tom liep altijd even kaarsrecht. Ik heb nooit begrepen hoe hij het paard al struikelend over kluiten en kuilen in zo'n strakke lijn kon sturen.

Om evenveel hectares te kunnen bewerken als Tom had gedaan, zou ik mensen in dienst moeten nemen, in elk geval totdat Moody en Muir groot genoeg waren. Of misschien kon ik een deel van het land verpachten? Ik zou ook een paar koeien kunnen verkopen, omdat ik de vier of vijf van Tom niet in mijn eentje kon melken. En het afgebrande weiland zou zo veel bekken ook niet kunnen voeden.

Zittend in de stilte naast Toms dode lichaam schoot me te binnen dat ik niet eens wist waar hij zijn geld bewaarde. Ik had hem heel wat keren zijn dagverdienste zien neertellen in het sigarendoosje. Soms nam hij het mee naar de vliering, naar de pallet waar hij sliep. Het was een gewoon kartonnen doosje, dat hij in de tijd dat hij nog bij mij sliep altijd onder het bed zette. Ik had er nooit zo veel aandacht aan besteed, maar ik wist dus dat hij zijn geld bewaarde vlak bij de plek waar hij sliep. Ik zou dat doosje nodig hebben voor alles wat we binnenkort zouden moeten betalen. Maar ik wilde liever niet in het donker de ladder opklimmen, omdat ik pa en de kinderen niet wakker wilde maken.

Ik keek onder het bed en daar stond het doosje natuurlijk niet. De stenen waren al flink afgekoeld en ik rilde toen ik ze zag liggen. Er kleefde nog modder aan en ze gaven een vreemde baklucht af. Waar had hij zijn sigarendoosje nog meer kunnen opbergen? Ik keek om me heen en mijn blik viel op de commode. Tom gebruikte er maar twee laden van, een voor zijn sokken en een voor zijn ondergoed. Ik trok de laden een voor een open en vond zo het kruikje terug dat ik lang geleden van dokter Match had gekregen, maar van een sigarendoosje geen spoor. Er krampte een pijnscheut door mijn borst bij het zien van Toms gewassen en gevouwen onderkleren.

Zo langzaam en voorzichtig als ik maar kon, tilde ik het deksel op van de cederhouten dekenkist pal onder het raam. De geur van cederhout verspreidde zich door het donker als een vage herinnering. Ik tastte rond tussen de quilts en de dekens en mijn trouwjurk, en vond nog een zilveren lepel die ik als klein meisje ooit van pa had gekregen. De lepel was ijskoud.

Ik ging staan, wierp even een blik op het bed waar Tom lag, en keek toen opnieuw de kamer rond. De linnenkast, die bijna tot aan het plafond reikte, rees dreigend voor me op in de schaduwen. Ik opende de piepende deur, voelde tussen de overhemden en de bretels op de plank boven het hanggedeelte, en daar was het sigarendoosje! Met bevende handen trok ik het onder de overhemden vandaan en droeg het naar de lamp. De doos was zo zwaar als een klok.

Toen ik het doosje openmaakte, steeg er een vage metaallucht uit op, van nikkel en zilver en koper, en een geur van beschimmelde bankbiljetten. Ik durfde de inhoud bijna niet aan te raken. Het geld was Toms intiemste bezit. Ik zag een heleboel gouden twintig-dollarmunten en stapeltjes van vijfjes en tientjes, bij elkaar gebonden met een draadje. Ik zag ook een heleboel zilveren dollars en muntjes van tien dollarcent. Tussen het geld lag een grote, verbleekte benen knoop en ik wist meteen waar die vandaan kwam. Het was de knoop van het uniform van Toms vader dat samen met het gouden horloge was teruggekomen uit het krijgsgevangenen-kamp in Illinois. Tom had de knoop al die jaren bewaard, zonder het mij ooit te vertellen.

Alleen al aan gouden munten telde ik meer dan vierhonderd dollar. Toen zag ik onder de munten een stuk vergeeld papier. Het was een oud krantenknipsel. Ik vouwde het open en bij het licht van de lamp zag ik dat het een huwelijksaankondiging was. 'De heer Benjamin Peace van Green River kondigt hierbij het huwelijk aan van zijn dochter Virginia met Thomas Powell...' Het was een gewoon vierkant stukje papier dat Tom na ons trouwen uit de *Hendersonville Times* had geknipt en bewaard. Het papier was hier en daar gescheurd door het schuiven van de munten.

Ik zette de sigarendoos op tafel en keek naar Tom. Zijn gezicht zag nu grijs en zijn lippen waren bijna zwart. Ik dacht aan alles wat hij me gegeven had - de verrukkingen van onze liefde, de kinderen, het werk dat hij had gedaan aan het huis en op het land, en de doos met geld. Ik dacht aan de terrassen die hij in de boomgaard had aangelegd om te voorkomen dat de bovenlaag van de bodem tijdens de ergste regens zou wegspoelen, en ik dacht aan de kruiken vol gouden melassestroop in de rokerij. Hij had me meer gegeven dan ik ooit had kunnen dromen. Locke had gelijk. Ik had altijd gedacht dat ik het land van de Peaces aan Tom had gegeven, maar in werkelijkheid had hij het aan mij gegeven.

Wat een verspilling, al die jaren van strijd tussen ons! En het ergste van alles was nog dat ik het hem nooit meer kon vergoeden, hem nooit meer kon bedanken of vertellen dat ik van hem hield. Wat had ik nu graag tegen hem gezegd dat wij bij hem in het krijt stonden, in plaats van andersom. Wat had ik graag gezegd dat ik aannam wat hij me te geven had.

Ik besloot dat het niet verstandig was om pa zo vlak voor het aanbreken van de dag wakker te maken. Hij zou zo opstaan om koffie te zetten en in de keuken in zijn bijbel te gaan zitten lezen. Waarom hem niet laten slapen zolang hij wilde? Er was daarna nog tijd genoeg om hem te vertellen dat Tom gestorven was en dan kon hij Joe en Lily en Florrie en David gaan waarschuwen. Die zouden allemaal meteen komen en proberen mij te helpen en te troosten. De komende dagen zou het huis vol mensen zijn. Joe zou beginnen met het timmeren van de doodskist, in de schuur waar Tom er een voor onze baby had gemaakt. Florrie zou heen en weer vliegen in de keuken en de mensen te woord staan die eten kwamen brengen. Dagenlang zouden de mensen meelevende woorden tegen me zeggen en me op mijn rug kloppen. Iemand zou Locke moeten schrijven.

Ik nam een grote slok uit de whiskykruik en zat daar in de stilte als in een koel bad op een warme dag. Stilte is de taal van God, dacht ik. Zo praat Hij het liefst met ons, en ook door middel van onze eigen stem. Ik wilde nog wat langer wachten en de dingen voor mezelf op een rijtje zetten. Misschien was dit voor lange tijd het laatste moment waarop ik helder kon denken. Ik wilde alles nog dieper doordenken, om te zien of ik op de een of andere manier kon begrijpen wat mij was overkomen. En hoe moest het nu verder? Nog even, en het zou buiten licht worden. In de jeneverbessen en de coniferen zouden de vogels losbarsten. Zodra ik pa hoorde scharrelen, zou ik het hem gaan vertellen en dan aan de slag gaan. Er moest nog heel wat gebeuren, voor Florrie kwam en me dwong te gaan zitten en rust te nemen.

Robert Morgan werd geboren in het bergland van North Carolina en bracht zijn jeugd door op de grond die door zijn Welse voorouders was ontgonnen. Hij heeft negen poëziebundels op zijn naam staan en vijf romans, waaronder *Gap Creek*. Dit boek werd in 2000 geselecteerd voor Oprah's Book Club. Onder de prijzen die hij heeft gewonnen zijn de James B. Hanes Poetry Prize, the North Carolina Award in Literature en de *Jacaranda Review* Fiction Prize. Zijn verhalen zijn verschenen in *Prize Stories: The O. Henry Awards* en in *New Stories from the South*. *The Truest Pleasure* (*Geest van verlangen*) werd door *Publishers Weekly* uitgeroepen tot een van de beste romans van 1995, en het haalde de shortlist voor de Southern Book Critics Circle Award for Fiction. Morgan is als hoogleraar verbonden aan Cornell University.

© Foto: Randi Anglin